Claudette

oct. 2018

① Bon
à
lire.

LE RYTHME DU TAMBOUR

ROMAN POLICIER

Éditrice-conseil : Sylvie-Catherine De Vailly
Conception de la couverture : Lyne Préfontaine

Infographiste : Chantal Landry
Photo de l'auteur : Julia Marois
Photo de la couverture : Shutterstock/Holly
    Kuchera

Correction : Sylvie Massariol et Sabine Cerboni

DISTRIBUTEUR EXCLUSIF :

Messageries de presse Benjamin
101, rue Henry-Bessemer
Bois-des-Filion, Québec, J6Z 4S9
Téléphone : 450-621-8167

10-13

Charron Éditeur inc.
1055 boul. René-Lévesque Est, bureau 205
Montréal, Québec, H2L 4S5
Téléphone : 514-523-1182

Dépôt légal : 2013
Bibliothèque et Archives nationales du Québec

ISBN 978-2-924259-20-7

Gouvernement du Québec – Programme de crédit
d'impôt pour l'édition de livres – Gestion SODEC –
www.sodec.gouv.qc.ca

L'Éditeur bénéficie du soutien de la Société de
développement des entreprises culturelles du
Québec pour son programme d'édition.

Nous reconnaissons l'aide financière du gouvernement du Canada par l'entremise du Fonds du
livre du Canada pour nos activités d'édition.

SANDRA
MESSIH

LE RYTHME DU TAMBOUR

ROMAN POLICIER

À Sam

Chapitre 1
En morceaux

Vendredi 3 juin 2011

Comme tous les matins, Jeffrey se leva avec les premiers rayons du soleil. Il s'étira gracieusement et se précipita ensuite sur sa maîtresse. Le splendide angora turc était sans contredit le plus efficace des réveille-matin, et de loin le préféré d'Elena. Il était 5 h 30 et, dans moins d'une heure, elle irait rejoindre ses employés au poste de transbordement.

La jeune femme se leva promptement, caressa son chat une dernière fois et passa sous la douche. Sa routine matinale était lancée, et c'est de cette façon qu'elle aimait se préparer pour sa journée de travail: avec constance, rigueur et continuité. Après avoir enfilé un jeans et un t-shirt cintré, elle prit le temps de déjeuner.

Puis, un peu à la course, elle donna une dernière bise à son matou, retourna chercher son lunch, qu'elle allait encore oublier, et partit enfin. Parfaitement dans les temps, la jolie brunette sauta dans sa voiture à 6 h 5 précisément et syntonisa son poste de radio favori.

Elle écoutait Paul Arcand assidûment chaque matin, et pour rien au monde elle n'aurait manqué la portion d'émission qu'elle pouvait se permettre, soit de 6 h 5 à 6 h 30.

Ce matin-là, c'était la panique. L'animateur était dans tous ses états. La veille, le ministère des Transports du Québec avait annoncé la fermeture imprévue et urgente du pont Mercier, situé à l'ouest de l'île de Montréal. En ajoutant à cela la détérioration inquiétante de l'échangeur Turcot et l'état de décrépitude du pont Champlain, l'analyse du réseau routier ceinturant Montréal avait de quoi donner la nausée. L'animateur fulminait en pensant aux milliers d'automobilistes pris en otage dans des embouteillages monstres ce jour-là. Elena, quant à elle, affichait un petit sourire en coin. Elle était parfaitement heureuse de ne devoir presque jamais quitter l'île de Montréal.

Son lieu de travail se situait dans l'est, dans un secteur plutôt industriel, et puisque le transport en commun était légèrement complexe dans cette partie de la ville, il était plus facile pour elle de s'y rendre en voiture. De chez elle, le trajet lui prenait moins de vingt-cinq minutes, ce qui lui donnait encore plus de raisons de sourire. Sa situation était enviable : aucune autoroute à prendre, aucun pont à traverser. Cela faisait partie du bonheur quotidien de la plupart des résidants de Montréal, et elle en profitait pleinement.

Ses parents vivaient également sur l'île, dans un quartier huppé situé dans l'ouest de la métropole. Question de s'éloigner de sa mère, Elena était devenue propriétaire, il y avait de cela deux ans, d'un superbe condo sur le Plateau-Mont-Royal, rue Rachel, face au parc La Fontaine.

Lors de son emménagement, elle avait été rapidement charmée par le quartier, ses nombreuses boutiques originales, ses restos branchés et son ambiance dynamique en constante effervescence.

Son condo se trouvait dans un majestueux bâtiment en pierre construit en 1901, orné de corniches antiques bien typiques de cette époque. Cela avait été un véritable coup de foudre pour la jeune femme. Le style bourgeois, bien que commun à Montréal, y avait joué pour beaucoup. La conservation du bâtiment était remarquable, et il semblait avoir défié les ravages du temps et des difficiles hivers québécois.

Il ne s'agissait que d'un cinq-pièces, mais ses vastes dimensions, ses hauts plafonds ainsi que son plancher de bois d'origine donnaient à l'endroit un cachet irrésistible auquel Elena n'avait pu résister. L'émerveillement avait atteint son comble lorsqu'elle était entrée pour la première fois dans ce qui allait devenir sa chambre : l'immense fenêtre qui s'y trouvait offrait une vue magistrale sur les nombreux arbres centenaires du parc. En plus, la propriétaire était l'une des rares à jouir d'un stationnement privé adjacent à la ruelle arrière. Un luxe dans ce coin de la ville.

Toutefois, selon sa mère, ce logement était une véritable honte. Comme l'étaient d'ailleurs l'emploi peu orthodoxe qu'avait choisi sa fille aînée et à peu près tout ce à quoi cette dernière s'intéressait. Mais Elena avait compris qu'écouter les conseils maternels ne la mènerait à rien ou, du moins, la séparerait instantanément de son bonheur quotidien. Devenir une poule de luxe gâtée se répandant en excuses perpétuelles pour des riens et à qui voulait l'entendre était loin d'être un objectif qu'elle désirait atteindre. Et elle avait tout fait pour s'en éloigner. Selon la jeune femme, son condo lui apportait un toit suffisamment coquet et élégant pour faire honneur à la famille Perrot. Son père était d'ailleurs bien d'accord avec elle, ce qui comptait le plus, finalement.

Durant la pause publicitaire, à la radio, Elena en profita pour planifier sa journée. Aujourd'hui, le 3 juin 2011, elle se rappelait que Martin Vermette, inscrit au doctorat à l'UQAM, allait venir au poste de transbordement analyser les quelques goélands présents sur le site. Ces petites bêtes opportunistes étaient prêtes à tout pour avoir accès à une fraction de frite ou à quelque autre déchet riche en gras. L'étudiant menait une étude sur le comportement de l'espèce nichant dans l'île Deslauriers, située sur le fleuve Saint-Laurent. Cette île était d'ailleurs considérée comme étant l'une des plus importantes colonies de goélands à bec cerclé en Amérique du Nord. Évidemment, ses recherches l'avaient amené là où ils trouvaient de la nourriture, au centre de déchets.

Ces oiseaux étaient cependant peu nombreux au transbo et ne nuisaient pas outre mesure aux opérations puisque l'entreposage des ordures y était temporaire. Le Groupe Perrot était fier de s'associer à cette étude et l'entreprise mettait tout en œuvre pour limiter la présence d'animaux nuisibles à ses divers sites. Lorsque la belle brunette avait eu vent de ce projet universitaire, elle avait vite convaincu son père d'y participer. Aussi, l'équipe de recherche avait bagué un certain nombre de goélands et la jeune femme se surprenait souvent à les épier, espérant apercevoir la présence d'un petit anneau bleu fixé aux pattes de l'un d'eux.

Martin devait donc arriver au site vers 8 h; elle ne devait pas oublier d'en aviser Milène, la responsable de la guérite, afin de lui laisser libre accès au site. Le reste de la journée s'annonçait comme d'habitude, ce qui dans les faits, n'était absolument pas banal. La normalité dans sa profession n'était aucunement comparable au quotidien de bien des gens. Elle devait gérer une vingtaine d'employés et plus de deux mille tonnes de déchets par jour. En plus de faire la gestion de son personnel, elle devait s'assurer du bon entretien mécanique de la flotte de véhicules et de la machinerie dont elle était responsable.

Elena Perrot s'avérait être la première femme directrice des opérations d'un poste de transbordement au Québec et… la plus grande désolation de sa mère. Le propriétaire de l'entreprise familiale, Nicolas Perrot, était on ne peut plus fier de sa fille, d'autant plus que le site n'avait jamais été aussi performant que depuis qu'il était sous sa responsabilité. Sa personnalité de gestionnaire travaillante et sérieuse, jumelée à un surprenant leadership, l'avait grandement étonné.

Elle était arrêtée à un feu rouge, au coin de la rue Notre-Dame et du boulevard Georges-V quand son téléphone sonna. Il était 6 h 23, et le Dr Laberge n'avait pas encore terminé sa chronique médicale sur les ondes. Déçue de sacrifier ne serait-ce qu'une minute d'écoute, elle répondit, irritée.

Elle reconnut la voix de Marcel, un opérateur de pelle mécanique avec qui elle travaillait depuis trois ans.

— Bonjour Elena.

Depuis qu'elle connaissait Marcel, il n'avait jamais cessé de la taquiner en l'appelant « la patronne ». Ce grand homme noir, frêle, mais somme toute élégant, était un véritable rayon de soleil. Toujours efficace dans son travail, il vouait un respect sans bornes à son employeur et à sa supérieure. Mais ce matin, le ton grave et beaucoup trop sérieux de ce joyeux luron de cinquante-trois ans l'inquiéta.

— Marcel, que se passe-t-il ?

— On a trouvé quelque chose… On a tout arrêté.

Elena n'entendait plus la voix rauque et rassurante du Dr Laberge, ne pensait plus à l'organisation de sa journée, et cessa même de respirer quelques secondes. Elle était en rogne, car elle détestait les imprévus. La lumière tourna au vert, mais sa Focus Hybrid ne décolla pas. La conductrice était totalement déconnectée de la route. Elle fulminait intérieurement, mais parvint à se ressaisir rapidement. Finalement, son employé ajouta :

— Je crois que… c'est une main… une vraie.

— Je serai là dans deux minutes.

En tournant dans la rue Broadway, elle aperçut au loin l'immense bâtiment au toit bleu. Elle roulait à toute vitesse, même si elle savait fort bien que cela ne changerait rien. Habituellement, le Dr Laberge terminait sa chronique alors qu'elle stationnait sa voiture à l'avant de la bâtisse, face à l'entrée adjacente de son bureau, dans le stationnement encore désert. Son adjointe, Louise, n'arrivait pas avant 7 h.

Malgré l'heure, le site bourdonnait déjà. Lorsqu'elle était absente, la directrice du transbo pouvait se fier à

14

Patrick, son contremaître. Il se chargeait du bon fonctionnement du site chaque matin dès 4 h. Il pouvait la joindre vingt-quatre heures sur vingt-quatre, mais il avait rarement besoin de le faire. Le poste était opérationnel six jours sur sept. Outre le dimanche, il n'était fermé que trois heures durant la nuit, afin que puisse être effectuée la maintenance de la machinerie.

Le transbo recevait des déchets d'un peu partout pour les réacheminer vers le lieu d'enfouissement du Groupe Perrot. Les derniers détritus arrivaient au site vers 1 h du matin, avant la fermeture. Tout au long de la journée, les déchets accumulés étaient compactés dans des camions à plancher mobile de cinquante-trois pieds afin de permettre leur transfert. Le poste de transbordement aidait à l'optimisation des déplacements des déchets à enfouir, puisque les lieux d'enfouissement se trouvaient généralement éloignés des centres urbains.

Le Groupe était propriétaire d'un important lieu d'enfouissement, situé à l'Épiphanie. Arrêter les opérations au poste de transbordement était donc un frein non négligeable aux activités de la famille Perrot.

Toutefois, le poste de la rue Broadway jouissait d'infrastructures d'une taille imposante où l'accumulation de déchets était possible sur une période d'environ trois jours, ce qui permettait le maintien des services aux clients, en plus de tenir à l'écart les compétiteurs. L'entreprise familiale avait d'ailleurs signé un important contrat avec la Ville de Montréal et certains de ses arrondissements. Ainsi, après avoir fait leur collecte de porte en porte, des dizaines de camions à ordures arrivaient au site chaque jour afin d'y déverser leur contenu.

Et c'était sans compter les cinq camions de collecte à chargement frontal du Groupe Perrot, dont la jeune femme avait également la responsabilité. Ceux-ci se chargeaient de la vidange de plusieurs conteneurs de commerce répartis dans divers secteurs de Montréal. La gestion et l'entretien de tous ces conteneurs en location s'ajoutaient également aux tâches de la directrice des opérations du poste de transbordement.

Ce matin-là, Elena Perrot avait fait fi de ses habitudes, ce qui la rendait encore plus maussade, et alla se garer dans le stationnement des employés, localisé face aux aires de déchargement près de l'entrée des vestiaires. De là, elle aperçut Marcel et Denis, le journalier, et le probable responsable de cette fâcheuse découverte. Une partie de son travail consistait à inspecter sommairement le contenu des camions lors de leur déchargement.

La patronne remarqua que ni son contremaître ni la police ne se trouvaient sur les lieux. Elle espérait qu'il s'agisse encore d'un squelette anatomique en plastique provenant d'une école ou d'un hôpital. Ces reproductions étaient si réelles qu'ensevelies sous un tas de déchets, on croyait à de véritables os humains.

— Bonjour messieurs. Vous me faites voir ça ? leur demanda-t-elle prestement.

— Par ici. On n'a pas encore appelé la police, lui répondit Marcel.

— Il est où, Pat ? interrogea-t-elle devant l'absence de son contremaître.

— Sa femme a accouché. Il est parti il y a moins de vingt minutes, il savait que tu arriverais bientôt.

Lorsque Elena arriva sur place, elle aperçut ce qui allait être le début de son cauchemar : une main humaine, découpée au poignet, de toute vraisemblance celle d'une jeune femme (à en juger par les ongles manucurés), exhibée sur le plancher de béton. Près d'elle, quelques sacs à ordures et divers déchets jonchaient le sol. Machinalement, la gestionnaire du site donna quelques directives à ses employés et leur demanda d'appeler la police sur-le-champ, ce que fit Marcel. Tout en parlant, elle ne pouvait détourner son regard des restes humains gisant près d'elle. Un profond malaise l'empoigna à la gorge, qui l'obligea à prendre une pause. Elle dut faire de grands efforts afin de paraître forte et en possession de ses moyens devant ses employés. Car, tout au fond d'elle-même, le dégoût, la panique et l'envie de renvoyer la totalité de son petit déjeuner, étaient omniprésents.

— De quel camion s'agit-il, Denis ? Un de la Ville ? demanda-t-elle, cherchant à connaître la provenance du chargement tout en gardant un semblant de sang-froid.

— Non, un des nôtres. C'est la *run* de Luc, le numéro 4578. Luc, sors de là ! cria-t-il au chauffeur qui parlait au téléphone, toujours assis dans le camion.

Celui-ci vint les rejoindre aussitôt.

— Bonjour, Luc, belle trouvaille, mon cher… lui dit-elle d'un ton presque accusateur.

— Patronne, la police va arriver très rapidement, il y avait une voiture de patrouille dans les environs, l'informa Marcel après avoir fait l'appel au 9-1-1. Un peu mal à l'aise, il ne pouvait s'empêcher de regarder les chaussures de sa supérieure.

Elena surprit son regard et comprit immédiatement que ses petites espadrilles blanches de marque Puma devaient maintenant baigner dans du jus malodorant de décomposition des déchets. Les changements d'habitudes, ce n'était décidément pas son fort. Ses bottes de travail et son dossard l'attendaient dans son bureau, de l'autre côté de la bâtisse. D'ordinaire, la première chose qu'elle faisait en arrivant au bureau le matin consistait à se vêtir convenablement, selon les normes de sécurité. Mais ce matin-là, tout était différent. Elle tenta d'évaluer la situation calmement et convint qu'il n'y avait rien de dramatique à l'idée de devoir se rendre à son bureau pour se changer en attendant l'arrivée des corps policiers.

Dans la bâtisse, tout près du lieu de la macabre découverte, se trouvait un petit escalier métallique donnant accès aux aires réservées aux employés, au deuxième étage. Une fois à l'étage, une lourde porte s'ouvrait sur un long corridor où se trouvaient la cantine des employés, les vestiaires ainsi que les douches. Les bureaux administratifs étaient, quant à eux, accessibles à l'autre bout de ce couloir, derrière une porte en bois d'acajou. Généralement, seules Louise et Elena avaient accès à cette partie du bâtiment.

Personne ne s'en doutait, mais la directrice du poste cultivait une phobie sans bornes du passage situé au deuxième étage. En fait, elle l'évitait plus que tout. D'habitude, lorsqu'elle arrivait le matin, la jeune femme garait sa voiture devant le bâtiment et arrivait directement dans les bureaux administratifs. Dès son arrivée, elle changeait de vêtements dans le confort de son bureau, pour ensuite se rendre aux aires de déchargement par l'extérieur, au lieu de prendre le corridor et l'escalier métallique, pourtant prévus à cette fin. Même si elle avait, par les fenêtres de son bureau, un panorama des activités se déroulant au transbo, elle préférait de loin se trouver sur place avec ses employés afin de s'assurer du bon déroulement des opérations.

En attendant les policiers, elle se dirigea donc instinctivement vers l'extérieur de l'aire de déchargement, afin de marcher jusqu'à son bureau. Elle n'avait pas fait deux pas quand elle vit une voiture de police arriver à la guérite. Milène indiqua le chemin au conducteur, et le véhicule vint les rejoindre.

Une femme à l'air sévère ainsi qu'un homme moustachu descendirent de la voiture. Après avoir fait un tour prudent de la scène, la jeune femme appela rapidement la centrale afin de faire venir sur les lieux une équipe technique, tandis que son collègue se dirigeait vers Elena.

— Eh bien, c'est toute une découverte ! L'équipe technique devrait arriver bientôt. Il vient d'où, ce camion ? demanda le moustachu en pointant du doigt le camion à chargement frontal 4578.

— Je reviens de ma *run* à Montréal-Nord, monsieur l'agent, lui répondit le chauffeur, qui se tenait non loin de là.

— On vous demandera d'être plus précis. Montréal-Nord n'est pas une réponse qui contentera l'enquêteur ! Vous avez votre parcours exact pas trop loin ?

— Dans mon ordinateur de bord mais aussi...

Sur ces mots, Luc sortit de la poche arrière de son jeans un bout de papier plié en quatre. Il semblait en bien piètre état, et il était recouvert de ce qui ressemblait à des éclaboussures de café. Sa patronne le regarda avec dédain et, surtout, avec une certaine gêne. La fiche du camion 4578 était visiblement dans un état lamentable.

— Luc, je crois qu'il serait plus adéquat de remettre ce document dans un meilleur état aux policiers… intervint sa supérieure.

— Ouais, c'est vrai… Je vais demander à Louise de m'en sortir une autre copie, acquiesça vivement Luc, également indisposé par la situation.

— Elle n'est pas encore arrivée.

— Ben dans ce cas, venez avec moi à son bureau, je sais où ils sont. Je l'ai vue faire l'autre fois.

Elena approuva l'idée et se dit que la survie de ses espadrilles n'était peut-être pas perdue. Elle pourrait enfin parvenir à son bureau. À peine avait-elle commencé à marcher vers la bâtisse que Luc l'interpella, surpris.

— Vous venez ?

Le chauffeur l'attendait dans l'escalier métallique, vers l'étage supérieur… et l'infect corridor qu'elle méprisait tant. Spontanément, la jeune femme voulut émettre une objection, mais son regard croisa ceux de Denis et de Marcel, ainsi que ceux des deux policiers présents dans l'aire de déchargement. Elena était prise au piège. Les dix yeux fixés sur elle l'obligeaient à se diriger vers Luc… Sur le coup, elle ne parvint pas à concocter une excuse valable pour justifier son détour. Tout en marchant vers l'escalier, elle sentit de soudaines sueurs froides lui traverser le corps.

— Ça va, madame Perrot? demanda Denis, en constatant le changement d'attitude de sa supérieure.

— Hum, oui. Et avertissez la guérite de se grouiller et de faire en sorte que les camions qui arrivent soient rapidement déchargés dans l'entrepôt, lui répondit-elle d'un ton sec et cassant, qui n'était en fait qu'une façade pour cacher son malaise grandissant.

* * *

Patrick était heureux et comblé. Il tenait dans ses bras la plus belle créature qui soit: son fils. Un beau bébé de près de trois kilos et demi, en parfaite santé. Il était son portrait tout craché: le même nez retroussé, les mêmes pommettes. L'accouchement s'était plutôt bien déroulé; Chantale avait eu la chance d'accoucher comme une chatte. Tout s'était passé assez rapidement, en moins de deux heures trente, ce qui était plutôt expéditif pour un premier bébé.

Sa conjointe se reposait un peu, tandis que Patrick berçait son nouveau joyau. Malgré l'euphorie du moment, il se sentait un peu coupable. Il s'en voulait de regarder sans cesse sa montre, encore anxieux d'avoir quitté le transbo si rapidement, sans même parler à sa supérieure.

— Vas-y, Pat, cours! Elena arrive dans moins de trente minutes. Tu as fait tous les appels nécessaires, le stock de cette nuit se vide bien. Qu'est-ce que tu attends, bordel! Tu vas être papa, *go*!

Chantale venait de téléphoner, elle était déjà à l'hôpital. Tout allait trop vite, il devait y aller tout de suite ! Denis avait raison, sa patronne comprendrait certainement.

Emmailloté confortablement dans le creux de son bras, bébé Félix dormait à poings fermés. La nouvelle maman semblait suivre l'exemple de son fils. Il n'osait le déposer, de peur de le réveiller, et décida de poursuivre le rythme réconfortant de la chaise berçante, bien qu'elle fût plutôt chétive. Il réalisa alors qu'il était profondément heureux. Et son métier n'était pas étranger à son bonheur.

Il se souvenait de la première fois où il avait rencontré la belle Elena Perrot. Elle était assise à la table de conférence adjacente à son bureau, ses cheveux bruns remontés en chignon. Début trentaine, sans maquillage et d'une beauté à couper le souffle. Mais elle dégageait une telle assurance qu'il s'était senti mal à l'aise sur-le-champ. Jusqu'à ce qu'elle se lève pour l'accueillir, main tendue et sourire radieux aux lèvres.

— Bonjour, enchantée de vous rencontrer. Je suis la directrice des opérations. Veuillez vous asseoir, s'il vous plaît.

Immédiatement, il avait été conquis par cette femme si forte au regard pénétrant. Certes, ce travail était exigeant, mais il était également gratifiant et payant. Les heures de travail étaient particulières, mais Patrick avait appris à apprécier sa vie ainsi. Il n'avait pas beaucoup d'expérience en gestion des déchets, mais connaissait bien la mécanique et les rouages d'une bonne gestion. Durant l'entretien, il avait appris que sa future supérieure venait, depuis quelques mois, de prendre les commandes du poste de transbordement.

Peu de temps après son embauche, il avait rapidement compris que tout ne s'était pas nécessairement bien passé pour elle depuis son arrivée. Certains employés étaient partis peu de temps après sa nomination. Au départ, la rumeur voulait que ceux-ci n'aient pas toléré la présence d'une femme comme directrice. Patrick avait su, par la suite, qu'en fait Elena avait fait installer des caméras en douce dans tous les recoins de la bâtisse et avait surpris deux employés en flagrant délit. L'un pour falsification des registres d'entretien de la machinerie, ce qui était impardonnable, et l'autre pour consommation d'alcool en cachette dans les vestiaires. Congédiement immédiat. De la sorte, elle avait aussitôt montré ce dont elle était capable.

Il n'avait pas tout de suite compris pourquoi on l'avait embauché. Il n'avait pas une prestance particulière ni un physique avantageux. Une bonne camaraderie s'était vite installée entre eux et quelques semaines plus tard, il lui avait posé la question :

— Je peux vous demander pourquoi vous m'avez choisi ?

— Allons, c'est simple pourtant ! Tu étais le plus calme de tous les candidats. Et puis, tu étais aussi de loin le plus intelligent.

— Ah bon… avait répondu, peu convaincu, le jeune homme.

— Avoir un bras droit qui ne panique pas au moindre problème est un critère d'embauche essentiel. À la quantité d'imprévus auxquels nous devons faire face dans une même journée, ce serait une catastrophe ! Et puis, réagir rapidement en proposant des solutions adéquates est un signe d'intelligence et de vivacité que mon contremaître doit posséder. Le reste, tu l'apprendras sur le tas. L'essentiel, tu l'as déjà en toi, et tu t'en sors très bien.

Félix fit une drôle de grimace, ce qui provoqua un sourire chez Patrick. Son bébé ressemblait davantage à un troll à présent. Son arrivée allait peut-être changer certaines choses, finalement. Encore une fois, il semblait qu'Elena avait eu raison. La semaine précédente, elle avait engagé Vladimir, l'un des contremaîtres à temps partiel du poste de transbordement de Pierrefonds, appartenant également au Groupe Perrot.

— Tu auras besoin d'un horaire plus flexible, surtout au début. Chantale voudra que tu sois plus présent. Et toi aussi !

Patrick n'avait jamais réussi à concevoir ce que devenir père signifiait vraiment. Somme toute, il était désormais reconnaissant envers sa supérieure d'avoir engagé Vladimir. Le Russe ferait ses quarts de travail du matin, de 4 h à 8 h. Il lui resterait donc les quarts du soir, de 15 h à 21 h, du lundi au samedi. Vladimir ferait le quart du soir du samedi une semaine sur deux, et le jeune papa aurait donc plus de temps pour rester à la maison, ce qui valait tout l'or du monde.

Lors d'une récente discussion, Elena lui avait proposé de prendre son congé parental auquel il avait droit, mais il avait refusé. Patrick était de ces personnes qui doivent travailler. Rester à la maison le rendait fou, il s'y sentait inutile. C'était une tout autre chose avec l'équipe du Groupe Perrot, où il se sentait utile et respecté, surtout par sa patronne. D'ailleurs, il ne comprenait toujours pas pourquoi quelques employés ne semblaient pas l'apprécier. Peut-être mettait-elle mal à l'aise certains hommes ? Selon lui, c'était certainement le cas de José Léon Fernandez, un hispanophone de quarante-six ans. Le contremaître ne supportait pas son attitude, qui reflétait un flagrant manque de respect envers la jeune femme. Son air morose et son regard noir n'évoquaient rien de rassurant, notamment en ce qui concernait le maintien d'un bon esprit d'équipe. Patrick avait souvent averti José Léon qu'il devait changer d'attitude, arrêter de se plaindre en permanence et cesser de dénigrer sa supérieure devant les autres employés. Mais cela n'avait rien donné.

— Pourquoi ne le mettez-vous pas à la porte ? avait-il un jour demandé à Elena.

— Tu peux me tutoyer, Pat, ça fait des milliers de fois que je te le répète.

— Ne détournez pas la question.

— José est un excellent employé, travaillant et rigoureux. Un bon atout. Il manœuvre aussi bien sa chargeuse sur pneus que moi, ma brosse à dents. Pourquoi le Groupe Perrot devrait-il se départir d'un tel employé ?

Malgré les mauvaises mines de José, Elena avait vite trouvé une façon de le supporter et, surtout, de le laisser tranquille. Ils ne se croisaient que rarement.

Il y avait aussi Gérald, qui semblait cependant de mieux en mieux tolérer la jeune femme au fil des ans… Cet ouvrier de soixante-quatre ans n'était pas près de prendre sa retraite et manœuvrait sa pelle mécanique comme s'il s'agissait d'une extension de lui-même. Ce vieux bougon, en apparence du moins, avait eu des doutes quant aux capacités de sa nouvelle supérieure à diriger le poste de transbordement. À son arrivée, le regard qu'il faisait peser sur elle était sévère et lourd de suspicion. Il honorait pleinement sa réputation de vieux grincheux. Toutefois, au cours des mois qui avaient suivi, il avait semblé s'être attendri. D'autant plus que le reste de l'équipe paraissait avoir bien adopté l'héritière Perrot.

L'ambiance au travail était donc somme toute tolérable, voire plutôt agréable. Une belle fraternité s'était finalement installée, et Patrick appréciait particulièrement le grand Marcel et Nathan, le petit nouveau. Tout de même, les ragots faisaient quelquefois des ravages, notamment dans une équipe aussi réduite. Et il était conscient que quelques employés trouvaient certaines habitudes d'Elena suspectes, voire inquiétantes. Il en faisait d'ailleurs partie. Elle agissait le plus normalement du monde en espérant que personne ne s'aperçoive de quoi que ce soit, mais dans les faits, toute l'équipe de jour avait remarqué ses petites manies.

Pour une raison que personne ne comprenait encore, la jeune femme évitait systématiquement d'utiliser l'escalier métallique se trouvant dans les aires de déchargement, afin d'accéder à son bureau. Le matin, elle préférait marcher à l'extérieur pour se rendre au transbo. Elle ne venait donc jamais dans le vestiaire des employés ni dans la cantine. Elle mangeait dans son bureau et prenait sa douche dans sa salle de bains privée, qu'elle avait spécialement aménagée à son attention, ce qui était justifiable. Personne n'en parlait vraiment, mais tout le monde y pensait. Surtout lorsqu'il pleuvait ou qu'il faisait un froid de canard, si courant à Montréal en février. La directrice des opérations affrontait toutes les intempéries afin d'éviter coûte que coûte le passage intérieur vers les aires de déchargement.

* * *

Elena déglutit bruyamment, sous le regard inquiet de Luc. Elle lui sourit, en espérant atténuer l'air horrifié qu'elle devinait sur son visage. Elle devait se dépêcher…

Elle franchit rapidement les marches de l'escalier bruyant une à une et passa la porte donnant sur le corridor. Elle prit une profonde inspiration afin de retenir son souffle. Le passage en soi n'était aucunement l'origine de son malaise puisqu'elle n'était pas claustrophobe. En fait, le problème, c'était l'odeur.

Elle n'avait généralement aucune difficulté à s'accoutumer à l'odeur des déchets, mais celle du corridor était tout autre. Personne ne pouvait comprendre l'impact que pouvait avoir sur elle ce mélange d'humidité, de plastique mouillé et d'on ne sait quoi qui caractérisait cet endroit.

D'un pas décidé, elle avança en suivant Luc, convaincue de pouvoir se rendre à la porte des bureaux administratifs sans prendre une seule bouffée de cet air vicié. En croisant le vestiaire, elle arriva face à face avec Nathan, qui sortait au même moment.

— Alors c'est vrai ? Les gars ont trouvé une main ? C'est fou, ça ! Vous croyez que le reste du corps est dans la benne du camion ? La police va arriver bientôt ? On arrête tout sur les trois aires de déchargement ? Pour combien de temps, vous croyez ? Il y aura assez de place dans l'entrepôt ?

— …

— Madame Elena ?

— Nathan, va au boulot, les gars auront besoin de toi à l'entrepôt.

Il partit alors à la course rejoindre ses coéquipiers. Si excité par les événements, il ne remarqua pas le visage rouge et bouffi de sa supérieure qui prenait peu à peu un teint verdâtre. Elle dut reprendre son souffle et, instantanément, tout son corps se mit à trembler d'effroi. L'été de 1987 refaisait surface, et Elena sut que cette journée du 3 juin 2011 serait certainement des plus pénibles.

Mais elle ne se doutait pas encore que cette journée allait en fait changer sa vie à tout jamais.

* * *

Mercredi 12 août 1987

Elena avait neuf ans. Ce jour-là, elle était très excitée, car il s'agissait du grand jour. Depuis la fin des classes, la jeune fille ne pensait qu'à cette fin de semaine d'évasion avec ses grands-parents. Ses amies attendaient probablement avec impatience des sorties plus excitantes, comme aller au parc aquatique ou dans un parc d'amusement, mais pas elle. Elena se savait bien différente de ses copines, puisqu'elle rêvait plutôt d'un week-end d'escapade avec grand-papa Léon et mamie Angèle.

Ni même son grand frère Bruno ou sa sœur Amélia ne voulaient y aller. Depuis trois ans, elle partait en camping avec ses grands-parents et profitait pleinement de ces moments de quiétude loin des reproches de son frère et des rengaines de sa petite sœur. Elle se sentait bien à l'écart dans cette famille. Très proche de son père, elle n'arrivait pas à apprécier autant sa mère, ce qui l'attristait énormément. Elles avaient si peu de points en commun et, de toute façon, Béatrice Russo, femme du riche Nicolas Perrot, n'avait d'amour que pour son Amélia, sa petite princesse adorée.

Quant à la fille aînée, elle était loin d'être une princesse. Elle aimait la pêche, la chasse aux grenouilles et le hockey. Pris par le travail, son père ne pouvait consacrer autant de temps qu'il aurait aimé à sa famille, mais les moments passés avec Elena étaient toujours tendres et magiques.

— Tu es une vraie Perrot, lui répétait-il sans cesse, ce qui comblait la fillette de bonheur et de fierté.

Ce matin-là, elle vérifia une dernière fois le contenu de son sac. Elle n'avait pas oublié son journal intime, son vieil ourson en peluche et son roman. Son amie Marie-Anne lui avait certifié que *Mystère et boule de gomme* était un super bouquin pour les vacances. Ces cent vingt-sept pages devaient lui suffire pour le week-end. Elle descendit l'escalier et se précipita sur le perron. Son grand-père y était déjà, discutant avec son fils.

— Grand-papa! lui dit-elle en lui sautant dans les bras.

— Alors, ma puce, tu as tout ce qu'il te faut?

— Oui, je suis prête!

— Bon! Saute dans le motorisé, on va partir dans quelques minutes, je dois discuter encore un peu avec ton papa.

— Du boulot? interrogea la fillette, inquiète.

— Oui, du boulot.

— Mais c'est les vacances! dit-elle, impatiente.

— Les vacances pour toi, ma puce, ton papa et moi avons tout un empire à gérer! Va rejoindre mamie et Jasper.

Léon ne la fit pas attendre bien longtemps. Dix minutes plus tard, ils étaient déjà en route. Jasper, tout excité par la présence de la gamine, ne restait pas en place; ce beau colley l'adorait et quand ils étaient ensemble, ils devenaient inséparables.

Les grands-parents amenaient tous les ans leur petite-fille près de Montebello, chez un ami, un certain monsieur Lamarre. Elena ne l'avait jamais rencontré, mais elle lui était bien reconnaissante de les laisser camper dans sa forêt. Selon son grand-père, cet homme mystérieux était un client important du Groupe Perrot.

Très fortuné, cet énigmatique homme d'affaires possédait plusieurs propriétés aux États-Unis et au Québec, dont une en Outaouais. Celle-ci était juxtaposée à un immense domaine forestier de vingt hectares, que Léon Perrot transformait une fois par an en aire de camping privé. Se connaissant depuis maintenant une dizaine d'années, ils avaient su tisser de solides liens amicaux malgré leur caractère bouillant dans leur vie professionnelle respective.

Près du site de camping se trouvaient une rivière paisible ainsi qu'un petit quai, idéal pour la pêche. Ils étaient arrivés à destination vers midi. Angèle s'affairait à préparer le dîner pendant que les deux autres installaient le nécessaire à l'extérieur.

Lors de sa première expérience, du haut de ses sept ans, la gamine avait exigé de ses grands-parents de faire du « vrai camping » et de dormir sous une tente. Mais une seule nuit l'avait convaincue du contraire. Elle n'avait pas fermé l'œil jusqu'au matin, ne pouvant supporter tous les bruits nocturnes qui l'entouraient. Au lever du jour, sa tente était couverte de limaces et grouillait de perce-oreilles. Elle n'avait pas voulu déjeuner ce matin-là, et elle avait même jonglé avec l'idée de demander à ses grands-parents de la raccompagner à la maison. Mais Elena Perrot n'abandonnait pas si rapidement et, le soir suivant, elle avait dormi dans la tente-roulotte, bien au sec. Cette année-là, Léon avait acheté un motorisé usagé, spécialement pour cette sortie en camping.

— Grand-papa, pourquoi il est si vieux et laid, ton camion ?

— C'est un motorisé, ma puce. Vois-tu, nous faisons du camping une seule fois par année, alors je ne vois pas pourquoi j'aurais dépensé une fortune pour en avoir un flambant neuf !

— Elle est parfaite cette caravane, ma belle, ne trouves-tu pas ? lui demanda sa grand-mère. Elle est bien mieux que la vieille tente-roulotte, non ? Il y a même une toilette !

— C'est vrai… mais une chose est certaine : maman ne voudrait jamais y mettre les pieds !

— Non, ta mère ne voudrait pas y mettre un orteil !

Ils éclatèrent de rire en imaginant la tête que ferait Béatrice Russo à l'idée de franchir le seuil du véhicule. Léon Perrot était de nature modeste et il avait réussi à construire son empire grâce à son intelligence et à son opportunisme. Sa fortune était le fruit de longues années de travail, et il était fier que son fils prenne la relève et participe aussi activement à l'expansion de son entreprise. Cependant, il n'avait jamais compris le choix de Nicolas lorsqu'il avait convolé en justes noces. Outre sa grande beauté, Béatrice s'était rapidement transformée en pimbêche antipathique et futile. Léon avait compris qu'elle était tombée dans le piège de ces gens pour qui la richesse devient un leurre de leur propre bonheur.

Cette première soirée de camping fut magique pour Elena. Léon coupa du bois et fit un immense feu, tandis que Jasper restait calé contre la jeune fille, espérant goûter aux guimauves grillées. Jusqu'à très tard, ils bavardèrent de tout et de rien sous un ciel de pleine lune.

— Demain, ma puce, nous irons à la pêche !
— Super, grand-papa !
— Allons dormir maintenant, il se fait tard.

Malgré son bonheur, la fillette n'aimait pas beaucoup son lit. Le sac de couchage que ses grands-parents lui avaient donné avait une drôle d'odeur, et elle avait l'impression d'être coincée dans un recoin du motorisé. Mais elle ne voulait pas se plaindre, alors elle essaya de s'habituer rapidement à son environnement et finit par s'endormir avec le chant des criquets et des cigales.

Au matin, elle se réveilla bien après ses grands-parents. Couchée dans son lit, elle remarqua qu'une limace se promenait sur le rebord extérieur de sa fenêtre.

Elle l'examina un long moment, puisqu'elle n'en avait jamais vu d'aussi gigantesque. En entendant du bruit venant de l'extérieur, elle constata qu'elle était seule dans la caravane. Lorsqu'elle ouvrit la porte, sa grand-mère lui sourit. Elle faisait cuire des œufs et du bacon, ce qui combla de joie la fillette.

— Je ne voulais pas te réveiller, alors je me suis installée dehors pour faire la popote !

— Il est où, grand-papa ?

— Juste à côté avec Jasper, il coupe du bois. Nous avons entièrement brûlé nos maigres réserves hier soir ! Alors, tu as bien dormi ?

En disant cela, elle renversa la poivrière, placée sur le rebord de la table, et la bouteille se retrouva au sol.

— Ah non ! Il y a du poivre partout par terre !

C'est alors que la gamine entendit des bruits effrayants ; il s'agissait de jappements inhabituels. Le chien était dans tous ses états.

— Mais pour l'amour du ciel, que se passe-t-il avec Jasper ? se demanda Angèle, anxieuse.

La fillette s'avança doucement, toujours en jaquette. Elle marcha par mégarde sur une roche, ce qui la fit grimacer. Au même moment, elle entendit un cri des plus terrifiants : celui-ci semblait d'abord agressif, mais il se transforma rapidement en cri d'effroi, suivi d'un grognement de fureur accompagné de bruits sourds au sol. Elena était complètement terrifiée par cette effroyable cacophonie.

— Maammie… que se passe-t-il ?

— Va dans le motorisé ! lui cria sa grand-mère.

Pendant les minutes qui suivirent, la gamine connut la peur de sa vie. Elle pleura toutes les larmes de son corps, car elle comprenait que quelque chose de grave se produisait non loin. Finalement, sa grand-mère cria…

La petite n'en pouvait plus et décida de sortir jeter un œil dehors. Elle vit alors sa grand-mère, couverte de sang. Angèle pleurait et sanglotait, agenouillée sur le sol. Quant à Jasper, qui avait finalement cessé de japper, il semblait en état de panique. Elle sortit davantage et aperçut son grand-père, étendu dans une mare de sang au pied d'un grand pin…

Elena ouvrit les yeux. Elle avait froid, tremblait de partout et était engourdie de la tête aux pieds. Jamais elle ne s'était sentie de la sorte auparavant. La gamine était encore couchée et regardait par la fenêtre. Une immense limace se promenait sur le rebord. Puis vint l'odeur. Elle se trouvait dans le motorisé, dans son lit.

En tremblant, la fillette se leva et se dirigea vers la porte. À sa grande surprise, ce n'était pas la scène d'horreur et de sang qui l'attendait, mais plutôt le parfum agréable du bacon dans la poêle.

— Je ne voulais pas te réveiller, alors je me suis installée dehors pour faire la popote!

— Grand-maman?

— Alors, tu as bien dormi? Tu sembles toute pâle!

Elena resta bouche bée; elle ne pouvait plus parler… Elle regarda sa grand-mère renverser la poivrière sur le sol.

— Ah non! Il y a du poivre partout par terre!

Était-ce un rêve? Confuse, la fillette se mit à sangloter silencieusement. Car elle entendit japper Jasper et sut que le pire était sur le point d'arriver. Elle remarqua alors la canette de « chasse-ours » sur le coin de la table. Elle ne l'avait pas remarquée auparavant. Son grand-père lui avait dit que s'ils rencontraient un ours, il suffisait de l'asperger avec ce produit pour le repousser. Il lui avait assuré qu'il s'agissait d'une méthode sans danger pour la bête et que les effets ressemblaient à ceux du poivre de Cayenne.

— Mais pour l'amour du ciel, que se passe-t-il avec Jasper ? demanda Angèle.

— Grand-maman, il faut donner la bouteille à grand-papa ! Il l'a oubliée !

Mais au même moment, les effroyables cris de son grand-père retentirent à nouveau.

— Grand-maman, vite !

— Va dans le motorisé, Elena !

— Non, il va mourir !

Paniquée, la petite courut vers la bouteille, évita la roche sur le sol et fila vers la forêt. À son arrivée, il était déjà trop tard et elle aperçut l'ours et son petit qui partaient en courant.

L'été 1987 fut la dernière année où Elena Perrot fit du camping.

* * *

Vendredi 3 juin 2011

Assise dans son bureau, la directrice enfilait ses bottes de travail en sanglotant. Elle se promit que plus jamais, et ce, peu importe les circonstances, elle n'utiliserait ce corridor qui lui rappelait tant l'odeur du vieux motorisé de ses grands-parents.

35

La mort de son grand-père l'avait profondément affectée et le rôle qu'elle y avait joué aussi. Elle comprit rapidement qu'elle avait, pour une raison qu'elle ignorait toujours, eu connaissance de ce qui allait se produire dans les minutes qui avaient suivi son rêve. Mais du haut de ses neuf ans, elle n'avait pas su réagir assez rapidement pour éviter le pire… D'ailleurs, pendant des années, elle n'en avait parlé à personne. Ni même à son journal intime, et certainement pas au psychologue qui l'avait traitée durant les huit mois suivant les événements. Car depuis ce matin fatidique de 1987, elle avait eu la certitude qu'elle était vraiment différente des autres petites filles et qu'il ne s'agissait pas d'une illusion.

— Grands dieux, madame Perrot, ça va ?

Elena sécha rapidement ses larmes devant Luc, qui revenait du bureau de Louise avec l'itinéraire détaillé du camion 4578.

— Oh, je vais bien, rassure-toi, Luc. Je suis un peu bouleversée par les événements, c'est tout.

— Bon… si vous le dites. Je redescends, d'accord ? Je vous laisse la fiche ici ?

— Oui, merci, Luc. Reste quelque temps au transbo, les policiers voudront sans doute te rencontrer. Je te fais savoir quand tu pourras poursuivre les collectes, avec un autre camion, il va sans dire.

— D'accord, à tout de suite. Vous êtes certaine que tout va bien pour vous ?

— Oui, ça va.

Elle prit quelques minutes pour se ressaisir et en profita pour se rafraîchir le visage. Elle mit son dossard au passage, tout en se dirigeant vers la porte afin de rejoindre les autres par l'extérieur de la bâtisse, sous le regard surpris de Louise qui arrivait au même moment.

— Bon sang, Elena, mais que se passe-t-il?

— Une triste découverte… Je dois y aller, Louise, tu le sauras bien assez vite! lui répondit sa supérieure, tout en pressant le pas.

Les agents de police érigèrent un imposant périmètre de sécurité au-delà de l'aire de déchargement numéro 3, où la main avait été trouvée. Les rubans jaunes encadraient l'ensemble des trois lieux de déchargement, ce qui étonna quelque peu la directrice. Une équipe technique s'affairait maintenant sur les lieux, toute vêtue de combinaisons blanches, digne des plus grandes séries télévisées américaines.

Pour sa part, Elena avait dû appeler tous les chauffeurs externes, les *brokers*, comme elle se plaisait à les appeler, afin d'annuler les commandes. Puisque les compacteurs nécessaires au transbordement efficace des déchets dans les camions à plancher mobile étaient tous situés dans les aires de déchargement, il serait impossible de sortir quoi que ce soit ce jour-là. Les déchets ne pouvaient donc qu'entrer et s'accumuler dans l'entrepôt. Elle appela également son frère au lieu d'enfouissement afin de l'avertir qu'aucun camion ne se rendrait au site durant la journée. La jeune femme se croisa les doigts pour que la présence des policiers ne s'éternise pas.

Vers 7 h 20, une nouvelle voiture arriva sur les lieux. Un homme de grande taille s'avança vers le périmètre de sécurité et fut accueilli par le policier moustachu.

37

— Bonjour, sergent-détective. C'est par ici.

— Juste un moment, je veux d'abord rencontrer le propriétaire des lieux.

— C'est la p'tite dame ici.

N'étant pas très loin, elle s'empressa d'aller les rejoindre, quoique préoccupée par la file de camions en attente à la guérite. Elle allait devoir remédier à la situation ; certains camions attendaient même dans la rue.

— Bonjour, je suis Elena Perrot, directrice des opérations de ce poste de transbordement.

— Bonjour, mademoiselle. Je suis le sergent-détective David Allard. J'aimerais vous remercier pour votre collaboration jusqu'à présent. Nous ferons tout en notre pouvoir pour quitter les lieux le plus rapidement possible.

— D'accord, pas de problème.

— C'est vous qui avez fait la découverte ?

— Euh, non. C'est Denis Poirier, un journalier, dit-elle en désignant un homme vêtu d'une combinaison de travail bleu marine et d'une casquette sale.

— Très bien, allons le rencontrer.

— Dites, puisque votre équipe travaille principalement sur l'aire numéro 3, pourrions-nous tout de même utiliser la première ? L'aire de déchargement numéro 2 pourrait servir de zone tampon entre votre équipe et la mienne, et cela aiderait grandement au maintien minimal de nos opérations.

— Pour le moment, je vous dirais qu'il s'agit d'une mauvaise idée. Mais je vais réévaluer la situation plus tard et je vous ferai part de ma décision.

Tout en parlant, ils se dirigèrent vers Denis.

— Bonjour, Denis, je suis le sergent-détective Allard. Selon votre déposition, il est mentionné que dès que vous avez aperçu la main tombée du camion, vous avez fait arrêter le déchargement.

— Oui, c'est ça. Je n'étais pas certain au début, mais dans le doute, on stoppe tout pour vérifier. Quand j'ai vu que c'était une vraie main, et non un truc en plastique, j'ai tout de suite appelé Marcel, un autre employé. Depuis ce moment-là, rien n'a bougé ici. Elena a fait en sorte que tout reste tel quel.

— Eh bien, je vous félicite de votre vigilance, madame Perrot. Savez-vous d'où provient ce camion ? lui demanda-t-il.

— J'ai fait sortir l'itinéraire du camion plus tôt. Je l'ai donné au policier qui vous a accueilli, dit-elle en pointant du doigt l'homme moustachu. Le chargement du camion provient de Montréal-Nord. Nous louons plusieurs conteneurs dans ce secteur et Luc, un de nos chauffeurs, est responsable de leur vidange le vendredi matin. Dans les documents que j'ai remis au policier, la liste des adresses est indiquée.

— Merveilleux ! C'est toujours agréable de travailler avec des personnes qui sont à leur affaire. J'irai me procurer ces documents.

— Mais sachez que l'ordre de collecte des conteneurs peut être modifié, ajouta-t-elle. Il faudra vérifier avec Luc. Nous leur proposons un parcours, mais il peut arriver, notamment en cas de travaux routiers ou d'imprévus, que le parcours soit modifié. Aussi, les conteneurs ne sont pas tous vidés toutes les semaines. Certains de nos clients préfèrent une collecte aux deux semaines, selon leurs besoins. Cette spécification devrait être indiquée dans les documents. Et puis, n'importe qui peut avoir accès à ces conteneurs, s'empressa de préciser Elena. Tenez bien compte de cela. Certains commerçants mettent des cadenas sur les conteneurs ou des barrières, mais ce n'est pas toujours le cas. Et aussi…

— Madame Perrot, je vous arrête ! coupa le sergent-détective, très intéressé par ce que racontait la jeune femme. Ce que vous me dites est trop important pour que je ne prenne pas le temps de vous écouter attentivement et de prendre des notes ! Alors, voici ce que nous allons faire. Pour le moment, je dois rencontrer l'équipe technique avant qu'elle envoie le tout au laboratoire. Il y a certaines actions urgentes à faire, notamment faire un suivi auprès du coroner et essayer d'identifier le corps. On parle certainement d'un meurtre, ici. Je vous propose donc de prévoir un entretien plus tard au courant de la journée. Votre aide sera éclairante, sans aucun doute.

— D'accord, je suis à votre entière disposition. Si vous avez besoin de quoi que ce soit, n'hésitez pas à me joindre. Voici mon numéro. Je ne serai pas très loin !

Et elle partit aussitôt, d'un pas décidé, rejoindre Marcel qui, de toute évidence, en avait par-dessus la tête à l'entrepôt. En chemin, elle reçut un appel de Patrick. Après lui avoir offert ses plus sincères félicitations, Elena convint avec lui de faire appel à Vladimir pour le remplacer jusqu'à samedi. Elle lui expliqua rapidement la situation, avant de raccrocher pour vaquer à ses occupations.

* * *

— Alors, messieurs, qu'avons-nous? demanda le sergent-détective à l'unité de scène de crime s'affairant sur les lieux.

— Eh bien, il s'agit d'une main de femme, de jeune femme de toute vraisemblance, lui répondit un technicien sur place, en faisant référence à la finesse de la peau et au vernis à ongles farfelu de la victime. La main a été sectionnée au niveau de la région du carpe. Lacération complète des tissus, probablement en deux coups violents avec une arme blanche.

— La mort remonte à quand, selon toi?

— C'est difficile à dire, puisque l'analyse des indices est presque impossible ici. Tous nos pires cauchemars sont réunis. Le mieux est d'attendre les résultats du labo. Car c'est humide et la température est très élevée. Pour ces raisons, l'analyse de la rigidité cadavérique peut être biaisée. La main n'est plus rigide, donc la mort remonte à plus de quarante-huit heures. Cependant, la température à l'intérieur du conteneur devait être pas mal élevée, ce qui a probablement accéléré la disparition de la rigidité. Aussi, il n'y a pas beaucoup d'insectes, ils proviennent surtout de ce plat de spaghetti en décomposition totale. C'est dégueulasse!

— Donc, ces asticots proviennent du spaghetti?

— Oui, j'en suis convaincu. Il y en a des dizaines dans le plat, mais seulement deux ou trois sur la main. C'est surprenant. Ce qui me laisse penser que cette main devait être dans un sac hermétique, sinon, elle grouillerait de larves également. Surtout à cette température, le cycle d'éclosion est vraiment rapide. C'est le fouillis... Je vais prendre tous les échantillons possibles afin que le laboratoire puisse établir la date et l'heure de la mort. Bref, après l'envoi de la main et de ces petits amis asticots au labo, nous en aurons terminé. Aussi, nous avons vérifié tout ce qui se trouve au sol : aucune trace de sang, *niet*, *nada*. On pourra commencer les fouilles dans le reste des déchets du conteneur d'ici peu.

— D'accord, Elliot, merci. La demoiselle Perrot a dit que le journalier a tout stoppé dès qu'il a aperçu la main. Donc, le reste du même conteneur est encore dans le camion. On va vérifier s'il y a d'autres membres, et qui sait, avec un peu de chance, peut-être l'arme du crime. Je vais remplir rapidement la paperasse pour le coroner et l'informer des développements. On planifie le reste de la fouille après son approbation.

David allait quitter les lieux lorsque Elliot l'interpella à nouveau.

— Regarde, j'ai oublié un détail important. Il y a un étrange tatouage sur la main, il semble manquer un bout au niveau du poignet, mais l'essentiel est là.

— Bien, ça aidera les démarches pour l'identification de la victime, c'est certain.

David regarda le tatouage un moment avant de reprendre la parole.

— C'est quoi au juste, ce symbole ? Je n'ai jamais vu ça auparavant.

— C'est… une ligne qui tourne sur elle-même, mais sur différents axes… C'est joli.

— Tu connais beaucoup de gens qui se font tatouer une main ?

En guise de réponse à son collègue, Elliot retira ses gants et releva la manche de sa combinaison et de son chandail. Un immense dragon de couleur avec des flammes jaillissant de sa gueule était tatoué sur tout son avant-bras, jusqu'à son poignet et sa main. David ne l'avait jamais remarqué auparavant... Quoique côtoyer quelqu'un principalement sur une scène de crime ne facilite en rien ce genre d'observation.

— Bordel, Elliot ! Tu m'épateras toujours, toi. Je n'ose même pas imaginer ton dos !

— Et mon cul !

— Quoi ? Merde ! Tu es vraiment tout un personnage... Allez, au boulot. J'avertis madame Perrot que nous aurons besoin d'assistance pour le déchargement du camion.

Après avoir pris les dispositions nécessaires auprès du coroner, David se dirigea vers la belle Elena. Elle semblait totalement absorbée par son travail, mais en fait, elle ne pouvait s'empêcher de penser à la pauvre victime. Elle ne vit pas le policier arriver par-derrière. Puisqu'il préférait lui parler en personne, il avait entrepris de la rejoindre de l'autre côté de cet immense poste de transbordement. Non loin d'elle se trouvaient plusieurs camions en attente, et les opérations dans l'entrepôt semblaient bien se dérouler, du moins, de son point de vue.

— Bonjour, madame Perrot.

— Mais... il n'est vraiment pas recommandé de marcher ici, sans protection, il y a beaucoup de circulation ! Un dossard est nécessaire, sergent-détective. C'est obligatoire.

— Désolé.

— Que puis-je pour vous ?

— Nous sommes rendus à l'étape des fouilles du reste du contenu du camion. Nous voulons nous installer sur le quai numéro 3. Nous aurons besoin de vous pour certains aspects de la logistique.

— Certainement. Allons-y.

Elena leur proposa gentiment d'utiliser ses propres tables pliantes, stockées dans le bâtiment, ainsi que des gants de protection plus épais fournis également par le Groupe Perrot. Le sergent-détective la trouva bien aimable, mais la directrice désirait surtout ainsi accélérer le processus afin que les policiers puissent quitter les lieux le plus rapidement possible. Il était hors de question d'envisager des délais supplémentaires et de prolonger l'attente associée à la livraison de matériel.

Pendant qu'ils s'installaient, elle leur donna de nombreux conseils que le sergent-détective écouta avec intérêt. Durant ce temps, Luc termina le déchargement du camion et, à l'aide d'une pelle mécanique, Marcel étala les déchets compactés sur le sol.

— La tâche ne sera pas facile, surtout lorsque les matières sont compactées de la sorte. Vous savez, les déchets sont comme un grand livre ouvert, il suffit de savoir le déchiffrer. C'est étonnant tout ce que l'on peut y trouver. Portez bien attention aux sacs à proximité du lieu où se trouvait la main, ils proviennent certainement du même conteneur. Si vous avez de la chance, vous pourrez trouver des factures, des lettres ou des cartes d'identité vous permettant de trouver une adresse.

— Mille mercis, madame Perrot. Votre aide est grandement appréciée. Dernière petite chose : serait-il possible que votre employé reste sur place avec la pelle mécanique ? Il sera plus facile pour nous de manipuler tout ce tas de déchets.

— Pour le moment, je vous dirais qu'il s'agit d'une mauvaise idée. Mais je vais réévaluer la situation plus tard et je vous ferai part de ma décision, lui répondit Elena.

Apparemment, elle n'avait pas digéré la précédente réplique du sergent-détective.

— Ah… je vois, dit-il en s'efforçant de ne pas lui sourire.

— Tenez, Marcel vous a apporté trois pelles. Vous tasserez les déchets triés manuellement vers l'aire de déchargement numéro 2. Sérieusement, monsieur Allard, une pelle mécanique entourée d'une dizaine de personnes triant des déchets… ce n'est pas prudent.

— Décidément, madame Perrot, vous ne lésinez pas sur la sécurité !

— Jamais.

— Vous avez certainement raison… approuva-t-il.

Car des accidents, il y en avait eu par le passé. Des blessés, des morts, des pieds écrasés… Cela arrivait rarement, mais chaque fois était une fois de trop.

* * *

Ce soir-là, Elena quitta le travail vers 19 h. Elle était claquée. Généralement, elle retournait chez elle vers 16 h 30, mais étant donné les circonstances, elle se voyait mal partir plus tôt. Elle voulait rester jusqu'à ce que les policiers aient terminé leurs fouilles. Durant la journée, elle était fréquemment venue jeter un coup d'œil à l'aire de déchargement numéro 3. Les techniciens semblaient méthodiques, concentrés. Vers midi, le sergent-détective l'avait avisée qu'elle pouvait utiliser le quai numéro 1, ce qui soulagea grandement la directrice du poste.

Sur le chemin du retour, elle s'arrêta chez Wing Fâ, son restaurant chinois préféré. Philippe, le propriétaire, l'accueillit aussi chaleureusement que les fois précédentes. Rendue à son condo, elle dévora son excellent bœuf à l'orange et son canard aux cinq épices. Jeffrey aurait bien voulu y goûter, mais il se contenta de la regarder. Par ailleurs, Elena ne voulait en aucun cas partager son festin. Puis, brusquement, le chat tourna la tête après avoir entendu un bruit. Sa maîtresse se leva et regarda dans la cour arrière pour y apercevoir le petit Marc-Antoine qui jouait avec son ballon. Il venait de le lancer par mégarde (ou pas) sur l'escalier métallique. Ce petit semblait toujours aussi en colère, et la jeune femme n'appréciait pas du tout ce garnement. Marc-Antoine avait neuf ans et était le garçon le plus bête et le plus mal élevé qu'elle avait jamais rencontré. Évidemment, il se devait d'être son voisin!

Après avoir terminé son repas, elle s'allongea sur le canapé, question de regarder la télévision quelques minutes et de se convaincre d'avoir un semblant de vie. Mais elle n'écouta pas un mot de l'émission, qui semblait pourtant intéressante. Elle repensait plutôt au déroulement de sa journée, riche en émotions et en rebondissements de toutes sortes. Le nœud qui lui avait enserré l'estomac toute la journée avait pris des heures à s'atténuer. Malgré tout, elle n'avait cessé de penser à la malheureuse victime. Comment une personne pouvait-elle avoir la force nécessaire pour découper un corps ainsi ? Elena se le demandait encore...

Lorsque les policiers avaient trouvé d'autres membres de la victime, elle n'était pas très loin. Elle avait appris qu'un bout de jambe et un avant-bras avaient été trouvés dans un sac à ordures, selon toute vraisemblance déchiré. Pas le moindre indice pouvant les mettre sur une piste ne semblait avoir été trouvé. Les policiers avaient fouillé de fond en comble le contenu du camion 4578 en espérant tomber sur d'autres pistes. Le moral de l'équipe n'était pas gai ; tout le monde au poste de transbordement, tant les policiers que les employés du Groupe Perrot, avait une pensée pour cette jeune victime tuée de façon atroce. Il n'était pas encore certain que les membres trouvés durant les fouilles appartenaient à la jeune femme à la main tatouée, mais il était difficile de croire qu'il puisse en être autrement.

Le sergent-détective Allard avait été très occupé toute la journée entre ses suivis auprès du coroner et la recherche de l'identité de la victime. Elena l'avait vu quitter plusieurs fois le site et revenir, le visage encore plus livide. Elle l'avait entendu dire également qu'aucune jeune femme de la région n'avait été portée disparue récemment.

Fait surprenant, ce soir-là, elle ne rêva ni aux recherches des policiers, ni à cette jeune fille sauvagement tuée, ni à l'entrepôt qui se remplissait à vue d'œil...

Non. En cette douce nuit de juin, Elena Perrot allait rencontrer l'homme de sa vie.

Chapitre 2
Jake

Samedi 4 juin 2011

— Il était comment? demanda Charlotte à son amie.

— Incroyablement beau, et *sexy* à mourir. Et il baise comme un dieu.

— Ce n'est pas croyable…

— Je te jure que c'était la nuit la plus torride et intense que j'aie vécue de toute ma vie!

— Le problème, Elena, c'est que tu étais seule tout ce temps, ma belle. Ce n'était qu'un rêve…

— Mais ce n'était pas n'importe quel rêve! C'était un vrai… Tu vois ce que je veux dire? Un VRAI.

— Non… Tu n'es pas sérieuse? Après toutes ces années?

Elles étaient assises dans un bistro branché du Plateau-Mont-Royal, installées à la terrasse. Une douce brise atténuait les effets de la chaleur accablante. Il était 19 h, et les deux amies s'étaient promis de se voir ce week-end-là. La jeune femme était bien heureuse de cette trêve. Bien que le travail des policiers fût terminé, un véritable branle-bas de combat régnait toujours au poste de transbordement, sans compter les nombreux journalistes qui rôdaient sans cesse aux alentours du site. Elle n'avait pas encore rattrapé le retard occasionné la veille par le gel des opérations, mais pour remédier à la situation, elle avait demandé à Vladimir et à quelques employés de faire des heures supplémentaires ce dimanche-là.

Le serveur remplit leurs verres de vin et prit les commandes. Elena choisit le classique steak frites et Charlotte, le mahi-mahi grillé, accompagné d'une salsa à la mangue.

Les deux complices étaient toujours enchantées de se revoir. Elles se connaissaient depuis leurs études universitaires à Sherbrooke et ne s'étaient plus jamais perdues de vue depuis. Charlotte avait connu une adolescence pénible et avait dû combattre férocement un cancer du système lymphatique. Avec ses deux rechutes, elle avait passé une grande partie de sa seizième et de sa dix-septième année à l'hôpital. Depuis cet épisode sombre, la vision de la vie de la jeune femme avait changé de façon radicale. Désormais âgée de trente-trois ans, elle représentait pour Elena bien plus qu'une simple confidente : c'était une véritable source d'énergie et de bonheur instantané.

D'ailleurs, elle était la seule personne au courant du rêve prémonitoire que la jeune femme avait fait juste avant la mort de son grand-père. Cette dernière lui avait également raconté le second rêve du genre qu'elle avait fait à l'âge de dix-sept ans. À cette époque, elle avait cru devenir folle, car elle était parvenue à se convaincre depuis huit ans que l'épisode du camping n'était en fait qu'un mauvais passage, désormais bien oublié. Lors de son récit, son amie n'avait ni ri, ni jugé ses dires. Devant l'intensité de ses propos, Charlotte n'avait pu faire autrement que de l'écouter attentivement et, surtout, de la croire sur parole.

— Comment peux-tu être convaincue qu'il s'agit d'un… vrai rêve ? Je veux dire, les deux fois où cela t'est arrivé, la mort s'est pointé le bout du nez. En moins de cinq minutes, dans le cas de ton grand-père, et en moins de cinq jours pour ton ami Marco. Tu te trompes peut-être ? s'interrogea la grande blonde, tout en sirotant son verre de vin.

— J'y ai pensé ce matin… Mais en fait, peut-être interprétons-nous cela de la mauvaise manière ? Je rêve peut-être d'événements intenses et soudains qui vont se produire éventuellement dans ma vie ? Le grand amour, c'est intense…

Après une pause, elle reprit de plus belle :

— Non, je suis certaine, Charlotte. Les tremblements, l'engourdissement de mes jambes et de mes mains… Le froid partout, non, j'en suis persuadée. Ces rêves-là ne passent pas inaperçus.

À son réveil, ce fameux samedi matin, Elena était dans tous ses états. Malgré les effets secondaires qui avaient accompagné son rêve, elle avait le sourire aux lèvres. Cette nuit-là, elle avait fait l'amour à un homme qu'elle n'avait jamais vu auparavant. Elle l'embrassait sauvagement, passionnément. Il avait les yeux d'un vert intense, un sourire à faire craquer toutes les filles et des cheveux d'un noir profond. Sa petite barbe de quelques jours lui donnait un air sensuel et intrigant. Il l'appelait « ma belle » et lui disait qu'il l'aimait.

Célibataire depuis quatre ans, la jeune femme n'en pouvait plus d'attendre son prince charmant. Elle se faisait de plus en plus difficile et avait accumulé son lot d'aventures d'un soir. À l'aube de ses trente-trois ans, elle consacrait désormais toute son énergie à son travail et en oubliait presque sa solitude, qu'elle avait appris à apprécier quelque peu.

Après son agréable soirée avec Charlotte, elle ne se doutait pas que son expérience de la nuit précédente se répéterait le soir même.

* * *

Dimanche 5 juin 2011

— Charlotte ?

— Elena ? Bordel, il est 8 h du matin ! Et on est dimanche, merde !

— Devine quoi ?

— Hum…

— J'ai encore rêvé à ce mec aux yeux verts ! Aussi intense qu'hier. Je n'en reviens pas !

— Wow ! Ça devient sérieux, ton amourette imaginaire !

— Non, mon amour à venir !

— Va falloir lui trouver un nom, à ton mec.

— Oui, tu as raison… Fred ?

— Beurk ! Tu me niaises, là ! Un nom *sexy*, quand même, il a l'air craquant ton paquet de testostérone.

— Oh oui ! Il l'est… Alors, je ne vois qu'un seul nom qui pourrait lui convenir : Jake.

— Miam ! Là tu parles !

— J'ai si hâte de le rencontrer, Charlotte ! Je sais que ce n'est qu'une question de temps !

— Je l'espère pour toi, chérie. Maintenant, je raccroche. Et ne t'avise pas de me rappeler avant 10 h !

Couchée dans son lit, Jeffrey blotti en boule à ses côtés, Elena resta songeuse un long moment. Les engourdissements étaient partis, la chaleur de son lit était revenue… Cela faisait plus de dix-sept ans qu'elle n'avait pas fait ce type de rêve. Et voilà que tout recommençait, deux fois d'affilée, de surcroît. Elle croyait bien s'en être débarrassée une bonne fois pour toutes et ne comprenait en rien ce phénomène étrange qui semblait persister.

La belle brunette se rappela cette journée effroyable où elle avait appris que son ami s'était pendu dans son garage. Elle était désemparée, car encore une fois, elle n'avait pu le sauver. Marco s'était tué un vendredi, il avait dix-sept ans et elle avait rêvé à cette scène atroce le lundi précédant sa mort. Toute la semaine, elle avait veillé sur son ami et lui avait apporté son soutien. Tous les jours, elle l'accompagnait à la maison et avait même passé quelques soirées avec lui.

— On va au cinéma ce soir ?

— Tu veux aller voir quoi ?

— Nous sommes vendredi, il y a le nouveau film *Speed* qui sort. J'ai vu des extraits, ça a l'air vraiment bon !

— D'accord, bonne idée, avait répondu l'adolescent.

Le film s'était effectivement révélé excellent et la jeune fille avait laissé son ami joyeux, à son retour chez lui. Ils vivaient à quelques maisons l'un de l'autre et, même s'ils n'avaient pas toujours été proches, les deux jeunes s'appréciaient beaucoup. Par contre, elle s'inquiétait depuis toujours pour lui. Il semblait beaucoup souffrir de son physique peu flatteur et des taquineries de certains élèves. L'objectif d'Elena était donc de le surveiller de près jusqu'aux vacances, deux semaines plus tard. Ensuite, ce serait plus facile pour tout le monde, d'autant plus qu'ils iraient au cégep, loin des trouble-fêtes de la polyvalente.

La jeune Perrot avait demandé à ses parents d'aller à l'école publique, contrairement à son frère Bruno. Si sa mère en avait été offusquée, son père, lui, avait accepté sans hésiter. La jeune fille n'avait jamais regretté son choix et avait terminé parmi les premières dans la majorité de ses cours. En plus, cela lui avait permis de connaître davantage Marco.

— Alors, on se voit lundi ? lui avait-elle demandé, devant chez lui.

— Ouais.

— Mais si tu veux, on peut se voir dimanche ! On pourrait se lancer quelques balles ?

— Pourquoi pas ?

— On s'appelle dimanche matin. Prends soin de toi, d'accord ?

Un peu plus loin dans la rue, elle s'était écriée :

— Il était vraiment bon, le film, hein ?

— Mets-en !

Et cela avait été la dernière fois qu'elle l'avait vu. Exactement comme dans son rêve, Marco s'était pendu dans son garage, vêtu d'un simple short boxer. Il avait attendu que ses parents se soient endormis pour passer à l'acte. Il avait écrit une simple note, qu'il avait déposée sur son lit.

« 10 juin 1994.

Je n'en peux plus.

Merci pour tout, Elena. »

Une larme coula sur la joue de la jeune femme, toujours étendue dans son lit. Ces douloureux souvenirs refaisaient surface malgré elle, ce qui arrivait rarement. Repenser à cette période de sa vie lui était considérablement pénible.

L'été de ses dix-sept ans avait été empreint de désarroi, de tristesse et de culpabilité. À un âge où tout était censé devenir possible, Elena avait plutôt découvert l'amer goût de l'impuissance face à la fatalité. La douleur de la perte de Marco lui paraissait encore plus lourde à supporter. Pendant des semaines, elle avait entrepris une grève du sommeil, afin de s'assurer de ne plus jamais être victime de ses délires nocturnes. Mais, finalement, le destin finit par prendre le dessus... Elle avait dû accepter, contre son gré, cette étrange faculté qu'elle possédait d'être informée de certains événements tragiques avant tout le monde. Peut-être était-ce un don, mais à l'été de 1994, Elena était plutôt convaincue qu'il s'agissait d'une véritable malédiction.

Aujourd'hui, la femme qu'elle était devenue avait presque oublié cette période de sa vie, jusqu'à cette nuit du 3 juin 2011, où ses *rêves* prirent une toute nouvelle tournure.

Toujours calé contre elle, Jeffrey décida qu'il était temps de faire sa toilette. Le véritable vacarme de coups de langue rugueuse qui suivit la convainquit qu'il était temps de se lever. C'est alors qu'elle se rappela le brunch familial prévu ce jour-là chez ses parents. Elle avait encore le temps de prendre une douche, d'appeler Vladimir pour faire un suivi des activités au poste de transbordement et, surtout, de repenser au sourire enjôleur de son Jake...

Malgré le temps maussade et les événements des derniers jours, Elena afficha un petit sourire coupable durant le trajet séparant son douillet condo de la maison de ses parents. Elle avait le cœur léger, car elle savait que, bientôt, Jake entrerait dans sa vie. Au fond d'elle-même, elle était bien consciente que cet homme n'existait que dans sa tête, mais ses *rêves* étaient si réels qu'elle avait vraiment l'impression de le connaître... d'être avec lui. Finalement, les choses allaient tourner en sa faveur, pensa-t-elle. Après avoir annoncé la mort deux fois, sa malédiction s'avérerait peut-être plutôt un détecteur sensible aux moments intenses de sa vie.

La jeune femme se souvint que Jake était un homme grand, beau et qu'il possédait une voix suave et enivrante. Les deux soirs qu'elle avait « passés avec lui » n'avaient pas eu lieu à son condo. En fait, elle n'aurait su dire où cela s'était déroulé. Les draps, d'un bleu azur, sentaient la lavande. L'endroit était bien éclairé par de nombreuses fenêtres de formes irrégulières. Elle n'avait pas du tout reconnu cet endroit, et elle se dit que cela devait être chez lui. Elle ne voyait que le vert de ses yeux et les limites de ce qui semblait être une chambre à coucher.

En roulant sur le boulevard Gouin Ouest, en direction de la rue Olivier, elle se demandait quand la vie allait réellement lui présenter ce Jake. Du peu d'expérience qu'elle avait de cet étrange phénomène nocturne, elle avait rapidement déduit que le facteur temps était sans contredit un élément instable et peu prévisible.

Arrivée devant la maison de son enfance, elle jeta un coup d'œil vers l'ancienne maison de Marco, située un peu plus loin. Elle avait bien changé, mais elle était toujours là, comme le souvenir de son ami disparu. Dans l'entrée pavée de ses parents, Elena remarqua le camion noir Lexus de son frère, probablement présent avec toute sa petite famille. Elle aimait bien revoir ses proches, même si elle appréhendait quelquefois les réactions et commentaires de sa mère.

Depuis quelques années, ses parents avaient fait d'importantes rénovations à la maison familiale. La demeure était maintenant encore plus majestueuse, avec son imposante fenestration et son revêtement de pierre. Mais ce qu'elle préférait par-dessus tout était sans contredit la cour arrière, offrant une vue magnifique sur la rivière des Prairies. La construction du patio également en pierre, jumelé à l'imposant travail d'aménagement paysager, apportait une touche de quiétude et de sérénité. La première fois qu'Elena avait visité les lieux rénovés, elle avait eu peine à reconnaître la maison où elle avait grandi. En plus, ses parents avaient fait modifier la configuration de certaines pièces, notamment depuis que leurs trois enfants avaient quitté le foyer. La cuisine était désormais immense, tout comme l'impressionnante salle à manger.

À peine Elena avait-elle franchi le seuil de la porte qu'elle fut accueillie par la petite Clara.

— Tante Lélé! R'garde mon nouveau toutou! Je l'ai appelé Cléo.

— Wow! il est superbe. Je suis heureuse de te voir, ma choupette.

— Bonjour, sœurette, comment vas-tu? Tu t'en sors? lui demanda son frère Bruno tout en prenant sa fille dans ses bras.

— Comme toujours, tu me connais!

— Mon Dieu! Elena, c'est complètement invraisemblable, toute cette histoire de corps mutilé que nous voyons à la télévision! Mais c'est atroce! Comment fais-tu pour travailler dans de telles conditions? lui demanda sa mère en se précipitant vers elle.

— Bonjour, maman. Tu sais, mes conditions de travail n'ont pas changé dernièrement, et j'ai toujours tous mes membres, comme tu peux le constater.

Son père arriva ensuite sans dire un mot et lui donna la caresse paternelle dont elle ne savait se passer. Nicolas Perrot était un homme de peu de mots, et c'était parfait ainsi. D'ailleurs, sa fille aînée se demandait souvent pourquoi sa mère n'était pas davantage influencée par son mari.

Elena salua ensuite sa belle-sœur, la conjointe de Bruno, ainsi que le petit Samuel. Le garçon de dix mois avait beaucoup grandi depuis la dernière fois qu'elle l'avait vu. Quant à sa maman, elle constata que son regard continuait de s'éteindre et de perdre son éclat. Elle devrait en parler à Bruno. Elle n'était certainement pas la seule à avoir remarqué que, depuis un certain temps, la jeune mère semblait sombrer dans un mystérieux gouffre. Il est vrai qu'elle avait connu de multiples fausses couches avant l'arrivée inespérée du petit Samuel. Ces dernières années, la vie ne semblait pas avoir été très facile pour Pénélope Marchand.

— Amélia n'est pas arrivée ? demanda Elena à son père, tout en se dirigeant vers la cuisine.

— Elle ne viendra pas, elle a eu un empêchement de dernière minute.

— Un empêchement ? C'est plutôt surprenant, elle ne fait rien de sa vie… Quoiqu'elle excelle dans la dépense de ta fortune, papa ! Comment peut-elle être occupée à faire quoi que ce soit un dimanche matin ? dit-elle en ricanant.

— Arrête de parler de ta sœur de cette façon ! la coupa vivement sa mère. Tu sauras qu'elle est une photographe bourrée de talent et de potentiel. Elle a peut-être un rendez-vous important.

— Un dimanche ? Ne sois pas si naïve, maman. Et je ne qualifie pas de « photographe » une personne trimbalant son appareil photo partout et prenant des clichés de ses amis. Que fait-elle avec toutes ces photographies, de toute façon ? Elle n'a entrepris aucune démarche professionnelle, à ce que je sache. Je parie qu'elle n'a même pas de portfolio !

— Elle les publie sur Facebook à ses quelque quatre mille cinq cents amis ! s'exclama Bruno.

— Bon, ça suffit, les jeunes, on passe à table ! s'empressa d'ajouter le patriarche, avant que sa femme n'extirpe tout le botox de son visage à force de froncer les sourcils.

* * *

Ce matin-là, la cuisinière s'était vraiment surpassée. Toute la famille raffola de ses succulentes crêpes et du pain doré. Tout avait été parfait pour ce brunch, tant le repas que l'ambiance. Béatrice avait eu des exigences quelque peu démesurées dans le choix du menu : crêpes, pain doré, œufs bénédictine, omelette au fromage, plateau de fruits exotiques, saumon fumé, bagels frais, etc. Mais madame Beauchamp avait su pondérer ses ardeurs. Son arrivée, dix ans plus tôt, notamment en cuisine, avait grandement favorisé la tenue de réunions familiales au domicile des Perrot.

Pendant que la petite Clara se gavait de fraises fraîches, particulièrement hâtives cette saison, l'aînée demanda à son père ce qu'il désirait recevoir pour son anniversaire, qui arrivait à grands pas.

— Je n'ai besoin de rien, tu le sais bien.

— Je sais, c'est justement le problème. Tu as tout !

— Alors, raison de plus pour ne rien me donner. En fait, c'est faux. Cette année, je m'offre un cadeau. J'emmène ma famille chez Toqué !

— Prenez note à votre agenda, les jeunes : le samedi 18 juin, on fête votre père ! précisa Béatrice, comblée par l'initiative de son mari.

Encore deux semaines, se dit Elena. Elle aurait certainement rencontré Jake à ce moment-là. Cela faisait si longtemps qu'elle n'avait pas présenté un homme à sa famille ! D'autant plus que le dernier, l'inquiétant Hugo, n'avait pas fait fureur. Déjà satisfaite de la situation à venir, elle constata qu'elle avait déjà très hâte au souper d'anniversaire de son père.

* * *

Jeudi 9 juin 2011

Assis à son bureau au Service des crimes majeurs, David Allard démontrait un certain agacement face à l'avancement de ses dossiers, notamment celui du poste de transbordement. Afin de se changer les idées, il prit ses clés et décida de quitter le bâtiment, situé rue Sherbrooke Est. Il entreprit d'aller faire, pour une deuxième fois, le parcours du camion 4578. Cela n'avait rien donné de concluant précédemment, mais il cherchait par tous les moyens une façon de faire avancer cette enquête, plutôt stagnante jusqu'à présent.

Apparemment, les empreintes digitales de la main ne permettaient pas l'identification de la victime. Quant aux analyses de l'ADN prélevé sur les trois membres retrouvés, elles avaient confirmé qu'ils provenaient bel et bien de la même personne. Cependant, la femme n'étant fichée nulle part dans la banque nationale d'ADN, il n'existait encore aucun moyen de connaître son identité. Aucun autre indice, aussi infime fût-il, appartenant à un autre individu, n'avait été trouvé dans le sac à ordures, ni sous les ongles, ni sur la peau de la victime.

Le policier prit le boulevard Langelier vers Montréal-Nord. La journée était magnifique, et il était bien heureux de travailler. De toute façon, il travaillait continuellement, et il n'était aucunement question pour lui de prendre des vacances. En fait, depuis trois ans, David se consacrait corps et âme à son boulot. Et c'est d'ailleurs en partie ce qui l'avait sauvé.

Lorsque Karoline était partie, du jour au lendemain, David avait été démoli. Complètement anéanti par le chagrin, il avait vite sombré dans une déprime qui l'empoignait au cœur. Mais il n'avait pas pleuré, pas une seule fois, et il est probable que c'était pour cette raison qu'il n'arrivait pas à voir la lumière au bout du tunnel. Par pur hasard, son chemin avait croisé celui d'Antoine, un maniaque de l'entraînement physique. Après un essai avec lui au gym, il avait ressenti un immense baume sur ses plaies encore ouvertes. La sueur qui coulait sur son visage et le dépassement de lui-même dans sa routine d'exercices lui firent complètement oublier son mal-être. Pour alléger sa peine, le policier s'était donc retrouvé au centre de conditionnement physique tous les jours. Il avait perdu presque vingt kilos et avait finalement réussi à oublier le chagrin causé par sa rupture subite, rupture qu'il ne comprenait toujours pas.

Totalement épris de Karoline pendant cinq ans, il n'avait jamais été aussi heureux qu'avec elle. Selon son ami Antoine, son ex-conjointe était certainement partie avec un autre homme, sur un coup de tête. Mais aujourd'hui, David ne se posait même plus la question, sa priorité étant désormais son travail.

Ainsi, en plus de son entraînement, le policier se dévouait entièrement à ses tâches professionnelles et, rapidement, il avait connu une certaine notoriété. Il avait même acquis la réputation d'être un excellent détective, doté d'un flair exceptionnel. Bref, il pouvait enfin se considérer comme heureux à nouveau.

Toutefois, le dossier du poste de transbordement le préoccupait davantage que les autres. D'abord, parce que cette enquête s'annonçait difficile à cause du manque d'indices, mais également pour une raison qu'il n'aurait jamais pu prévoir : Elena Perrot.

Lors de leur première rencontre, il avait été totalement subjugué par sa beauté. Malgré ses bottes de travail, son dossard orange fluo trop grand et sa casquette à l'effigie du Groupe Perrot, la jeune femme rayonnait littéralement dans cet endroit sale et bruyant. Il avait rapidement remarqué ses grands yeux bruns et, surtout, son regard perçant et intrigant. Tout en elle respirait la grâce et, en ce jour du 3 juin 2011, il admit qu'il venait de connaître son premier coup de foudre.

En route vers le boulevard Industriel, David se permit de penser à Elena, sachant bien qu'il n'y avait rien de pire pour une enquête qu'un enquêteur distrait… Âgé de quarante ans, il se considérait comme un homme tout à fait potable et se surprit à espérer pouvoir conquérir sa belle. Il se promit alors de trouver une quelconque excuse afin de la revoir, ne serait-ce qu'une autre fois, et de saisir sa chance.

Tout en parcourant les avenues Edger, Salk, Brunet, Lamoureux et la rue d'Amiens, David étudiait attentivement le quartier. Il s'agissait d'un secteur typiquement commercial et industriel léger de Montréal, composé de petits ateliers de mécanique et d'usinage. Une usine d'asphalte y était également établie.

La plupart des conteneurs à déchets étaient facilement accessibles et visibles dans les ruelles ou les cours arrière des bâtisses. Il constata également que plusieurs fournisseurs pouvaient se retrouver à une même adresse. Ceux du Groupe Perrot étaient tous semblables, bien entretenus et d'un brun moka plutôt clair. Une couleur à faire vomir, selon David. Le lettrage de l'entreprise était clairement peint en blanc à l'avant de chaque conteneur. Il connaissait déjà certains noms de compagnies de location de ces boîtes métalliques et constata que trois d'entre elles étaient bien implantées dans ce quartier.

David roula doucement sur l'avenue Alfred et remarqua qu'un quartier résidentiel se trouvait juste au nord de la rue de Castille. Lors de sa première ronde dans ce secteur, il s'était contenté de suivre à la lettre le parcours du camion 4578, tandis qu'aujourd'hui, il élargissait son champ d'action; le meurtrier n'avait certainement pas déposé les restes de sa victime trop près de chez lui!

Puisque aucun signalement de disparition ou de fugue ne correspondait au profil de la morte, tant au Québec qu'au Canada, le sergent-détective avait convenu avec son équipe de faire appel au public dans l'espoir de trouver une piste menant à son identification. Face aux médias régionaux, Donald Desgroseilliers, relationniste au Service de police de la Ville de Montréal (SPVM), avait décrit le tatouage particulier de la victime, dans la jeune vingtaine. David espérait notamment que celui ou celle qui l'avait réalisé puisse se manifester. Selon les résultats d'analyse du Laboratoire de sciences judiciaires et de médecine légale (LSJML), le dessin sur la main n'était pas encore totalement cicatrisé. Il aurait été réalisé moins de deux semaines auparavant. La police était convaincue que ce symbole particulier de lignes torsadées allait être reconnu par quelqu'un. Pour le moment, tous les espoirs du policier reposaient sur cet appel au public. Il ne pouvait concevoir que personne n'allait signaler la disparition de cette jeune femme qui devait bien avoir un travail, une famille…

Un autre élément lui vint alors en tête, et il décida de garer sa voiture afin de feuilleter de nouveau le rapport préliminaire d'autopsie. Selon les anthropologues judiciaires du LSJML, des irrégularités étaient présentes dans les traces de coupe des membres retrouvés. Outre la main, le sectionnement de la jambe et de l'avant-bras retrouvés plus tard dans un sac à ordures n'aurait pas été fait à l'articulation, ce qui complexifiait grandement la tâche du tueur, à moins qu'il n'ait utilisé une scie de boucher pouvant couper plus aisément les gros os. Pourtant, dans ce cas-ci, le tueur semblait avoir eu du fil à retordre avec les coupes, probablement parce qu'il ne possédait pas un outil approprié.

David décida de joindre immédiatement l'anthropologue judiciaire responsable de cette analyse, afin d'être certain d'avoir bien saisi toutes les nuances de ses propos. Garé dans le stationnement d'une pizzeria de toute évidence peu fréquentée, il composa le numéro de référence indiqué dans le rapport. Son appel fut transféré à un certain Mohamed Kamel, qui prit le temps de chercher le bon dossier afin de mieux répondre aux questions du policier.

— Nous y voilà. Effectivement, il est clair que le tueur n'est ni un chirurgien ni un boucher, car les membres ont été coupés de façon grotesque. Voulez-vous mon opinion personnelle ?

— Certainement, répondit David.

— Il s'agit certainement d'un homme, car il a dû avoir recours à énormément de force pour couper le tibia et le fémur. La chair et les tendons ne montrent pas de traces de coupe nette. Il y a beaucoup de lacérations, de va-et-vient et, bref, il s'agit d'un vrai carnage !

— Donc, selon vous, le tueur n'aurait pas utilisé une hache, une scie ou un autre outil de grand format. Alors… un couteau, peut-être ?

— Non, probablement pas… À bien y penser, il aurait peut-être pu s'en tirer avec un couteau de format moyen, mais possédant une lame assez épaisse, ce qui lui a permis, avec un peu de force, il va sans dire, de terminer sa tâche… Mais une chose est certaine, il a coupé la victime une fois que celle-ci était morte. Le reflux du sang par gravité était déjà bien avancé. On distingue bien les plaques de sang à la base des membres retrouvés.

— Et elle est morte comment ?

— Impossible de le savoir pour le moment. Il faudrait retrouver le reste du corps.

— Bien, je vous remercie, Dr Kamel, de m'avoir éclairé. Ces informations nous seront certainement utiles. Bonne fin de journée.

Ainsi, la jeune femme serait morte avant d'être démembrée. Cette constatation soulagea David, même si cela ne changeait rien au fait que la pauvre était tout de même décédée d'une atroce façon. Le tueur avait-il découpé sa victime pour s'en débarrasser plus facilement ou par pure rage ?

Sur ces réflexions, le policier démarra sa voiture et se dirigea vers l'est, direction rue Broadway, en espérant qu'Elena serait là.

Vladimir avait réalisé un véritable miracle le dimanche précédent, et le poste de transbordement avait presque retrouvé son rythme habituel. La directrice, assise à son bureau, analysait les différents rapports statistiques du mois passé. Les rendements étaient excellents, et tout progressait à merveille.

Mais elle n'avait pas toute sa tête au travail ce jour-là, contrairement à son habitude. Cela faisait presque une semaine qu'elle avait commencé ses virées nocturnes avec son Jake, et toujours aucun signe réel de lui. Elle s'était forcée à accepter toutes les invitations de ses amies afin d'augmenter ses chances de le rencontrer : un vernissage d'une platitude exemplaire le mardi soir, une partie de tennis au stade Uniprix le mercredi soir, en plus d'attendre toujours l'apparition de l'homme de ses rêves, et elle était accablée de fatigue. Et tout n'était pas terminé : elle avait promis à Sam de venir la voir ce soir-là. D'habitude, ces petites visites chez sa grand-tante la comblaient de bonheur, mais elle aurait bien passé son tour ce jour-là. Une petite soirée tranquille avec son chat lui aurait fait le plus grand bien.

Plus tôt qu'à l'habitude, vers 15 h 50, Elena décida de lever l'ancre. Tout était réglé au transbo, et le contremaître était déjà arrivé. Elle commençait à ranger sa paperasse lorsqu'elle entendit son nom à l'entrée, au bureau de Louise. Un homme se dirigea vers son bureau, sourire aux lèvres.

— Bonjour, madame Perrot, j'espère que je ne vous importune pas !

— J'allais partir. Vous êtes ?

— Heu… sergent-détective Allard, nous nous sommes rencontrés vendredi passé ! répondit le policier, quelque peu surpris et confus.

— Ah oui, ça me revient. Désolée, j'étais très perturbée lors des événements de la semaine dernière. Que puis-je pour vous ?

— Je me demandais si vous accepteriez de venir prendre un café avec moi afin de discuter de certains éléments de l'enquête sur lesquels vous pourriez peut-être m'éclairer.

— Eh bien, monsieur Allard, vous me prenez de court, car j'ai un engagement à l'instant, répondit-elle, prétextant sa rencontre avec Sam. Mais peut-être voudriez-vous vous asseoir quelques minutes, et je ferai tout mon possible pour éclairer votre lanterne.

— Dans ce cas, pourquoi ne pas prendre le petit déjeuner ensemble demain matin ? dit-il avec espoir.

— Je suis ici à 6 h 30, sergent. Je mange à 6 h, chez moi… Alors je suis dans l'obligation de décliner encore une fois votre invitation. Asseyez-vous s'il vous plaît, et finissons-en.

— D'accord, répondit-il, visiblement déçu.

David comprit alors qu'il dérangeait visiblement Elena et, surtout, qu'il était aussi insignifiant qu'un ver de terre à ses yeux. Elle semblait si distraite et évasive ! Il avait énormément de difficulté à la cerner.

— Je vous écoute…

— Oui, heu… voyez-vous, je suis allé voir le circuit du camion 4578, et j'ai constaté certaines choses. Notamment que plusieurs compagnies de location de conteneurs sont présentes dans ce quartier. Pour un même immeuble, il peut y en avoir plusieurs. C'est pratique courante ?

— De quelle couleur sont-ils ? lui demanda-t-elle tout en fouillant dans ses papiers afin de retrouver la fiche du camion en question, qu'elle avait laissée traîner sur son bureau depuis.

— Par exemple, à une même adresse, il y en avait un bleu, un vert et un du Groupe Perrot.

— Un vert pâle ?

— Oui, je crois.

— D'après ce que je vois sur ces documents, cette zone industrielle est caractérisée par la présence de commerces en condo, partageant la même adresse et ayant tous un local différent. Donc, par exemple, le 261, avenue Edger est composé de huit commerces, allant de 261-A à 261-I. Chaque local est loué à un propriétaire différent, ce qui peut faire en sorte que plusieurs types de conteneurs peuvent se retrouver juxtaposés, selon les contrats de location des proprios. Certains d'entre eux jumellent leurs efforts en optant pour un seul contrat, tandis que d'autres fonctionnent séparément. Et, en passant, le vert pâle, c'est pour le recyclage.

— D'accord… Le tueur a certainement voulu disperser le corps, avec tous ces conteneurs à distance de marche. Cela a dû être un véritable jeu d'enfant pour lui, réfléchit tout haut le policier.

— Effectivement ! Mais il n'a probablement rien mis dans celui du recyclage, car le sac aurait été trouvé par les trieurs du centre de tri. Il y a beaucoup de travail manuel à ces endroits-là.

— Les autres conteneurs à déchets ont donc été vidés dans d'autres postes de transbordement... selon chaque entreprise et chaque contrat. Car chaque compagnie possède sa propre couleur, n'est-ce pas ?

— On peut dire ça, oui. Mais vous savez, peut-être qu'ils ont également abouti ici et que l'on n'a rien vu passer d'anormal. En fait, c'est tout un hasard que nous ayons trouvé cette main.

— Hum... Mais, les jours de collecte de ces autres conteneurs sont certainement différents des vôtres... Peut-être pourrions-nous...

— Non, oubliez ça, le coupa Elena, devinant sa pensée. Le temps de séjour des déchets dans un transbo est restreint, voire nul. Les sacs... avec les restes de la victime... sont déjà enfouis quelque part dans un lieu d'enfouissement technique. Et vous ne voulez pas vous lancer dans ce genre de démarche... On parle ici de chercher une aiguille dans une botte de foin. Les camions arrivent en continu là-bas et les déchets sont étalés, puis recouverts périodiquement, voire plusieurs fois par jour, afin d'éviter leur dispersion par le vent, mais surtout afin de tenir à distance la vermine. Sans compter que tout le contenu des camions a été préalablement compacté. De plus, il s'agit de plusieurs tonnes de déchets enfouis tous les jours et dispersés sur de grandes superficies... Et par surcroît, vous ne savez même pas où chercher exactement. Il y a plusieurs sites d'enfouissement qui peuvent recevoir des déchets en provenance de Montréal... Vous saisissez ?

— Vous avez probablement raison. Mais c'est mon travail d'évaluer toutes les pistes.

— Eh bien, je suis désolée de ne pas avoir pu vous aider davantage.

Tout en se levant, elle demanda :

— Puis-je faire autre chose pour vous, sergent-détective ?

— Non, ça va. Je vous remercie, Elena, lui répondit David, d'un ton las.

En l'entendant prononcer son prénom, elle releva aussitôt la tête et le regarda, quelque peu surprise. Devant elle se trouvait un homme déterminé prenant son enquête à cœur, et qui, somme toute, n'était pas désagréable à regarder.

Chapitre 3
Le dévoilement

Jeudi 9 juin 2011

Il était 16 h 40 lorsque Elena stationna sa voiture au complexe résidentiel Harmonie, spécialement construit pour répondre aux besoins de personnes âgées autonomes. L'édifice était moderne et offrait une vue magnifique sur le fleuve Saint-Laurent. Elle rendait souvent visite à Sam, la belle-sœur de son défunt grand-père, qui habitait depuis cinq ans à l'île des Sœurs. Au départ, son père lui avait demandé gentiment de passer la voir de temps à autre, question d'offrir un peu de compagnie à la vieille dame de soixante-dix-huit ans. Par pur respect pour lui, sa fille aînée s'était donc efforcée de lui rendre visite une fois par mois. Mais elle était littéralement tombée sous le charme de sa grand-tante, et la fréquence de ses visites augmenta sensiblement. Maintenant, la jeune femme se rendait chez Sam de façon hebdomadaire, et ce, par pur plaisir.

Henriette Sabourin savourait son café en regardant par la fenêtre de sa cuisine; elle savait qu'Elena arriverait sous peu. Elle adorait regarder le fleuve et, chaque fois qu'elle le faisait, elle ne cessait de remercier intérieurement son neveu de lui permettre de vivre dans une si belle résidence. Ici, au complexe Harmonie, elle possédait tout ce qu'elle désirait. Un appartement sobre, mais lumineux, ainsi que plusieurs amis qu'elle prenait plaisir à battre au cribble. Malgré les chicanes qui pouvaient en découler, elle adorait les personnes qui faisaient désormais partie de son entourage. Mais rien ne pouvait surpasser une visite d'Elena. Avec elle, elle pouvait jouer au bingo, regarder la télévision ou parler de tout et de rien en sirotant un bon café.

Henriette osait rarement lui téléphoner, de peur de la déranger, mais ses visites hebdomadaires lui étaient bénéfiques. Elle en oubliait sa solitude, le départ de son époux, Arthur Perrot, il y avait de cela déjà six ans, et même son emphysème.

Lorsque Nicolas lui avait suggéré de s'installer à l'île des Sœurs, elle n'avait pas accepté immédiatement, sachant bien qu'elle n'aurait jamais pu se permettre un tel luxe. Mais la tranquillité d'esprit que lui procurait la présence d'infirmières en permanence compensait toutes les hésitations qu'elle avait eues avant d'accepter l'offre si généreuse de son neveu.

Le fleuve était paisible, la journée, magnifique, et la vieille dame attendait sa petite-nièce avec empressement.

Une fois dans l'ascenseur de l'immeuble, Elena fit le vide. Elle se concentra sur sa respiration et ferma les yeux. Arrivée au quinzième étage, elle ouvrit doucement les paupières et se dirigea vers l'appartement 15-7, facilement repérable par le chapeau en sucre accroché sur la porte d'entrée.

Malgré tous les problèmes possibles au poste de transbordement et les aléas du quotidien, elle parvenait toujours à libérer son esprit de tous ces tracas lorsqu'elle rendait visite à Sam; enfin, c'est ce qu'elle croyait. Ces rendez-vous étaient devenus une véritable source d'énergie et de sérénité. La jeune femme s'en voulut même un instant d'avoir hésité à venir ce jour-là.

Elle n'avait jamais vraiment compris pourquoi son père s'amusait à appeler sa tante Henriette « Sam ». Ses explications étaient toujours confuses, et elle avait vite laissé tomber cette question. Alors, sans raison précise, depuis sa plus tendre enfance, la jeune femme appelait sa grand-tante comme le faisait son père.

— Bonjour, Elena ! Je suis si heureuse que tu sois venue malgré toute cette histoire d'horreur qui se passe à ton travail ! J'ai vu les reportages à la télévision. Pauvre enfant. Une mort si atroce.

— Oui, tu as raison, c'est à glacer le sang.

Henriette sentit rapidement que quelque chose tracassait sa petite-nièce. Dans sa voix, dans son regard, dans son corps tout entier. Elle l'invita à s'asseoir et lui prépara un café au lait, comme elle l'avait toujours fait depuis qu'Elena avait dix ans. Il s'agissait d'un petit secret entre elles à l'époque.

Les deux femmes écoutèrent un peu la télévision, mais changèrent rapidement d'idée. On revoyait sans cesse des images du poste de transbordement du haut des airs, prises par une intrépide équipe de tournage en hélicoptère. D'ailleurs, celle-ci avait causé bien des maux de tête à la directrice ces derniers temps. Même si les policiers avaient terminé leur travail sur le site depuis plusieurs jours, les journalistes continuaient tout de même de tourner comme des vautours autour du transbo, dans l'espoir d'apprendre les premiers développements de l'enquête.

Après avoir fermé le téléviseur, elles s'installèrent à la table, afin de jouer une partie de canasta, jeu de cartes que toutes deux affectionnaient particulièrement et qui pouvait durer des heures. Sam hésitait beaucoup à ouvrir la discussion avec Elena, car elle n'aimait ni les mauvaises nouvelles, ni les problèmes. Elle les fuyait généralement, afin de protéger sa fragile personne. Mais l'air chagriné de sa petite-nièce la força à prendre les devants, en espérant que ce ne soit pas trop grave.

— Que se passe-t-il, ma belle ? Quelque chose te préoccupe, bien au-delà de ce qui se passe au transbo, c'est l'évidence même. N'ai-je pas raison ?

— Oh, c'est une histoire de gars, Sam ! Une histoire vraiment compliquée…

— Alors c'est un homme qui cause cette déception sur ton visage ?

— C'est si évident ?

— Allez, voyons, dis-m'en plus !

C'est alors qu'Elena se mit à regarder la vieille dame intensément… Elle se demanda pourquoi elle lui avait caché toutes ces années sa version de la mort de son beau-frère, Léon Perrot… ou de celle de Marco. Bref, de l'existence de ses *rêves* particuliers.

Pourtant, elle avait toujours tout dit à sa grand-tante depuis cinq ans… Mais cela faisait plus de dix-sept ans qu'elle n'avait pas revécu ses expériences nocturnes hors du commun. À quoi bon raviver de tels souvenirs ?

Après une certaine hésitation, elle se lança :

— Sam, je rêve depuis plus d'une semaine à un homme qui m'est inconnu, que j'ai prénommé Jake. Il est l'homme de ma vie. Après toutes ces nuits, je peux t'affirmer que je connais intimement cet homme, et ce, même si je ne l'ai jamais rencontré. Vois-tu, je fais quelquefois de drôles de rêves… qui finissent par se réaliser, si tu vois ce que je veux dire. En fait, avant l'histoire avec mon bel inconnu, cela ne m'était arrivé que deux fois. Une fois à la mort de grand-papa Léon… et une autre au suicide de mon ami, lorsque j'avais dix-sept ans.

Elena fit une pause et poursuivit, avec assurance :

— Ce Jake, je vais le rencontrer bientôt, je le sais… Même s'il ne s'est pas encore pointé…

Henriette l'écoutait attentivement, sans sourciller. La jeune femme lui expliqua en détail ses rêves de jeunesse, mais resta plus évasive sur ceux concernant son mystérieux amant. Question de ne pas causer une crise cardiaque à sa grand-tante en lui exposant certains détails plutôt compromettants. Elle se contenta de lui préciser qu'il était un étalon hors pair, ce qui fit sourire Sam.

Lorsqu'elle eut terminé son long récit, elle constata que les cartes étaient toujours dans leurs boîtiers, sur la table. Henriette n'avait pas bougé d'un poil depuis au moins dix minutes, buvant littéralement ses paroles.

— Alors voilà, Sam, tu sais tout.

La vieille dame ne dit rien un long moment, pesant chaque mot de ce que venait de lui révéler Elena. Elle semblait troublée, tout à coup.

— Eh bien, c'est toute une histoire, mon poussin ! Bien dommage que tu ne m'en aies pas parlé avant ! Bon… je me sens fatiguée, je t'inviterais bien à manger, mais je crois que je vais aller m'étendre. La fatigue m'accable tout à coup. On remet cette partie de cartes, d'accord ?

Un peu surprise par la réplique de la septuagénaire, la jeune femme consentit sans broncher à retourner chez elle et à la laisser se reposer. Elle ne se doutait pas un instant que Sam lui jouait la comédie. En fait, Henriette voulait à tout prix qu'elle quitte son appartement afin de pouvoir consulter un vieux journal qu'elle n'avait pas osé toucher depuis plus de cinquante ans.

« Depuis tout ce temps, elle était juste sous mon nez… » se dit-elle, ragaillardie comme jamais, une fois sa petite-nièce partie.

* * *

Andrew n'en revenait toujours pas. Jamais il n'aurait cru possible que les restes de cette sotte aient pu être retrouvés par les policiers. Malgré son étonnement, il était toujours convaincu que rien ne pouvait compromettre son identité. D'autant plus qu'il avait soigneusement dispersé les restes du corps de la jeune femme dans plusieurs conteneurs.

L'homme, assis sur son canapé presque éventré, écouta attentivement le message public des policiers. La chance avait été avec eux lorsqu'ils avaient trouvé la main droite de Lina, celle où était dessiné son tatouage. Le SPVM espérait pouvoir identifier la victime grâce à ce dessin celtique qu'elle portait. Il en conclut qu'ils n'avaient aucun autre indice.

Andrew détestait ce tatouage. C'était la goutte qui avait fait déborder le vase. Lina était devenue trop accaparante, trop insistante… trop contrôlante. Cette jeune fille de dix-neuf ans avait été bien agréable au lit, mais elle ne voulait rien comprendre et prenait trop au sérieux leur relation… Au départ, il ne voulait pas la tuer, mais elle ne lui avait laissé aucun autre choix. Malgré tout, Andrew était déçu de lui-même. Il croyait vraiment avoir réussi une bonne fois pour toutes à contrôler son monstre intérieur. Mais il avait encore une fois échoué.

En passant la main sur son front, il constata qu'il était couvert de sueur. L'anxiété qu'il essayait tant d'éviter le submergeait peu à peu. Il s'avoua totalement impuissant face aux démarches entreprises par les policiers. Mais au fond de lui, il essaya de rester confiant face à l'étonnante tournure des événements.

* * *

Robert Warren, chauffeur routier, travaillait depuis sept ans pour une compagnie de transport située à Pointe-aux-Trembles. Riche de ses vingt-cinq ans d'expérience dans ce domaine, il effectuait régulièrement des voyages sur de longues distances sillonnant les routes du Canada, des États-Unis et du Nouveau-Brunswick. Il ne pouvait plus se passer de son métier, même en sachant que celui-ci lui avait coûté son mariage ainsi que sa vie de famille. Ses absences prolongées avaient fait de lui un bien piètre père. Son ex-femme, Rachel, vivait depuis quatre ans à Boston, tandis que sa fille unique habitait encore avec lui, pour une raison qu'il n'arrivait toujours pas à s'expliquer. Elle travaillait dans un petit restaurant non loin de leur résidence et avait abandonné récemment ses études collégiales.

Lorsque Robert était à la maison, sa fille et lui ne faisaient que se quereller pour un rien. Comme père, il ne souhaitait pourtant que ce qu'il y avait de mieux pour elle : qu'elle reprenne sa vie en main, qu'elle retourne aux études et qu'elle soit heureuse, pourtant convaincu que Lina ne l'était pas depuis un bon moment déjà.

La jeune Warren vivait renfermée dans son monde et ne cessait de menacer son père d'aller rejoindre sa mère à Boston. Malgré ses menaces, Robert était certain que le départ éventuel de sa fille chez Rachel serait la meilleure chose qui pourrait lui arriver.

Le 1er juin dernier, le jour du départ du chauffeur pour le Nouveau-Brunswick, ils avaient eu une bonne conversation. Sa fille semblait avoir retrouvé ses esprits, elle semblait sortie de la torpeur qui la submergeait. Elle lui avait annoncé qu'elle allait quitter son travail de serveuse au restaurant La Venezia et qu'elle désirait s'inscrire au Collège supérieur de Montréal en secrétariat. Elle voulait prendre sa vie en main.

Il se réjouit de cette nouvelle attitude, mais resta tout de même sceptique. Quelque chose de majeur avait changé en elle, et il était parti ce jour-là anxieux, se doutant bien qu'il y avait anguille sous roche.

À son retour, le jeudi 9 juin, Lina n'était pas à la maison. En soirée, Robert était convaincu que sa fille lui avait menti. Que la ratoureuse avait trouvé le moyen de partir en douce chez sa mère. Fâché et déçu de s'être fait berner par sa propre enfant, Robert décida tout de même de ne pas intervenir immédiatement. Après tout, elle avait besoin de voir sa mère de temps à autre. Il se persuada donc de passer une soirée tranquille sans faire d'histoires et de regarder un peu la télévision. L'appel public des policiers pour identifier la jeune fille au tatouage passait en boucle sur toutes les chaînes. Las, Robert ferma le téléviseur pour enfin profiter d'une bonne nuit de sommeil dans son lit.

Le lendemain matin, Robert communiqua avec Rachel, afin de s'assurer que Lina était bien arrivée à Boston. Peu de temps après, Robert Warren discutait avec un policier afin de signaler la disparition de sa fille de dix-neuf ans.

* * *

Vendredi 10 juin 2011

Lorsque David Allard eut vent qu'une jeune femme avait été portée disparue dans le quartier qu'il avait visité la veille, il fit tout son possible afin d'avoir accès au dossier. Après avoir présenté quelques arguments à son supérieur, il obtint enfin l'autorisation d'aller rencontrer la famille, et ce, même si les procédures d'usage dans les cas de disparition avaient été entamées rapidement par le SPVM.

À son arrivée devant la maison des Warren, il se sentait à la fois troublé et soulagé, car il était maintenant convaincu que la victime serait finalement identifiée. La petite maison de briques rouges était située avenue Alfred, à quelques rues de la zone industrielle desservie par le camion 4578 du Groupe Perrot. Cette maison, il l'avait même déjà vue lors de sa deuxième visite du quartier.

Robert accueillit le policier avec nervosité. Son inquiétude était palpable. Le camionneur fut surpris qu'un sergent-détective des crimes majeurs soit devant sa porte pour le cas de la disparition de sa fille Lina. Il ne savait pas que David avait absolument tenu à rencontrer monsieur Warren lorsqu'il avait eu connaissance du dossier.

— Merci de me recevoir, je sais que vous avez rencontré un de mes collègues un peu plus tôt aujourd'hui. J'aurais également quelques questions à vous poser. Vous n'y voyez pas d'objection ?

— Non… Mais l'autre policier m'a dit que c'était probablement une fugue. Vous croyez le contraire ?

— C'est ce que j'aimerais valider. Donc, selon votre déposition, vous avez adressé la parole pour la dernière fois à votre fille le mercredi 1er juin ?

— Oui, c'est exact.

— Savez-vous si elle fréquente quelqu'un, qui sont ses amis ? Elle a certainement vu une amie durant votre absence, rétorqua David.

— Elle a une collègue au resto, une certaine Johanne, elles sont sorties quelques fois ensemble, et Lina est allée chez elle à quelques reprises. À ce que je sache, elle n'a pas de copain.

— Êtes-vous proche de votre fille, monsieur Warren ?

— Depuis quelque temps, je dois vous avouer que non. Je prends tous les contrats qui passent, car à la maison, c'est devenu invivable.

— Selon le dossier, vous avez mentionné qu'elle ne porte aucun piercing ou autre trait particulier. Est-ce exact ?

— Oui, c'est ça. Regardez la photo, vous verrez bien.

— Effectivement… Et ailleurs sur le corps ? Aucun tatouage, par exemple ? ajouta le policier.

— Non, elle n'a pas de tatouage, nous sommes contre, sa mère et moi.

— Pourrais-je visiter sa chambre, monsieur Warren ?

— Certainement, c'est par ici.

La chambre était minuscule, mais ordonnée. Le lit était fait, tout semblait être à sa place. David se surprit même à trouver l'ensemble coquet. Dans les teintes de mauve, la décoration se révélait plutôt féminine et invitante.

— Votre fille est toujours ordonnée de la sorte ?

— Non, pas du tout ! Mais depuis environ deux semaines, elle était devenue soudainement à son affaire. Elle faisait son lit tous les matins, rangeait ses vêtements… Un gros changement ! C'était le fouillis avant, il y avait de la nourriture et des assiettes partout, des vêtements sales par terre. Une source d'engueulade assurée !

Lina avait donc changé récemment, nota David, et selon son expérience personnelle, une nouvelle relation était souvent une explication plausible. Voyant que Robert Warren ne semblait pas du tout au courant des va-et-vient de sa fille, David se prépara à partir. Cependant, il devait demander encore une chose très importante à l'homme de cinquante-neuf ans.

Une fois sorti de la maison des Warren, David sauta dans sa voiture pour se rendre au laboratoire. Il avait obtenu ce qu'il voulait : une brosse à cheveux ainsi qu'une brosse à dents. À défaut d'avoir trouvé une empreinte digitale valable, Robert Warren lui avait fourni une quantité inestimable d'empreintes génétiques de sa fille. David espérait que, bientôt, il pourrait donner un nom à la victime du transbo. Il était presque déjà convaincu de la concordance de l'ADN des membres trouvés dans les ordures avec celui de Lina Warren. Toutefois, il avait un léger doute quant à cette histoire de tatouage…

* * *

Samedi 11 juin 2011

Elena Perrot était hors d'elle. Elle venait de recevoir un appel de Germain, un de ses chauffeurs, accaparé par de sérieux problèmes techniques en plein centre-ville.

Depuis son arrivée à la direction du poste de transbordement, elle avait su implanter plusieurs consignes et méthodes simples, mais efficaces, permettant d'éviter ce type de retard. Son mot d'ordre : la prévention. Son outil : un entretien mécanique rigoureux.

Adjacent aux aires de déchargement se trouvait un immense garage, permettant l'entretien des pelles mécaniques, des chargeuses sur roues et, également, des cinq camions de collecte dont la directrice avait la charge. Seuls les travaux majeurs étaient effectués à l'externe, le reste reposant sur les talents de mécanicien de Vincent, employé du Groupe Perrot depuis moins d'un an.

Les vérifications de routine, telles qu'inspecter les niveaux d'huile, d'antigel ou l'état des filtres à air, étaient effectuées par les opérateurs de machinerie chaque matin. Il s'agissait en fait d'un petit contrôle obligatoire de dix minutes qui devait être appuyé par la tenue d'un registre hebdomadaire.

Les pannes et pépins techniques étaient donc plutôt rares. La frustration d'Elena venait surtout du fait que les problèmes mécaniques du camion de Germain semblaient associés à une défaillance du système hydraulique, pourtant inspecté religieusement tous les jours.

— Tout est bloqué, madame Perrot. Je n'arrive plus à faire mes levées ni à compacter. Les vérins ne répondent pas à mes commandes. On dirait… on dirait que le système hydraulique a lâché! expliqua le chauffeur, presque gêné par son constat.

— Mais comment est-ce possible? Germain, reste là, je t'envoie une dépanneuse. Une fois de retour ici, on envoie le camion au garage, et toi, tu repars avec un autre afin de terminer tes collectes. Je vais aller regarder les registres…

— Mais je peux encore rouler, je pourrais me rendre au garage directement, j'ai seulement des ennuis au niveau de la levée et du conteneur.

— Non, je ne veux courir aucun risque. Si l'entretien mécanique n'a pas été bien fait sur ce camion, qui sait quels autres problèmes pourraient surgir… Et je ne veux surtout pas que tu sois impliqué dans un accident de la route.

— Très bien, j'attends dans ce cas…

Comme elle prenait son dossard orange pour se rendre au garage, son téléphone portable vibra. Surprise par le numéro affiché, elle répondit.

— Sam ?

— Bonjour, mon poussin ! Comment vas-tu ce matin ?

— Je suis plutôt en rogne, en fait. Et toi, tout va bien ? C'est plutôt rare que tu m'appelles au boulot !

— Oui, c'est vrai… mais, vois-tu, je dois absolument te parler. Aujourd'hui.

— Ça ne peut pas attendre ?

— Non, ça fait cinquante ans que j'attends. J'aimerais te rencontrer aujourd'hui. S'il te plaît.

— Euh… c'est grave ? répondit la jeune femme, ne sachant quoi penser de cette soudaine déclaration.

— Non, pas du tout. Mais c'est important. Tu vas venir ?

— Bon, d'accord, après le travail. On mangera ensemble ce soir, ça te va ? Je n'avais rien de prévu de toute façon et puis… tu m'intrigues !

— Tu n'avais rien à faire, même un samedi soir ?

— Eh oui… même un samedi soir, lui répondit Elena d'un ton dépité.

Une fois au garage, la directrice s'empara du registre du camion en panne, le 7940. Une surprise de taille l'attendait : il s'agissait de la signature de José Léon. Il aurait donc effectué l'entretien du camion.

— Mais, qu'est-ce que… VINCENT! Viens par ici! s'écria sa supérieure.

— Oui? répondit un homme couvert de graisse de la tête aux pieds.

— Mais diable, pourquoi est-ce que José Léon a effectué l'entretien du 7940? Il est censé se charger de la vérification périodique de sa chargeuse sur roues, un point c'est tout. Il n'est aucunement qualifié pour faire l'entretien mécanique d'une benne à ordures!

— En fait, heu… il m'a dit qu'il était en mesure de le faire et heu…

— Heu… Quoi?

— Je devais partir plus tôt hier.

— Et pourquoi est-ce que je n'ai pas été informée de cela?

— Heu…

— C'est un manque flagrant de professionnalisme, Vincent. Tu aurais dû m'informer que tu n'avais pas le temps de faire l'entretien du 7940, et j'aurais attribué un autre camion à Germain ce matin. Par ailleurs, je ne suis pas un monstre. Si tu veux terminer plus tôt, tu me le demandes, c'est tout!

Elena ne pouvait concevoir que son mécanicien ait fait une telle bourde. Elle avait énormément de difficulté à garder son sang-froid. La pression qu'elle avait ressentie ces dernières années, son acharnement à se révéler la parfaite relève de l'entreprise familiale et à démontrer qu'une femme pouvait accomplir ce type de travail, tout cela semblait vouloir sortir d'un seul coup. Elle croyait avoir une belle relation avec Vincent, mais elle comprit qu'il la fuyait tout autant que les autres. Outre Marcel et Patrick… et peut-être Nathan, le petit nouveau, ses employés l'évitaient. Patrick avait raison, depuis le début.

Plus elle parlait avec son mécanicien, plus la tension montait. Notamment lorsqu'elle réalisa que la prochaine personne avec qui elle allait devoir régler ses comptes n'était nulle autre que José Léon Fernandez.

Elena attendit jusqu'à l'heure du lunch pour lui parler, puisqu'il était bien occupé aux aires de déchargement. Pendant ce temps, le camion 7940 était revenu au bercail et Vincent eut même le temps d'y jeter un œil.

— Eh bien, madame Perrot… De ce que j'ai vu, le réservoir n'a pas été nettoyé avant la vidange d'huile hydraulique, ni les filtres, d'ailleurs. Aussi… il semble y avoir eu contamination, c'est certain. Le travail n'a pas été bien fait, l'huile s'est vite encrassée, et avec l'état des filtres… le système hydraulique est carrément tombé en panne.

— Le genre d'ennuis que l'on aurait facilement pu éviter ! Es-tu conscient que je devrais te suspendre pour ce merdier, Vincent ?

— Ouais… je suis vraiment désolé. José m'avait pourtant assuré être en mesure de le faire. Je vais réparer ce camion sur mon temps personnel, qu'en dites-vous ?

— C'est une idée… Mais non, reprit Elena après avoir hésité quelques secondes, il n'en est pas question. Les accidents, ça arrive. Même les plus stupides. Mais je veux que tu comprennes bien une chose: TU es le mécanicien ici. Personne d'autre. Tu es responsable de ce garage, toi et personne d'autre. Suis-je bien claire ? Ce type d'erreur ne doit pas se produire, nous sommes bien d'accord ?

— Entendu.

— Et aussi, retiens bien ce qui suit : je ne mords pas. Alors aucune raison de m'éviter : nous nous sommes bien compris, Vincent ?

— Tout à fait, madame Perrot, mille mercis, répondit le mécanicien, visiblement soulagé.

La jeune femme respira un grand coup. Même si l'état du camion était cauchemardesque et que ce type de réparation prenait du temps, elle sentit qu'elle avait franchi un pas avec son employé... D'autant plus que le Vincent en question était plutôt bel homme, à cette réserve près que l'imaginer complètement propre relevait de l'exploit.

Assise à son bureau, Elena appela José Léon sur sa radio au moment opportun afin de le faire venir à son bureau. Pas question pour elle de se rendre à la cafétéria et d'emprunter l'angoissant corridor...

Quelques minutes plus tard, l'hispanophone entra dans son bureau, toujours habillé de son célèbre regard noir.

— Vous vouliez me voir ? demanda-t-il avec un accent bien particulier.

— Oui... Assieds-toi.

— Je ne préfère pas, dit-il d'un ton sec.

— Bon. Allons droit au but pour en finir.

— Bonne idée.

— La benne à ordures dont tu as fait l'entretien hier soir est tombée en panne aujourd'hui. Je dirais même plus, son système hydraulique en a pris pour son rhume. J'aimerais donc te rappeler ceci : tu n'es pas un mécanicien. Je veux que tu te contentes d'effectuer les vérifications hebdomadaires sur ton *loader*. Est-ce bien clair ?

— Si... Mais Vincent m'av...

— Non, je ne veux rien entendre. Vincent mérite-
rait une suspension pour t'avoir confié cette tâche.

— Vous l'avez suspendu ? cria presque l'employé,
indigné.

— Non, pas encore. Mais ça a été tout juste.

— Vous allez me suspendre, moi ?

— Non, pas cette fois-ci. Tu peux disposer.

Elena savait bien que peu importe ce qu'elle dirait
à son employé, rien n'aiderait sa cause. Elle pourrait lui
dire que ses cheveux paraissaient soyeux et il interpréte-
rait cela comme une remarque selon laquelle ses cheveux
étaient gras. Tout de même, elle était certaine qu'il avait
compris le message. Mais surtout, elle était certaine que
José Léon ne pouvait tout simplement pas la supporter.
Ce qui était réciproque, d'ailleurs.

* * *

— Je m'en vais chez Sam, ce soir, répondit Elena à
son amie, tout en roulant sur l'autoroute Bonaventure.

— Quoi ? Un samedi soir ? Tu aurais dû m'appeler, pauvre toi, je t'aurais organisé une soirée plus exci-
tante ! s'exclama Charlotte.

— Elle voulait absolument me parler. Je n'ai
aucune idée de ce dont il s'agit !

— Eh bien, ce n'est certainement pas ce soir que
tu rencontreras ton Jake ! Tu y crois toujours ?

— Je ne sais plus trop. Au fond de moi, oui, j'y
crois ! Je me suis même motivée à sauter dans ma voiture
en me convainquant que Jake est en fait un préposé aux
bénéficiaires au complexe de ma grand-tante !

— N'importe quoi… répondit Charlotte, découragée.

Arrivée à destination, Elena porta une attention particulière à tous les visages qu'elle croisait sur son passage, chose qu'elle n'avait jamais faite auparavant. Personne ne ressemblait ni de près ni de loin à l'homme de ses rêves.

Rendue devant la porte 15-7, elle cogna, espérant que sa rencontre se fasse sur le chemin du retour.

Henriette proposa à Elena un café au lait, mais cette dernière lui suggéra plutôt un verre d'un bon vin californien qu'elle avait apporté.

— Nous sommes samedi, Sam, on passe au *vino* !

— D'accord, un petit verre, dans ce cas !

Elena fut surprise par son propre enthousiasme et se mit à raconter la journée qu'elle venait de vivre au transbo. Elle parla, bien entendu, de l'incident du camion arrivé au cours de la matinée, mais également de diverses réflexions qu'elle avait eues pendant la journée.

— Les gens jettent vraiment n'importe quoi. Le service de collecte est trop flexible, trop mou ! On empile les déchets en bordure de la rue, et hop ! comme par magie, le tout disparaît.

Elle prit une gorgée de vin, avant de poursuivre sur sa lancée, oubliant du même coup la raison de sa présence chez sa grand-tante.

— Encore aujourd'hui, nous avons vu passer des ordinateurs, des écrans de télévision. On est tenté de tout ramasser, mais on ne peut se mettre à fouiller dans les déchets, c'est contre le protocole et ça ralentirait vraiment la production. Au moins, j'ai dit ma façon de penser à un de nos clients. Son chargement était rempli aux trois quarts de carton. Quel gâchis ! Tu m'écoutes, Sam ?

— Que sais-tu de tes origines familiales, Elena ?

— Heu… rétorqua-t-elle, un peu ébranlée. Les Perrot sont d'origine française, et je crois que j'appartiens à la dixième génération. C'est à peu près tout ! Pourquoi me demandes-tu cela ? s'interrogea la jeune femme, décontenancée par le manque d'intérêt de sa grand-tante.

— Tu es de la onzième génération. Toussaint Perrot était effectivement un colon français, et il est arrivé en Nouvelle-France en 1685, dit-elle d'un ton sérieux et d'une voix à peine audible.

— Sam, où veux-tu en venir ? Tu ne m'as jamais parlé de façon aussi intense depuis que je suis née !

C'est alors qu'Henriette sortit un vieux livre usé et bruni. Elle le mit sur la table, passa doucement la main sur la couverture et le tendit à Elena. Cette dernière regarda le journal attentivement, mais n'osa pas y toucher. Elle releva la tête et attendit les explications de sa grand-tante.

— Que connais-tu d'Aimée Perrot ? demanda la vieille dame.

— Hummm… Aimée… réfléchit Elena à haute voix. Ce nom me dit quelque chose… Ce n'est pas la Folle-à-Perrot dont grand-mère me parlait parfois ? C'était la tante de Léon, non ?

— Deux choses. D'abord, elle était effectivement la tante de ton grand-père, donc ma tante aussi, par alliance. Deuxièmement, elle était loin d'être folle, contrairement à ce que les ragots de l'époque évoquaient à son sujet.

— Pourquoi me parles-tu d'elle, Sam ?

— Je voulais te voir ce soir pour discuter d'elle avec toi. Car depuis cinquante-deux ans exactement, je suis son empreinte, sa trace… Elle est mon fardeau. Vois-tu, je lui ai donné ma parole, et bien que j'aie perdu espoir au fil des ans, tu as tout changé dernièrement. Grâce à toi, j'honorerai enfin la promesse que je lui ai faite il y a si longtemps.

— Moi ? Qu'ai-je fait ? Et de quel fardeau parles-tu ?

— Laisse-moi te raconter, lui dit-elle tout en lui resservant du vin.

Henriette commença son récit en précisant sa relation avec sa tante. À l'époque, Aimée vivait seule, sans mari. Déjà, cela était mal perçu au milieu du siècle dernier. Lorsque Henriette avait fait la connaissance de son futur époux, Arthur Perrot, en 1949, elle n'était âgée que de seize ans. Très vite, elle avait été accueillie à bras ouverts dans ce qui allait devenir sa famille. Au fil des ans, elle avait tissé d'importants liens avec la tante d'Arthur, âgée de trente-neuf ans à l'époque. Alors que la plupart des gens semblaient éviter la Folle-à-Perrot, Henriette avait au contraire été intriguée par le personnage. Rapidement, une solide confiance mutuelle s'était installée entre elles et elles étaient devenues inséparables, jusqu'à la mort prématurée d'Aimée, en 1959, alors qu'elle n'avait que cinquante ans.

— C'est elle qui a écrit ce recueil, et il est maintenant à toi. Tu sais, elle s'est sentie différente des autres très tôt et elle avait entrepris à l'adolescence plusieurs recherches sur sa famille. Ce qu'elle a trouvé a changé sa vie à jamais. Dans les premières pages, tu verras donc ton arbre généalogique complet. Savais-tu que tu avais des racines iroquoises ?

— Eh bien, je me suis toujours dit que la plupart des Québécois devaient avoir des racines amérindiennes, connues ou pas !

— Tu as probablement raison ! dit-elle en riant, tout en ouvrant le livre devant Elena. Voici ton ancêtre iroquois : Sahale Pigarouiche. Elle venait de Katarokowen, connue aujourd'hui sous le nom de Kingston, en Ontario. À quinze ans, après avoir été enlevée de son village et convertie à la religion catholique, elle a épousé ton ancêtre Perrot, Toussaint de son prénom. Les mariages entre Blancs et Iroquois étaient très rares à l'époque. On voyait plus souvent des mariages avec des Algonquins ou des Hurons, nos alliés. Sahale était la fille d'un grand chaman, mort durant la guerre franco-iroquoise. Avant sa mort, il lui transmit tous ses enseignements. Elle devint donc, elle aussi, comme son père.

— Tu veux dire, une sorcière ?

— Non, c'est bien plus que cela. C'est l'une des croyances les plus anciennes et universelles de ce monde. Il y en a partout, en Amérique du Sud, en Inde, en Afrique… Encore aujourd'hui, d'ailleurs. Ça veut plutôt dire être en mesure de communiquer avec les esprits.

— C'est ce que je disais… mon ancêtre était une sorte de sorcière.

— Aimée a vite découvert qu'elle l'était également. Enfin, qu'elle avait la capacité de le devenir, car on ne naît pas ainsi, on le devient! Au cours de ses recherches, elle a également découvert qu'il y en avait eu trois autres avant elle dans la famille Perrot. Elle espérait, avant sa mort, transmettre son savoir au prochain, mais elle est partie trop rapidement. Elle m'a alors demandé de m'en charger. C'est ce que je fais aujourd'hui, Elena. Tu es la prochaine chamane Perrot.

Sur ces paroles, Elena manqua de s'étouffer avec sa gorgée de cabernet sauvignon. Elle regarda intensément sa grand-tante et s'inquiéta de son regard toujours aussi sérieux.

— Quoi? Mais de quoi tu parles, pour l'amour du ciel?

— Tu en es une. Enfin, pas encore. Tu as les facultés héréditaires pour le devenir. Si tu le veux, bien entendu.

— Donc, tu me proposes de devenir la prochaine Folle-à-Perrot, c'est ça? C'est une blague? Et sur quoi te bases-tu pour me qualifier de la sorte?

— Je t'ai déjà dit qu'elle n'était pas folle, loin de là. Elle était un peu… intense dans ses démarches, mais surtout passionnée. Elle a aidé plusieurs personnes et était reconnue dans ce qu'elle faisait. Mais il reste qu'elle paraissait étrange aux yeux de certains. À l'époque, les différences étaient si mal vues! Je t'interdis d'embarquer dans ces histoires de vieux *schnocks* bouchés.

— D'accord… répondit rapidement Elena en prenant une troisième gorgée de vin consécutive.

La jeune femme ne savait plus quoi répondre, plus quoi dire. Elle se savait différente, mais à bien y penser, elle n'avait jamais voulu vraiment l'admettre.

— Et puis, j'ai su que tu étais potentiellement une chamane lorsque tu m'as raconté tes *rêves*… J'ai eu des doutes au début et, après vérifications, je suis maintenant certaine de mon coup. Et dis-moi, Elena… au fond de toi, ne t'es-tu jamais sentie différente des autres ?

— Te dire le contraire serait te mentir, Sam… Depuis que je suis toute petite, je me sens à l'écart. Mais j'ai toujours cru que c'était le lot de bien des enfants et adolescents… Tu crois vraiment ce que tu dis ? Je trouve… que ça n'a aucun sens.

— Écoute, Elena, je veux que tu partes ce soir avec ce journal et que tu le lises attentivement. Il contient toutes les recherches, les notes et les réflexions d'Aimée. C'est le travail d'une vie, et c'est bien fait. Ses paroles seront certainement plus éclairantes que les miennes. Ensuite, je suis certaine que tu pourras prendre une décision.

— Une décision ?

— À savoir si tu veux te perfectionner ou pas…

— Voyons Sam… Mais que dis-tu là ? Je ne veux rien entendre de ce vieux bouquin ! C'est de la foutaise, c'est cette Aimée qui t'a complètement embobinée dans ses histoires de sorcières !

— Bon, je comprends que tu réagisses de la sorte et je te le demande comme une faveur personnelle. Prends ce journal et lis-le. C'est tout ce que je te demande. S'il te plaît, fais-le pour moi.

Elena ne dit rien pendant un moment. Une partie d'elle-même était étrangement attirée vers le journal de son ancêtre, mais d'un autre côté, elle refusait catégoriquement la possibilité d'être ce que sa grand-tante croyait. Enfin, elle reprit la parole.

— OK, je prends ce document, mais ne te fais pas trop d'illusions. Ma vie me convient parfaitement ainsi.

— Tu crois vraiment ?

Après une petite pause, Elena poursuivit enfin.

— Et ça mange quoi en hiver, un chaman ?

— Comme je te l'ai dit, c'est quelqu'un qui est en mesure de communiquer avec les esprits. Selon le type de démarches qu'il entreprend, il peut voir l'avenir, parler avec les morts ou parvenir à guérir certaines personnes. Dans ton cas, inconsciemment, tu as communiqué à quelques reprises avec les esprits durant ton sommeil.

— Avec les esprits ? Mes *rêves* sont des messages de fantômes ?

— De grands esprits en fait. C'est plus compliqué. Ils t'ont peut-être parlé plusieurs fois, mais ton esprit, non habitué à ce phénomène, n'a eu conscience que de quelques événements…

— Ceux avec grand-papa, Marco… et Jake.

— Voilà, tu comprends maintenant mon raisonnement.

— Je ne sais pas quoi penser de tout ça, Sam. C'est terrifiant ! Et une partie de moi n'y croit pas une seconde !

— Ne veut pas y croire, tu veux dire…

— Peut-être…

— Devenir chaman est un choix important, mais avant tout, tu dois comprendre ce phénomène. Prends le recueil d'Aimée et lis-le. On s'en reparlera après. Tes idées seront plus claires, dit la vieille dame.

Elle tendit le vieux journal à sa petite-nièce tout en la suppliant du regard.

Elena le prit enfin et Sam put finalement prendre sa première gorgée de vin.

— Allez, n'en parlons plus ! On se la fait cette partie de canasta, Elena ?

Les deux femmes passèrent somme toute une soirée agréable. Après le prélude inquiétant sur ce mystérieux journal, Henriette changea rapidement de sujet et devint un vrai diable en jouant aux cartes. La partie fut serrée, mais Sam finit par gagner, évidemment.

Pour lui faire plaisir, son hôtesse avait préparé une bonne soupe aux légumes comme Elena l'aimait tant, ainsi que des côtelettes de porc au ketchup. Un pur délice hivernal dévoré en plein mois de juin. Après avoir discuté de tout et de rien, la jeune femme jugea qu'il était temps pour elle de partir. Lorsqu'elle franchit la porte, Sam lui attrapa le bras.

— N'oublie pas ceci… dit-elle en lui tendant le journal qu'elle allait oublier. Tu en auras besoin, tu dois savoir.

Elena repartit troublée, les yeux fixés dans le vide. Elle ne porta pas attention une seule seconde aux personnes qu'elle croisa sur son passage.

* * *

Mercredi 15 juin 2011

Plusieurs jours passèrent, et le journal d'Aimée resta sur la table du salon. Elena n'avait pas l'intention de le consulter. En fait, elle en avait peur. Était-elle vraiment une potentielle chamane ? Elle n'avait pourtant rien de particulier. Elle buvait son jus d'orange tous les matins, aimait l'émission *Les Chefs* à Radio-Canada ainsi que la série américaine *Dexter*, comme tout le monde. Elle avait un lit douillet et un boulot, comme tous les contribuables du Québec. Il y avait des milliers de femmes célibataires de son âge qui vivaient une situation similaire à la sienne. Pourquoi ne pouvait-elle pas être comme elles ?

Depuis son entretien avec Henriette, quatre jours s'étaient écoulés… où elle n'avait pas osé véritablement s'avouer à elle-même qu'elle se savait différente. Mais quelquefois, le déni est le plus efficace des remèdes. Elle emprisonna donc ses doutes et questionnements dans un petit tiroir bien enfoui dans sa tête, résolue à ne pas l'ouvrir avant longtemps.

Elena revenait du marché Atwater, un arrêt qu'elle appréciait de temps à autre après le boulot, lorsque son portable vibra.

— Hello, *sister* !

— Amélia ! Comme vas-tu ? Ça fait des lunes que l'on ne s'est pas parlé !

— Et c'est fou comme tu ne m'appelles jamais ! Mais laisse faire tes excuses, je les connais déjà ! Reste que je voulais prendre de tes nouvelles…

— Eh bien, ça va. C'est la routine. Tu viens samedi pour la fête de papa ?

— Certainement ! Je ne manquerais pas ça, voyons ! Tu as pensé à quelque chose à lui offrir ?

— Non, pas du tout… avoua la sœur aînée.

— Moi non plus. C'est que ça devient compliqué avec le temps, ces histoires de cadeaux !

— Dis-moi, Amélia, que fais-tu ces temps-ci ? Tu as trouvé du boulot ?

— J'ai commencé des cours privés de photographie. Et j'ai même obtenu un premier contrat !

— Ah oui ? répondit innocemment Elena.

— Papa m'a demandé de prendre des photos des installations du Groupe Perrot et de certaines équipes de travail. Ils refont le site Internet de l'entreprise. C'est super, non ?

— Bravo, sœurette !

— Et je voulais te dire merci.

— Pourquoi ?

— Ne fais pas l'idiote… Je sais qu'il s'agit de ton idée. Papa me l'a dit. Que ferais-je sans toi ? rétorqua sincèrement Amélia.

— J'ai beau dire tout un tas de bêtises à ton sujet, reste que, dans la famille Perrot, on se tient les coudes.

— Merci encore. Et je voulais vérifier avec toi si je pouvais passer au transbo vendredi matin pour prendre des clichés. La température s'annonce clémente, le soleil sera de la partie.

— Je ne vois pas de problème. Appelle-moi lorsque tu seras sur le point d'arriver. J'avertirai Milène à la guérite.

— Alors, à vendredi !

— Hé ! Attends un peu… Je viens d'avoir une idée. Pourquoi ne pas donner à papa une photographie de ses enfants ou de ses petits-enfants pour son anniversaire ? Quelque chose de spécial, en noir et blanc par exemple, tu vois ce que je veux dire ?

— C'est une super belle idée ! Mais le temps file…
Nous sommes déjà mercredi… Je vais tenter quelque
chose, attends-toi à devoir te libérer d'urgence pour une
petite séance de *shooting* demain en fin de journée. J'en
parle à Bruno !

— Parfait ! On se reparle bientôt. Et en passant,
Amélia, tu as l'air radieuse !

— Tu n'as pas idée comme je suis heureuse ! À plus !

Souriante, Elena plaçait ses fruits dans un bol en
verre, au centre de la table de la cuisine. Elle aurait tant
aimé être plus proche de sa sœur ! Mais Amélia était bien
spéciale et ressemblait davantage à une Russo qu'à une
Perrot. Elle était excentrique, dépensière et souffrait
d'un flagrant manque de confiance en elle. Depuis son
plus jeune âge, sa mère l'avait prise sous son aile de
manière obsessive, pour en faire sa petite princesse.
Amélia en payait le coût tous les jours de sa jeune vie.
Aujourd'hui âgée de vingt-sept ans, la jeune femme ne
s'était jamais autant cherchée. Elena avait énormément
de difficulté à créer des liens avec sa sœur, et ce, même si
elles se vouaient un amour inconditionnel.

Plus tard dans la soirée, elle reçut un appel de son
amie Charlotte, intriguée par le fait qu'elle ne l'ait pas
encore appelée à la suite de leur conversation de samedi.
Elena n'avait parlé à personne de l'étrange discussion
qu'elle avait eue avec Sam. Elle hésita quelques secondes
avant de finalement répondre à son amie.

— Quoi de neuf, poulette ? demanda Charlotte
spontanément.

— Rien d'important. On refait le site Web de la
compagnie et ma sœur Amélia semble heureuse !

— C'est tout ?

— Grosso modo, oui.

— Tu rêves encore à ton Apollon ?

— En fait, cela fait cinq jours que je n'ai pas rêvé à lui. Il… Il me manque, avoua-t-elle, mal à l'aise.

— Un amour dans les limbes n'est pas un vrai amour ! Reviens sur terre, ma belle !

— Mais j'y crois, Charlotte. Je crois que Jake existe. Je le sens. Je le sais. Et… non, non rien.

— Elena…

— Rien, je te dis.

— J'arrive dans cinq minutes, prépare le café ! Bye !

Elle avait déjà raccroché. Elena n'avait pas eu le temps de lui dire qu'elle était calée dans son lit, en pyjama, en train de siroter une bonne tisane. Elle n'avait rien d'une fille qui allait recevoir des convives pour un brin de jasette. D'autant plus qu'elle savait très bien que son amie réussirait à lui tirer les vers du nez au sujet de sa rencontre avec sa grand-tante. Contre son gré, elle se leva pour mettre en marche la cafetière.

* * *

— Et ce document est sur ta table depuis samedi soir ? Tu ne l'as pas ouvert une seule fois ? interrogea Charlotte.

— Non, pas une seule fois.

— Mais cette histoire est incroyable, Elena ! Tu n'as pas envie d'en savoir plus ? Ne serait-ce que pour découvrir tes ancêtres !

— Je ne suis pas certaine de vouloir en connaître davantage. De m'aventurer sur ce terrain.

— Car tu as peur de découvrir ta vérité, le véritable sens de ta vie ? C'est ça ? Le changement, c'est toujours bien épeurant.

— Je ne sais pas… Disons que je ne suis pas prête.

— Tu ne veux pas savoir comment fonctionne tout ça ? Et tu as pensé à ton Jake ? Les réponses à tes questionnements sur cet homme sont peut-être inscrites dans ce journal !

Elena regarda son amie, surprise. Cette possibilité ne lui avait même pas effleuré l'esprit. Elle acquiesça tout en promettant qu'elle y jetterait un petit coup d'œil. Question d'étancher sa curiosité.

Il se faisait tard et, tandis qu'Elena accompagnait son amie vers la porte, Charlotte reprit la parole.

— Tu as su qu'ils ont identifié la victime retrouvée en morceaux chez vous ?

— Non !

— Une certaine Lina, âgée de dix-neuf ans, je crois. J'ai entendu la nouvelle à la radio cet après-midi.

— Si jeune ? Merde… Et ils ont un suspect ?

— De ce que j'ai entendu, aucun. C'est horrible.

— Oui, ça l'est.

— Allez, à bientôt Elena, bonne nuit, dit-elle en embrassant son amie sur la joue.

Pour la première fois depuis une semaine, elle repensa au sergent-détective et à son visage si déterminé…

— Toujours aucune piste… Pauvre de lui, se dit Elena.

Cela lui prit quelques secondes avant de pouvoir mettre un nom sur son visage.

— Ah oui, il s'appelait David, je crois. Tu viens, Jeffrey ? dit-elle à son chat, tout en sautant dans son lit qui l'attendait depuis un bon moment déjà.

Chapitre 4
La rencontre

Jeudi 16 juin 2011

Le soir qui suivit sa discussion avec Charlotte, Elena s'installa confortablement dans son salon, le recueil d'Aimée Perrot en main. Elle s'était préparé une tisane à la camomille spécialement pour l'occasion. Pour choisir le parfum de son breuvage chaud, cela lui avait pris au moins dix minutes. Elle avait longuement hésité entre la tisane à la menthe poivrée, celle à la camomille ou aux canneberges et une dernière, particulièrement savoureuse, au thé blanc à la pomme. Jamais elle n'avait hésité autant devant les dizaines de choix qui s'offraient à elle soir après soir. Elle était une véritable mordue des tisanes, mais, en ce jeudi soir de juin, chaque minute passée à retarder le début de la lecture du vieux journal offert par sa grand-tante était la bienvenue.

À 19 h 30, elle commença enfin. Elle apprit que son ancêtre iroquoise, Sahale Pigarouiche, était morte jeune, à l'âge de quarante ans, après avoir donné naissance à huit enfants. Trois d'entre eux étaient morts en bas âge. La vie était difficile à l'époque : les tensions sociales étaient palpables et les maladies, souvent dévastatrices.

Des cinq autres bambins métis qui naquirent dans la maisonnée Perrot, trois d'entre eux eurent des descendants vivants. L'un des fils de Sahale, nommé Jérôme, semblait également avoir été chaman, mais aucun de ses huit enfants ne l'avait été.

L'arbre généalogique de sa famille fascina Elena durant un bon moment. Tant de personnes avaient forgé le passage avant elle ! Le rythme effréné de la société moderne aveugle bien souvent l'héritage des générations passées, se dit-elle tout en poursuivant sa lecture. Elle remarqua rapidement à quel point cela avait dû être un travail colossal pour Aimée de retrouver toutes ces personnes ainsi que leurs histoires.

Aimée Perrot avait une écriture rigoureuse et classique. Tout y était clair et méthodique. Chaque section avait un titre, une mise en contexte, des schémas faits à main levée, tel un véritable manuel pédagogique. Cependant, les propos étaient rédigés de façon plutôt contrastée. Tantôt de manière personnelle, tel un journal intime, tantôt de façon très instructive, voire technique. Il arrivait quelquefois qu'Elena ne soit pas en mesure de comprendre certains propos rédigés dans une langue aux expressions aujourd'hui disparues. Toutefois, l'ensemble s'avérait éloquent.

Somme toute, l'auteure du journal semblait prendre sa vocation très au sérieux. Certaines femmes de l'époque avaient reçu l'appel de Dieu et consacraient leur vie à la prière. Aimée avait plutôt reçu l'appel des esprits et consacré sa vie au chamanisme.

Une section du livre portait sur l'atteinte de l'« état modifié de conscience ». Elena devina qu'il s'agissait probablement d'un chapitre axé sur les transes nécessaires à la communication avec les esprits. Sa grand-tante lui avait expliqué l'importance de bien se préparer à ce type de canalisation spirituelle. Toujours selon elle, sa petite-nièce aurait expérimenté cet état dans son sommeil, de façon inconsciente, et ce, sans aucune préparation.

En feuilletant certaines pages de cette section, elle trouva quelques textes illisibles, dans un langage qui lui était tout à fait inconnu. Aimée Perrot les appelait « chants dans le langage rituel ». Plusieurs autres textes portaient sur différentes astuces aidant l'atteinte d'un niveau de transe adéquat. Elle y apposa un pense-bête, car cette partie du vieux journal lui serait certainement utile.

Elle poursuivit son parcours de façon un peu aléatoire, en feuilletant délicatement les fragiles pages, car elle désirait trouver rapidement un indice permettant l'analyse de ses propres *rêves*. Elle lut alors un passage qui attira son attention :

« Le chaman doit d'abord arriver à maîtriser le départ de l'âme, par l'entremise du rêve. Il doit apprendre à effectuer des interprétations qui lui permettront de prédire l'avenir. Pour cela, il devra commercer avec les esprits, comme seul le chaman peut le faire. Mais il peut échouer. Comme je l'ai fait lorsque j'ai demandé au monde invisible de soigner certaines gens. »

Ainsi, son ancêtre essayait non seulement de prédire l'avenir, mais également de guérir certains malades. Elena lut un passage troublant sur le cas d'un homme, dont l'auteure n'avait pas noté le nom.

La chamane avait accepté de le rencontrer et de discuter avec lui de son mal. L'auteure expliquait qu'elle était parvenue à entrer en transe devant son patient grâce à divers exercices de rythme et de méditation. Aimée Perrot semblait maîtriser parfaitement ces exercices qui semblaient pourtant si complexes aux yeux d'Elena. Elle se promit de lire plus assidûment le fameux chapitre du recueil portant sur ce sujet. Lors de la séance avec l'homme inconnu, la guérisseuse avait senti immédiatement le mal qui le rongeait. Selon ses dires, chaque personne était responsable de sa propre maladie. Cette dernière se matérialisait lorsque le patient s'éloignait de son unité divine, lorsqu'un déséquilibre entre son état physique, mental et celui des esprits apparaissait. La jeune femme sourcilla en lisant ce passage et fit une grimace à son chat Jeffrey…

— C'est fort ça, non ? Je me demande bien si c'est de la foutaise, ce truc, dit-elle tout haut en prenant une dernière gorgée de sa tisane refroidie.

L'homme mal en point semblait souffrir au niveau du foie. Les notes d'Aimée relataient tous ses faits et gestes, tel un carnet de notes médicales. Elle expliquait qu'elle avait posé ses mains sur ce qui lui semblait être la source du déséquilibre et demandé aux esprits de libérer l'homme de sa souffrance en lui permettant de retrouver l'harmonie dans son corps et son âme. Mais elle avait instantanément ouvert les yeux et était rapidement sortie de sa transe.

Les grands esprits ne voulaient pas guérir cet homme, car son âme était souillée. En une fraction de seconde, elle avait su qu'il avait violé à maintes reprises

ses petites-filles. Aimée avait noté d'une main tremblante qu'elle avait même senti un bref moment leur souffrance. Les larmes coulant sur ses joues, elle avait annoncé à l'homme qu'elle ne pourrait le sauver et que la mort viendrait le chercher prochainement. Tel était son destin.

La jeune femme constata que le choix de vie de son ancêtre semblait lui apporter beaucoup de tourments et que ses activités étaient exigeantes, tant physiquement que mentalement.

La chamane parlait régulièrement d'Henriette dans son recueil. Elle était en quelque sorte son bras droit dans son entreprise peu commune : elle fixait les rendez-vous et guidait les gens dans leurs démarches. Mais, surtout, elle l'épaulait en cas de besoin. Les guérisons étaient les plus difficiles. Elena trouvait Aimée bien courageuse et, surtout, dotée d'un altruisme sans bornes. Pour le moment, elle ne voyait aucun lien concluant entre sa propre personnalité et celle de son aïeule.

Les paupières lourdes, Elena fut surprise de constater à quel point le parcours du recueil la captivait. Il se faisait tard et, tout en bâillant, elle ferma la lumière du salon et se dirigea vers son lit, suivie de son fidèle matou. Une fois couchée, elle pensa brièvement à sa famille et se remémora son après-midi avec sa sœur et son frère pour la préparation du cadeau de leur père.

Elena avait adoré sa séance photo improvisée avec Amélia et Bruno. Rares étaient les occasions où ils pouvaient passer un moment tous les trois. Ils s'étaient rencontrés vers 15 h dans un café sympa à Repentigny, tout près du fleuve Saint-Laurent, qui offrait un panorama parfait. Pour pouvoir s'y rendre, elle avait dû faire appel à Patrick, afin qu'il entre au boulot plus tôt ce jour-là.

— Comment vas-tu ce matin ? avait-elle demandé au téléphone à son contremaître.

— Plutôt bien, je dois dire. Nous sommes vraiment chanceux : Félix fait déjà ses nuits ! Mais Chantale est vaillante, car le bébé peut être vraiment exigeant en ce qui concerne l'allaitement. Des fois, elle doit l'allaiter aux heures, vous vous rendez compte !

— C'est un vrai ogre ! s'exclama sa patronne, tout en pestant intérieurement contre son obstination à la vouvoyer.

— Comme moi ! ajouta-t-il. Alors comme ça, vous devez partir plus tôt ? C'est plutôt rare que ça arrive ! Vous pouvez compter sur moi, je serai là vers 14 h 30.

— Merci, Pat. Nous faisons une séance photo pour faire une surprise à mon père. Mais nous sommes vraiment à la dernière minute ! En passant, puisque j'y pense, les pneus neufs pour la pelle mécanique devraient arriver cet après-midi. Je risque d'être absente à ce moment-là.

— Pas de problème, je m'en occuperai. On se voit tout à l'heure !

Elena aimait bien son contremaître. Toujours franc, toujours vrai. Ce garçon n'avait aucun vice, il était aussi transparent que les fenêtres de son bureau. Moins de deux mois après son arrivée, il y avait bientôt trois ans de cela, Patrick avait suggéré de remplacer les pneus de type pneumatiques de la machinerie par des pneus rigides, comme on en voit dans les carrières et sablières. La réussite évidente de cette initiative dérouta la jeune directrice. Pourquoi personne n'y avait pensé auparavant ? Le mécanicien consacrait un nombre incroyable d'heures à traiter les multiples crevaisons de la machinerie lourde, ce qui retardait toutes les activités du site. L'idée lumineuse et pourtant si évidente de son nouvel employé avait prouvé qu'il était l'homme de la situation. Très rapidement, il avait sensiblement fait augmenter l'efficacité des activités au poste de transbordement.

Sur ces pensées, Elena sombra dans un profond sommeil sans rêves, sans esprits et sans pensée ni pour Patrick, ni pour Aimée Perrot, ni même pour son Jake.

* * *

Vendredi 17 juin 2011

L'annonce de la mort de Lina Warren à son père ne fut pas une tâche facile. David détestait cette partie de son métier. Mais Robert Warren se montra extrêmement coopératif avec le sergent-détective et ses collègues. Bien que la douleur qui l'affligeait fût insoutenable, il avait montré un sang-froid hors du commun lors des nombreuses rencontres avec les différents corps policiers. On fouilla la chambre de Lina de fond en comble afin de trouver la moindre fibre, la moindre trace, le moindre indice susceptible de fournir un semblant de piste au SPVM.

Dès le vendredi, David entreprit de rencontrer toutes les personnes qui connaissaient, de près ou de loin, la jeune victime. Il commença par une visite au restaurant La Venezia.

Le restaurant était situé sur le boulevard Henri-Bourassa, à quelques minutes de marche de la résidence des Warren. Selon les dires de son père, sa fille bossait depuis l'âge de quinze ans dans ce petit restaurant de quartier. Elle y avait d'abord travaillé à la plonge et, peu à peu, elle avait entrepris de servir aux tables. Tous les habitués de la place la connaissaient. Non pas pour sa vitalité, mais plutôt pour sa présence régulière, son sourire timide ainsi que son service courtois. Le restaurant se situait au rez-de-chaussée d'un immeuble à logements terne et gris, typique de ce secteur. Cependant, avec sa fenestration riche en bois massif, le restaurant avait un cachet chaleureux et invitant.

L'ancien patron de Lina, le chef cuisinier et propriétaire, Franco Giordano, était abasourdi par la mort de son ex-employée.

— Je la considérais comme ma fille! Je l'avais prise sous mon aile, elle avait besoin de boulot. Elle était douce et gentille, mais elle n'allait pas bien. Je crois qu'elle a eu une crise d'adolescence difficile, expliqua l'homme chauve aux traits tirés.

Une serveuse était venue leur porter un des meilleurs cappuccinos que David ait bus de sa vie. En déposant la tasse devant le policier, elle le regarda et lui dit, tout bas:

— Vous devez trouver qui a fait ça. Je ne la connaissais pas beaucoup, on travaillait rarement ensemble. Mais la petite ne méritait pas ça...

— Elle semblait appréciée de tous, n'est-ce pas monsieur Giordano? reprit David, tout en faisant un signe de tête à la serveuse.

— Oui, elle l'était. Elle ressemblait à une brebis égarée et nous voulions tous l'aider. J'étais bien triste lorsqu'elle m'a annoncé qu'elle nous quittait. Je ne comprenais pas sa décision, elle semblait bien chez nous.

— Vous ne connaissez pas les motifs de son choix? demanda le policier.

— Non, enfin, elle m'a dit vouloir retourner aux études à temps plein. Qu'elle voulait faire quelque chose de mieux. Elle avait l'air motivée, la petite! Je me souviens d'avoir été surpris de l'étincelle dans son regard… Cette lueur était nouvelle chez elle.

— Voyait-elle quelqu'un?

— Heu… faudrait demander à Johanne. Elle le saura certainement, elle était assez proche de Lina. Je ne pourrais pas vous le dire. Il y a souvent beaucoup de gens dans ce resto, et je suis toujours dans la cuisine, sous pression. Je n'ai rien remarqué de ce genre.

— Je comprends. Merci, monsieur Giordano. Quand pourrais-je la rencontrer?

— Elle arrive vers 15 h et travaille jusqu'à la fermeture. Restez donc, sergent-détective, je vous concocte un de mes petits plats et vous pourrez l'attendre le ventre plein.

Les escalopes au citron étaient parfaites, suffisamment acidulées, tendres et fondantes en bouche. David se délecta également de chaque bouchée des spaghetti aux tomates et au basilic qui les accompagnaient. Il mangea lentement et se promit que sa prochaine destination vacances serait l'Italie. Lorsque Johanne franchit la porte, il n'y avait plus que lui dans le restaurant. Elle fut accueillie par son patron et Franco l'invita à s'asseoir avec le sergent-détective, ce qu'elle fit.

La serveuse avait de longs cheveux blonds retenus en chignon, de toute évidence teints et mal entretenus. Son maquillage était omniprésent et ne lui convenait aucunement. Cependant, son regard pétillant et son sourire sincère justifiaient amplement les raisons de son embauche dans ce joli petit restaurant.

— Bonjour, mademoiselle. Vous savez pourquoi je suis ici, n'est-ce pas ? demanda le grand policier, en voyant l'air inquiet de la femme assise en face de lui.

— Ouais… je viens de l'entendre à la radio… répondit-elle, visiblement ébranlée par la nouvelle. Vous savez qui a tué ma Lina ? Je l'aimais tant, cette petite ! Elle venait garder quelquefois chez moi les dimanches lorsqu'elle avait congé. Elle était si douce et serviable… On travaillait souvent ensemble.

— Malheureusement, nous ne savons pas encore l'identité de la personne qui l'a tuée. Mais nous y travaillons ardemment. J'ai quelques questions à vous poser, puisque vous semblez être l'une des personnes les plus proches de Lina.

— Allez-y.

L'entretien avec Johanne dura un long moment, et David eut même droit à un second cappuccino. La femme devant lui était visiblement très ébranlée par la mort de son amie. Il arriva qu'elle émette quelques sanglots, mais essaya de garder la tête froide et de répondre le plus clairement possible aux questions du policier.

David apprit que Lina était très amoureuse dernièrement. La jeune fille était restée secrète sur l'identité de cette personne, mais sa collègue l'avait entendue parler au téléphone durant une pause. Elle était heureuse, rayonnante. Un jour, Johanne lui avait demandé :

— Eh bien… te voilà amoureuse ! C'est qui, ce mec, je le connais ?

— De quoi parles-tu ?

— Ne fais pas l'innocente, je t'ai surprise au téléphone.

— C'est… un client, hésita la jeune serveuse. Il est merveilleux, tu n'as pas idée ! Mais je ne dois pas t'en parler. C'est encore trop tôt.

— Sois prudente, ma jolie. Et sois heureuse !

— Quand avez-vous eu cette conversation avec elle ? lui demanda David.

— Attendez que j'y pense… C'était tranquille, au resto. Je suis pas mal certaine que c'était en début de semaine, à la mi-mai.

— Lina a discuté avec cette personne à l'aide d'un cellulaire ?

— Non, avec le téléphone du resto, celui près du comptoir là-bas, dit-elle en pointant du doigt un vieux téléphone qui avait certainement été blanc dans une autre vie. Le fil est très long, elle lui a parlé dans l'allée vers les toilettes, ajouta-t-elle.

— Aviez-vous remarqué si elle avait un tatouage particulier ?

— Non, elle n'avait aucun tatouage… En fait, lors de sa dernière journée de travail, elle avait un bandage à la main. Oui, ça me revient. Un bandage autour de la main droite jusqu'au poignet. Elle prétextait s'être coupée en faisant la vaisselle.

— Selon les dires de votre patron, sa dernière journée de travail a été le 29 mai dernier, un dimanche.

— J'ai vu Lina pour la dernière fois le samedi. Et elle avait son bandage à ce moment-là.

— Merci, Johanne, voici ma carte. N'hésitez pas à me joindre si vous avez d'autres détails à me donner.

Avant de partir, David alla demander le relevé de téléphone du restaurant du mois de mai 2011 à Franco Giordano, mais celui-ci ne l'avait pas encore reçu.

— D'habitude, on le reçoit vers le 20 de chaque mois. Mais je peux l'avoir en ligne immédiatement si vous voulez. Je vous l'imprime ensuite.

Le sergent-détective remercia une dernière fois l'équipe du petit restaurant et trouva bien dommage de ne pas avoir découvert ce sympathique endroit dans d'autres circonstances. Il aurait bien voulu y inviter Elena.

Malgré l'avancement du dossier, il ne cessait de penser à la jeune directrice du poste de transbordement. Il avait maintes fois cherché un prétexte pour aller lui rendre visite, mais n'en trouvait aucun. Il ne voulait pas l'oublier, il ne pouvait tout simplement pas effacer cette femme de son esprit.

* * *

Samedi 18 juin 2011

Samedi matin, 10 h. Le ciel était gris et le temps, lourd et humide. David Allard portait son habit noir, mais négligea volontairement de porter la cravate. Malgré les circonstances, il croyait avoir sa place à l'enterrement de Lina Warren. Par respect pour son père, ses collègues, mais, surtout, par respect pour la jeune victime qu'il apprenait peu à peu à connaître. Une jeune fille de dix-neuf ans qui menait une vie comme bien d'autres de son âge, et qui ne méritait certainement pas de terminer la sienne parmi les déchets.

La cérémonie fut simple et attira quelques curieux. David reconnut le père de la victime ainsi que ses collègues de travail, Franco et Johanne. D'autres visages, qu'il avait vus au restaurant le vendredi précédent, étaient également présents. Une femme aux cheveux brun foncé, au regard voilé par un rideau de larmes, devait être la mère de Lina. Elle ressemblait beaucoup à sa fille ; un peu plus rondelette, mais, somme toute, fort jolie. Un homme à la chevelure grisonnante lui caressait l'épaule. Ce devait être « l'Américain », comme l'appelait Robert Warren, un certain Bruce. David compta quelques tantes, oncles et cousins, mais la famille Warren semblait peu nombreuse. Il nota la présence de quelques hommes à l'arrière de la salle, dont l'identification lui échappa. Il sut par la suite qu'il s'agissait de collègues de travail du père de Lina.

Lors de la cérémonie, pour honorer la mémoire de la jeune fille, une chanson du groupe Karkwa fut entendue. David ne connaissait pas ce groupe québécois. La voix fragile et mélancolique du chanteur raviva un sentiment de tristesse dans toute la salle, accompagné d'une certaine sérénité. Les paroles étaient à-propos et, selon les dires de Johanne, la chanson *Moi-Léger* était l'une des préférées de la jeune victime.

« C'est un passage obligé, un long couloir à creuser

[...]

C'est une chanson de lumière, l'étape après la misère

L'émotion d'un courant d'air »

Après la chanson, on sentait presque le souffle de Lina évoluant entre les allées et essayant de réconforter ses proches. David fut saisi par l'émotion tout en prenant note de chaque visage présent dans l'église de la rue Sainte-Colette.

* * *

Elena se contemplait devant son miroir et analysait le résultat de son fastidieux travail. Son maquillage était plutôt discret, mais mettait bien en valeur ses yeux bruns. Elle avait choisi de porter l'une des rares robes de sa garde-robe à l'occasion de l'anniversaire de son père. Celle-ci épousait délicatement sa silhouette, et son décolleté était bien suffisant pour attirer les regards, tout en restant décent. Par contre, elle n'avait pu faire quoi que ce soit d'intéressant avec ses cheveux. Elle les laissa donc tomber sur ses épaules, sans artifice.

— Pas mal, hein, Jeffrey ? dit-elle à son chat qui se léchait avec acharnement l'arrière-train.

En arrivant ce soir-là, elle était dans une forme splendide. Toujours dans sa voiture, elle ferma les yeux et fit le vide avant de descendre. Elle ne voulait penser ni à Aimée Perrot, ni au travail. Ce soir-là, elle voulait passer un bon moment avec sa famille. En marchant vers le restaurant, elle remarqua la carrure d'un homme attendant sur le trottoir. Ses larges épaules et sa haute stature lui rappelaient vaguement quelqu'un. Bien qu'il lui tournât le dos, elle le reconnut enfin.

Ses cheveux noirs, ses petites oreilles, sa barbe naissante… Jake était là, en face du restaurant, habillé d'un superbe veston gris et d'un jeans. En se tournant vers elle, il lui sourit. Elle n'avait qu'une envie, celle de goûter une fois de plus ces lèvres pulpeuses. Elle voulait sentir son souffle sur son cou, ses mains sur son corps. Il la regarda intensément sans rien dire. Ils restèrent face à face quelques secondes, jusqu'à ce que le pire des scénarios se produise.

Amélia arriva par-derrière et lui sauta littéralement au cou. Il l'empoigna et l'embrassa vigoureusement.

— Tu as rencontré ma sœur ? Mark, voici Elena, ma grande sœur. *Sist*, voici Mark !

Du coup, Elena constata qu'elle avait oublié de respirer depuis un certain moment. Ses jambes vacillaient, ses mains tremblaient. Elle partit dans le restaurant en courant, sans dire un mot, en état de choc.

Enfermée dans les toilettes, elle sentait les parois de la cabine se refermer sur elle. Comment était-ce possible ? Son homme dans les bras d'Amélia ? Allait-elle devoir briser le cœur de sa sœur pour concrétiser son amour avec lui ? Elle pleura toutes les larmes de son corps, elle ne pouvait concevoir de devoir trahir sa sœur de la sorte. Car si elle était vraiment chamane, si Jake lui était vraiment destiné et qu'elle savait ses *rêves* probablement réels, elle ne pourrait que faire souffrir sa sœur.

Rencontrer l'homme de ses rêves en personne l'avait tellement bouleversée qu'elle se demanda si elle ne devait pas rentrer chez elle. C'est alors qu'elle entendit des pas dans les toilettes.

— Tu es là, Elena ? demanda Béatrice, inquiète pour sa fille.

— Oui, maman.

— Mais qu'as-tu, pour l'amour du ciel ?

— Rien.

— Tu es malade ?

— Non…

— Alors ce n'est pas le moment de faire une crise, pas le jour de l'anniversaire de ton père ! Fais un effort, affiche un sourire et tu régleras tes problèmes une autre fois ! Allez, chérie, nous t'attendons.

Face à toute la délicatesse dont avait fait preuve sa mère, la jeune femme n'était aucunement consolée. En sortant de la cabine, elle jeta un coup d'œil à son reflet. Ses yeux étaient rougis et enflés, son nez coulait, ses lèvres étaient gonflées. Elle passa un peu d'eau sur son visage et, du même coup, dit adieu à tous les efforts qu'elle avait déployés pour cette soirée.

— Mais vous en avez une tête, ma p'tite ! C'est vraiment ravageur, ces allergies. Cette année est particulièrement difficile. Vous devriez prendre un cachet, ça vous mettra sur pied rapidement ! l'encouragea une dame d'un certain âge, visiblement accaparée par des allergies saisonnières.

S'armant de courage, Elena regagna silencieusement la table où sa famille l'attendait. Elle embrassa son père sur le front et alla s'asseoir aux côtés de la petite Clara.

— Je peux m'installer ici, Clara ? Tu veux bien me tenir compagnie, ce soir ?

— Mon papa m'a dit d'être très gentille ce soir. Il va me donner des *Smarties* si je reste sage. Tu peux rester si tu dis bonjour à mon toutou Cléo.

— Bonjour, Cléo le lézard, comment allez-vous ?

Plus loin, elle vit Mark assis auprès d'Amélia. Ils se regardaient tendrement, ils semblaient très épris l'un de l'autre. Elle remercia le ciel d'avoir pu s'asseoir à l'autre bout de la table, entre Bruno et sa fille. Loin de son cauchemar.

— Que s'est-il passé dans le stationnement, Elena ? Tu te sens bien ? lui demanda son père qui, du même coup, porta l'attention de toute la table sur elle.

— J'ai eu une vraie crise d'allergie. Je suis vraiment désolée d'être partie en coup de vent !

— Je ne savais pas que tu avais des allergies, ajouta Amélia.

— Eh bien… moi non plus !

Nicolas Perrot offrit du champagne à toute sa famille, et un toast fut porté afin de souligner son soixante-deuxième anniversaire de naissance. Elena choisit comme entrée une poêlée de pétoncles cuits à l'unilatérale et l'agneau braisé comme plat principal. Ayant peu d'appétit, elle partagea son repas avec la petite Clara, qui mangeait à peu près n'importe quoi malgré son jeune âge. Son petit frère était resté à la maison, sous les bons soins d'une gardienne.

— La petite voulait absolument venir, précisa Pénélope. Merci de t'en occuper, elle est un ange grâce à toi.

Bruno regarda sa sœur d'un air complice. Sa fille était assise sur ses genoux et dévorait la purée de pommes de terre dans l'assiette d'Elena. La petite semblait vraiment vouloir obtenir ses friandises ; il ne l'avait jamais vue aussi calme dans un restaurant.

Quant à Béatrice, elle était en pleine discussion avec Mark. Les rires fusaient de partout et l'atmosphère était légère. Elena se faisait très discrète et n'osait regarder l'homme assis de l'autre côté de la table. Car elle savait que son regard la trahirait. Elle le désirait tant.

Elle apprit qu'Amélia l'avait rencontré un peu grâce à sa mère. En effet, Béatrice avait brisé à la fin du mois d'avril une superbe assiette en porcelaine, incrustée d'or, qu'elle avait rapportée d'un voyage en Chine. Après avoir encaissé le coup et ruminé durant des semaines, elle avait entrepris de la faire réparer. Amélia avait proposé à sa mère d'aller porter ce qui restait de l'assiette à un restaurateur supposément miraculeux. C'était Mark qui l'avait accueillie à la boutique. Il y travaillait à temps partiel depuis quelque temps déjà. Selon les dires d'Amélia, il possédait un talent hors du commun pour la restauration de porcelaine, de céramique et de certaines sculptures métalliques. La jeune femme écouta d'une oreille distraite l'histoire d'amour naissante entre sa sœur et son Jake…

— Est-ce que Cléo peut en manger aussi ? demanda Clara en fixant ses pommes de terre.

— Oui, ton lézard peut en manger.

— En fait, c'est un canaléo, corrigea la gamine.

— Un caméléon, tu veux dire ?

— Oui, c'est ça, un canaléo. C'est le même que Raiponse, dans le film. Le sien, elle l'a appelé Pascal. Moi, j'aimais mieux Cléo. Tu viendras voir le film chez moi ?

— Oui, ma puce, lui chuchota à l'oreille sa tante, tout en lui caressant les cheveux qui avaient une agréable odeur d'orange.

La naïveté et la spontanéité de la petite fille sauvèrent la soirée d'Elena. Cependant, vers 21 h 15, la petite n'en pouvait plus et s'endormit dans les bras de sa tante, Cléo bien installé tout contre elle.

— Ça te va bien, tu sais ? Tu es faite pour avoir des enfants… remarqua Pénélope.

— Je sais, je sais… Mon horloge biologique est en marche depuis un moment. Mais chaque chose en son temps. N'est-ce pas ? Et toi, comment vas-tu ?

— Je vais bien, précisa sans donner de détails la jeune mère de vingt-neuf ans.

Nicolas Perrot semblait heureux et avait déjà plusieurs consommations à son actif. Comme chaque fois, il se mit à parler du voyage qu'il allait payer un jour à sa famille.

— Je louerai une splendide villa sur le bord de la plage, quelque part en Martinique. Et nous partirons tous en profiter. Ce sera extraordinaire !

Toute la famille approuva avec enthousiasme, sachant bien que ce souhait ne pourrait être exaucé. Il était effectivement improbable que le Groupe Perrot se prive durant une semaine complète de son directeur technique au lieu d'enfouissement sanitaire, de la directrice des opérations d'un des plus importants postes de transbordement de la région de Montréal, ainsi que de son président et principal actionnaire. Mais en ce jour bien spécial, tous les rêves étaient permis. Pour Nicolas, du moins.

Plus tard, dans le stationnement, le doyen de la famille remercia chaleureusement une dernière fois ses enfants pour le superbe cadeau qu'ils lui avaient offert. Amélia possédait un talent indéniable pour la photographie, c'était l'évidence même. Ils se firent tous la bise, à l'exception d'Elena et de Mark. Elle se contenta de lui serrer la main, évasivement. Le simple contact avec sa peau provoqua un déferlement d'électrochocs dans son corps entier.

De retour dans sa voiture, seule, Elena craqua une seconde fois. Malgré l'heure, il fallait qu'elle parle à quelqu'un. Elle était furieuse, anxieuse et en voulait à tout le monde. Par-dessus tout, elle en voulait à Sam. Elle aurait pu téléphoner à Charlotte, qui était au courant de l'existence du vieux journal de son ancêtre, mais elle décida plutôt de prendre son portable et de composer le numéro de sa grand-tante.

— C'est de la foutaise ! Je n'en reviens pas de la situation dans laquelle je suis ! Ma sœur avec l'homme de ma vie ! Ces prétendus esprits veulent démolir ma famille ? Et qu'est-ce que je fais, moi ? C'est de la merde, cette histoire, je n'y crois pas !

— Calme-toi, Elena, voyons ! Calme-toi. Tu es complètement hors de toi, tu dois te ressaisir. Car, au contraire, tu as maintenant toutes les raisons d'y croire…

— Et comment cela ?

— Parce qu'il existe ! Ton Jake existe vraiment ! Tu ne l'as pas halluciné ni imaginé ! Il est exactement comme les esprits te l'avaient montré. La preuve est concluante !

— Mais je refuse de faire du mal à ma sœur. Jamais je ne ferai cela à Amélia.

— Tu ne sais pas comment les choses vont tourner. Ce genre de situation arrive, tu sais. Tu as ton destin, ta sœur, le sien.

— Oublie cette possibilité. Amélia est si fragile ! Et puis, je veux choisir ma destinée !

Après une certaine accalmie, Henriette surprit Elena en lui proposant de faire un essai.

— Faire un essai ? balbutia la jeune femme, toujours assise au volant de sa voiture dans le stationnement du restaurant.

— Prends le journal, et fais un essai de transe. Essaie de comprendre les procédures d'Aimée, pour focaliser ton énergie sur tes visions. Prends un sujet autre que Jake, évidemment, mais fais un essai. Tu verras ensuite, lui suggéra sa grand-tante.

— Il n'en est pas question.

Et elle raccrocha.

* * *

Dimanche 19 juin 2011

Elena regardait le reportage sur l'enterrement de la jeune fille retrouvée au poste de transbordement, qui avait eu lieu le jour précédent. Elle jeta un coup d'œil surpris à sa montre : elle était toujours en pyjama, emmitouflée dans ses couvertures. La dernière fois qu'elle avait flâné

125

dans son lit jusqu'à midi, cela remontait au temps de ses études collégiales.

Un peu plus tôt dans la journée, elle avait pris la peine de téléphoner à son amie Charlotte pour lui faire part du cauchemar dans lequel elle baignait jusqu'au cou : du contenu du vieux recueil de son ancêtre, de l'apparition de Jake, exactement tel qu'elle l'avait vu dans ses *rêves*, de l'implication non prévue d'Amélia dans toute cette affaire, etc. Elle ne se souvenait plus très bien des paroles de son amie, et s'avoua à elle-même qu'elle ressemblait davantage à un zombie qu'à une jeune femme en détresse.

Cet état végétatif était essentiellement dû à un effondrement émotif, telle une véritable peine d'amour. Comment était-ce possible ? Elle ne connaissait cet homme que par ses visions qui pouvaient durer de quelques secondes à quelques minutes. Mais pour elle, celles-ci étaient bien plus que des songes. Il s'agissait de réels souvenirs… ou plutôt, de moments encore à venir avec cet homme mystérieux. Elle les avait vécus de l'intérieur, comme ses autres *rêves* de jeunesse, c'est-à-dire comme si elle y était.

Elle se souvint d'une vision en particulier, l'une des rares qui n'étaient pas enveloppées de draps bleus au parfum de lavande. La scène avait eu lieu sur une terrasse de la rue Saint-Denis. Jake (elle refusait pour le moment de l'appeler par son vrai nom, Mark) lui prenait la main tout en buvant à petites gorgées une bière blonde. Il portait un polo bleu et souriait sans arrêt. Son regard était constamment plongé dans celui d'Elena. Il lui parlait d'un de ses voyages en Europe ; il semblait passionné. Mais

Elena n'avait pas remarqué quel temps il faisait ni quelle boisson elle avait commandée. Elle ne se souvenait pas des propos de Jake, car elle n'avait écouté que la mélodie de sa voix. Ce *rêve* avait duré tout au plus deux minutes, mais elle en avait savouré chaque seconde.

Cela faisait quelque temps qu'elle n'y avait pas rêvé. Il lui manquait terriblement. L'arrivée d'Amélia dans cette histoire, déjà bien compliquée et plutôt anormale, venait assombrir ses espoirs. Car malgré le surprenant amour qu'elle ressentait pour cet inconnu, jamais Elena Perrot n'aurait accepté de blesser sa sœur pour son propre bénéfice.

Bien qu'elle n'ait jamais été très proche d'Amélia, elle avait toujours eu l'intime conviction de devoir la protéger, quoi qu'il advienne. En dépit des chicanes et des crises de sa petite sœur, Elena avait toujours eu un rôle à jouer dans sa vie. Sans qu'elle s'en rende toujours compte, l'aînée réparait les pots cassés et avait maintes fois sauvé sa sœur de situations périlleuses. Amélia était devenue une jeune femme complexe et anxieuse par la faute de leur mère, Béatrice Russo. Surprotégée, manipulée et contrôlée d'une main matérialiste et superficielle, elle s'était finalement détachée peu à peu de son modèle : sa grande sœur.

Le téléphone sonna, mais Elena ne répondit pas, reconnaissant le numéro de Charlotte. Elle voulait savourer ce qui restait de cette rare et précieuse grasse matinée. Malgré sa faim, la paresse la clouait au lit. La télévision en sourdine, elle se remémora une époque de son adolescence. Elle devait avoir dix-huit ans et sa petite sœur, douze ans.

Amélia avait pris son courage à deux mains et était entrée dans la cuisine. Son père et sa mère s'y trouvaient et s'affairaient à préparer le repas. À l'époque, la famille Perrot, ou plutôt Béatrice, devait se priver d'une cuisinière. La jeune adolescente les avait regardés un moment avant de lancer :

— Je veux aller à La Dauversière, comme Elena.

— Ma chérie… Nous avions convenu que tu irais au Collège Sainte-Marcelline, tu t'en souviens ? N'en parlons plus maintenant. Va mettre la table, avait répondu sa mère distraitement.

— Maman, je ne veux pas aller dans une école de filles, je veux aller à la même polyvalente qu'elle.

Les enfants Perrot avaient fait leurs études primaires au Collège français, aujourd'hui connu sous le nom de Collège Jacques-Prévert. L'aîné, Bruno, avait poursuivi dans cette voie et était allé au collège privé Mont-Saint-Louis pour ses études secondaires. Pour Elena, cela avait été tout autre chose.

Elle voulait fréquenter l'école publique avec les amis de son quartier qui faisaient partie de son équipe de soccer. Découragée par le tempérament de sa fille, Béatrice avait baissé les bras, quoiqu'elle fût outrée par son attitude. Son père n'avait, quant à lui, aucune objection à ce qu'elle fréquente l'école secondaire publique La Dauversière. Cependant, pour Amélia, véritable marionnette de chiffon de Béatrice, la situation était tout autre.

Enfant délicate au regard fragile, la cadette était constamment sous l'attention de sa mère. Elle devait toujours être bien coiffée et arborer des tenues impeccables ; tout à fait à l'antipode de sa sœur. Considérant que sa fille aînée représentait une cause perdue d'avance, madame Russo misait beaucoup sur son autre fille, qui deviendrait certainement une grande dame, d'une beauté indéniable et ayant l'élégance d'une Grace Kelly.

Nicolas Perrot, accaparé par la gestion de l'empire familial, se faisait de plus en plus rare à la maison. Sa femme avait donc eu toute la latitude voulue pour forger son Amélia selon ses propres critères, au grand dam de la principale concernée.

— Mais pourquoi Elena a-t-elle pu y aller et pas moi ? avait rétorqué la jeune fille.

— Parce que c'est comme ça, voilà tout. Elle n'est pas comme toi. Tu vaux mieux que cette misérable école, tu iras à Sainte-Marcelline, un point, c'est tout.

— Oui, mais… avait voulu insister Nicolas.

— Ne te mêle pas de cela, chéri. Regarde ce qu'est devenue Elena… Une fille de quartier sans classe ni scrupules. Amélia mérite mieux !

— Voyons, Béa, tu exagères, non ? avait rétorqué son époux qui, au son de la sonnerie, s'était précipité sur le téléphone.

La conversation s'était terminée là pour lui en raison de pépins au boulot. Béatrice en avait profité pour amener sa fille plus loin, dans le salon. Il était temps de conclure cette ridicule discussion, s'était dit la mère, exaspérée par la demande de la gamine. Elle lui avait alors servi une litanie d'arguments, tous aussi mous qu'inappropriés. Amélia n'avait rien su répondre à cette tirade et avait couru se réfugier dans sa chambre, sous le regard attristé de sa grande sœur qui avait été témoin de toute la scène du haut des escaliers.

Elena pestait contre sa mère qui cloîtrait sa jeune sœur dans un château de verre en la pourrissant de l'intérieur. Lorsqu'elles étaient plus jeunes, elles ne pouvaient chasser les grenouilles ensemble, de peur qu'Amélia salisse ses beaux habits. L'aînée faisait donc en sorte de lui apporter des têtards vivants dans un bocal en cachette dans sa chambre. Leur mère n'avait jamais eu vent de leur secret.

Lorsqu'elle allait avec ses copines au dépanneur du coin acheter des sacs entiers de friandises, elle en gardait toujours pour sa petite sœur, à qui toute sucrerie était défendue afin de préserver sa parfaite dentition. Plus vieille, Elena se glissait la nuit dans sa chambre pour lui raconter des anecdotes sur les enfants du quartier et certains garçons de son école. Amélia était fascinée par son assurance. La jeune fille l'enviait tant! Notamment pour sa grande liberté et son aplomb.

Malheureusement, en vieillissant, la cadette changea peu à peu et devint, à certains égards du moins, le reflet de sa mère Béatrice. Il n'était pas rare de l'entendre faire de véritables crises d'hystérie pour des riens. Ses goûts étaient devenus onéreux, ses exigences se faisant plus nombreuses. Aux yeux de plusieurs, Amélia était la starlette de la famille Perrot. Mais aux yeux d'Elena, elle n'était rien d'autre que sa petite sœur fragile, qu'elle devait continuer à protéger. Jamais elle n'avait osé la blesser, même si elle prenait quelquefois plaisir à se moquer un peu d'elle.

Finalement, Elena décida de se lever et de prendre une longue douche. Elle avait envie d'un grand cappuccino et du pain aux bananes du Café Expression, avenue Mont-Royal, non loin de chez elle. Sous le jet ardent, elle se fit la promesse de ne jamais nuire au bonheur de sa sœur, peu importe ce qu'en disaient les esprits ou autres voies du destin. Avec regret, elle décida de mettre de côté son Jake… et cet espoir incessant de pouvoir le serrer de nouveau dans ses bras.

* * *

Lundi 20 juin 2011

Assis à son bureau, David discutait avec Richard Brunet, un collègue à la section des crimes majeurs du SPVM. Brunet travaillait depuis peu sur l'enquête avec lui, et tous deux analysaient le relevé téléphonique du mois de mai du restaurant La Venezia. Comme pour tout restaurant, les appels entrants étaient nombreux et provenaient d'un peu partout. Ils décidèrent de concentrer leurs efforts sur les semaines du 9 et du 16 mai, en fonction de ce qu'avait révélé la serveuse Johanne.

— Elle a mentionné que c'était en début de semaine, à la mi-mai, mais elle ne savait pas si c'était Lina qui avait effectué l'appel ou le contraire, précisa David, concernant la présumée conversation téléphonique que la victime aurait eue avec son nouvel amoureux.

— Les appels sortants semblent être des retours d'appels dans la plupart des cas, des confirmations de réservation. J'ai rayé toutes les concordances entre les appels entrants et sortants faits entre 15 h et 16 h, heure à laquelle le personnel du resto prend les messages et confirme les réservations, d'après ce qu'on m'a dit. J'ai également noté quelques numéros de téléphone de

131

fournisseurs dans les appels sortants : un boucher, un distributeur en vrac, bref, rien de louche. Johanne t'a précisé l'heure approximative à laquelle Lina discutait avec l'inconnu ?

— Durant le jour, car c'était tranquille. Donc pas durant l'affluence du souper, lui répondit le sergent-détective en fouillant dans ses notes. J'ai noté entre 14 h et 16 h.

— Alors, ça réduit nos efforts. Rien à signaler pour les appels sortants, mais pour les appels entrants, j'en ai noté trois faits à partir de cabines téléphoniques pour les deux semaines visées, précisa Richard, exposant les recherches préliminaires qu'il avait entreprises avant l'arrivée de son collègue.

— Pas de cellulaire ?

— Cinq en fait, mais cette piste n'est pas concluante pour le moment. Les numéros ont été associés à des comptes et les personnes ont déjà été ciblées. Trois femmes et deux hommes, dont un retraité, qui est un habitué du restaurant, ainsi qu'un jeune homme, asiatique, à la recherche d'un emploi. Franco Giordano se souvenait de lui avoir parlé. La piste des cellulaires ne vaut que dalle, pour le moment.

— Donc, nous avons trois appels provenant de cabines téléphoniques, faits entre 14 h et 16 h durant les semaines du 9 et du 16 mai derniers.

— Oui, plus précisément le samedi 14 mai, le mercredi 18 et le jeudi 19 mai. Selon mes recherches, ils proviennent respectivement de Laval, du centre-ville de Montréal et du Mile-End.

— Rien de très encourageant comme détails...

— Oui, mais attends, vieux, j'ai quelque chose pour toi.

Richard tendit une enveloppe à son collègue ; il s'agissait d'une facture de cellulaire. David y jeta un coup d'œil et le regarda ensuite, incrédule. Le compte était au nom de Lina Warren.

— Mais, tout le monde nous a dit qu'elle n'avait pas de cellulaire !

— Faux ! Qui n'a pas de cellulaire de nos jours ? En fait, voici sa première facture, elle venait tout juste de s'en procurer un, répondit fièrement Richard. Regarde les numéros, ajouta-t-il.

— Seulement quatre…

— Lina a fait trois appels : un au domicile de Johanne, qui n'a jamais su qu'elle appelait d'un cellulaire puisqu'elle n'a pas d'afficheur, un deuxième au restaurant à la fin mai et, finalement, un au Collège supérieur de Montréal, le 27 mai. Elle n'a reçu qu'un seul appel, le 24 mai dernier.

— Du 514 845-4832, lut le policier, intrigué par le numéro.

— Regarde bien, c'est le même numéro que sur le relevé du restaurant. Il s'agit de l'appel du mercredi 18 mai provenant d'une cabine téléphonique ! s'exclama fièrement Richard.

— Bingo ! Elle est où cette cabine, au juste ? Au centre-ville ?

— Oui, au coin de la rue Sherbrooke et de l'avenue McGill College.

— Je vais aller y jeter un coup d'œil. Beau boulot, Richy.

L'enthousiasme de David, une fois qu'il fut sur place, s'amoindrit considérablement. La cabine téléphonique était située à l'extérieur, dans un endroit fort achalandé. Outre quelques bureaux, un restaurant était situé à proximité ainsi qu'une librairie, un café Second Cup, une banque, diverses boutiques, le Musée McCord et, par-dessus le marché, le vaste campus de l'Université McGill.

Il regarda autour de lui. La foule était dense et diversifiée : des étudiants riaient en traversant le carrefour, un sans-abri tenait la porte d'une banque en espérant quelques pièces en retour, des hommes d'affaires pressés marchaient d'un pas assuré, des touristes avaient le nez dans leur carte routière, des copines avec leur bébé en poussette faisaient les boutiques. Un véritable capharnaüm d'hétérogénéité.

David entra dans la cabine, par simple principe. Quelqu'un, de toute vraisemblance un homme, était entré à deux reprises dans cette même boîte métallique afin d'appeler Lina Warren : une fois au restaurant, et une seconde fois sur son cellulaire. Il s'agissait probablement de la seule personne à connaître son numéro de portable. Et le sergent-détective était prêt à parier qu'il s'agissait du meurtrier.

Qui pouvait bien être cet inconnu ? Un étudiant ? Un banquier ? Ce pouvait être n'importe qui. Il prit son portable et composa le numéro de son collègue.

— C'est un cul-de-sac, Richard. On ne peut rien faire pour l'instant avec cette information, il y a trop de possibilités.

Sur le chemin du retour, ce fut au tour de David de recevoir un appel de son collègue. Il décrocha mécaniquement.

— Allard.

— J'ai du nouveau. Et tu vas aimer.

— Je suis tout ouïe.

— Le relevé bancaire de Lina...

— Et...

— Eh bien, rien d'intéressant... À l'exception d'un truc, le fit languir Richard. Un achat au montant de cent vingt-cinq dollars, fait par débit le 27 mai à 20 h 43, au studio Les Tatouages du Québec.

— L'adresse, Brunet !

Chapitre 5
L'éveil

Lundi 20 juin 2011

Non sans difficulté, Elena mit les bouchées doubles ce lundi matin-là. Elle voulait se concentrer sur son travail et faire en sorte que la journée se termine le plus rapidement possible. Le poste de transbordement eut droit à la visite régulière de quelques goélands à bec cerclé et du chercheur de l'UQAM, Martin, qui analysait inlassablement leur comportement. Cela constitua une agréable distraction pour la directrice. La journée se déroula somme toute sans pépin majeur. Soulagée, Elena s'installa dans sa voiture hybride à 16 h 1. Elle inspira un grand coup, en repensant à l'importante décision qu'elle avait prise la veille. Ce jour-là, en ce lundi de juin, elle allait faire un essai, comme le lui avait suggéré Henriette.

Sur le chemin du retour, elle constata à quel point l'arrivée du recueil d'Aimée Perrot dans sa vie avait modifié sa relation avec Sam. Depuis que sa grand-tante le lui avait remis, elle n'était pas retournée une seule fois lui rendre visite. Pire, elle avait réussi à s'en prendre à elle au téléphone! Elena réalisa à quel point elle avait agi égoïstement. Jamais elle n'avait tenté de comprendre Henriette, ni même de considérer la situation dans laquelle elle se trouvait depuis plus de cinquante ans.

Lorsqu'elle stationna sa voiture, dans la petite ruelle derrière son condo, elle remarqua la présence de son voisin, l'insignifiant petit Marc-Antoine. Le grand jour approchait pour lui puisqu'il serait bientôt en vacances, moment toujours attendu avec fébrilité par tous les enfants. Mais le garçon de neuf ans semblait aussi heureux qu'un carton de lait oublié sur le comptoir. Il paraissait pâle, livide et, bien entendu, grognon. Pour faire honneur au savoir-vivre légendaire des Perrot, la jeune femme lui sourit.

— Bonjour, Marc-Antoine! Alors, as-tu hâte aux vacances?

— Bof.

— Tu dois être heureux de ne plus avoir de devoirs! Je détestais en avoir, à ton âge. Tu as des plans pour cet été? Tu vas au camp de jour? se força à lui demander Elena.

— Non. Mon beau-père ne m'y a pas inscrit. Et je m'en fous.

Pour démontrer que la conversation était bel et bien terminée, il se leva et entra chez lui en fermant la porte bruyamment. La jeune femme leva un sourcil et mit ses mains sur ses hanches, tout en fixant la porte de son voisin, espérant qu'il la voit ainsi. Elle ne tolérait pas ce genre d'attitude. Elle n'osait même pas imaginer quel monstre d'adolescent ce garnement allait devenir.

Après avoir concocté une délicieuse salade de roquette, agrémentée de noisettes, de copeaux de parmesan et d'avocat, Elena s'installa à table. Devant son appétissante assiette se trouvait le journal de son ancêtre, attendant sagement d'être consulté. Elle ne perdit pas de temps et se rendit directement à la section portant sur l'atteinte de l'« état modifié de conscience ». Ce chapitre semblait le plus intéressant. Aimée Perrot y avait noté plusieurs façons de réaliser une transe, selon le résultat envisagé. Tout en dévorant son repas, la lectrice remarqua certaines parties de textes encadrées et mises en valeur. Elle devinait qu'il s'agissait de certaines des méthodes préférées de son aïeule, après qu'elle eut fait l'essai de maints rites et attributs provenant de plusieurs cultures. Toutefois, le savoir iroquois semblait être le plus utilisé par Aimée.

Elena comprit que la transe était en fait un voyage, un parcours vers un monde auquel seuls les chamans pouvaient accéder. Et c'est à cet endroit que le dialogue avec les esprits pouvait être entamé. Son ancêtre ne semblait pas toujours consciente de cette étape, puisqu'il s'agissait de son esprit qui voyageait. Elle avait d'ailleurs inscrit à quelques reprises, dans le texte, ainsi que dans les marges de certaines feuilles, que le rêve devait être considéré comme le premier devoir de tout chaman, puisque, instinctivement, l'esprit pouvait voyager plus facilement durant le cycle du sommeil.

Les *rêves* d'enfance de la jeune Perrot, ainsi que ceux réalisés au cours des derniers temps, devaient être particulièrement puissants, car tout le processus s'était manifesté de façon inconsciente et spontanée. En lisant le recueil, Elena comprit que le prétendu dialogue avec les esprits se produisait, généralement du moins, sous forme de vision. D'où la raison pour laquelle Henriette était certaine que sa petite-nièce était une véritable chamane en devenir.

Aimée Perrot, de sa fine écriture, avait mis l'accent sur l'importance d'une bonne concentration lors de la transe, afin d'être à l'affût des moindres détails durant la séance. Chaque précision pouvait être un indice permettant de faciliter le dialogue avec les esprits, ou encore de mieux intervenir auprès des malades. Mais, surtout, de mieux comprendre les secrets de la fatalité. À la lecture de ces dernières lignes, Elena conclut qu'elle ne maîtrisait absolument pas cet aspect de la chose.

La recette du succès de son ancêtre semblait fort simple : il lui fallait du rythme. Elena imaginait, sourire en coin, un vieil Amérindien, coiffé de son panache de plumes, tournant autour d'un grand feu en jouant du tambour. Elle s'étouffa pratiquement avec sa bouchée de salade en lisant qu'Aimée jouait effectivement de cet instrument.

« Le rythme doit être toujours régulier et identique. Mon tambour en peau de bison est mon préféré, et de loin le plus efficace pour catalyser mon esprit et amplifier ma concentration. La combinaison de cette cadence et des chants en langue rituelle accentue le processus. »

Après plusieurs minutes de lecture, Elena lut que le chamanisme était étroitement associé au son régulier produit par l'instrument, dans le cas des Amérindiens. Selon son aïeule, ces accessoires étaient sacrés. L'utilisation de peaux plus épaisses était privilégiée dans la confection de ces tambours, telles celles provenant de chevaux, d'élans ou de bisons. Les cuirs plus fragiles et minces, comme ceux de vache, étaient plus appropriés pour les instruments destinés à la musique, en raison des importantes vibrations qu'ils provoquaient. L'initiée comprit également que l'utilisation de cet accessoire dans la quête de transe n'avait rien à voir avec la musique. Il suffisait de créer un rythme et de le maintenir. L'état spirituel commençait à se modifier à ce moment-là.

Ce que lut ensuite Elena la surprit encore davantage. Aimée Perrot avait noté une multitude de petits conseils, tel un véritable guide pratique. La jeune femme avait terminé son repas depuis longtemps, mais elle resta assise et concentrée sur les écrits de son défunt mentor. Elle ne remarqua même pas Jeffrey, à moitié monté sur la table, qui se régalait bruyamment des copeaux de parmesan restant dans son assiette. Soudainement, elle se leva et alla chercher quelques feuilles et un crayon, provoquant un élan de panique chez son colocataire.

« Je ne mange jamais d'ail ni d'oignons. Si j'en consomme, je ne peux me permettre d'accepter des visites, car je dois prendre le temps de me purifier. Cela peut prendre jusqu'à deux jours. »

— Pas d'ail, et pas d'oignons. Noté ! Ce sera vraiment un supplice pour moi ! constata-t-elle, en référence aux origines italiennes de la famille Russo et à son goût particulièrement prononcé pour les plats de pâtes bourrés d'ail.

« Plusieurs plantes jouent un rôle important dans la purification de l'âme. La plus importante est la sauge, dont les infusions me permettent de purifier l'atmosphère et de catalyser les énergies positives. »

— Maintenant je sais d'où vient mon goût pour les tisanes ! se dit la lectrice, tout en notant la sauge sur la liste d'articles à se procurer.

« Les plumes sont des éléments indissociables des coutumes amérindiennes. Je travaille avec les plumes de faucon et de pie pour m'aider lors de guérisons. La plume de hibou devra être utilisée par mon successeur, car elle permettra une meilleure transmission des connaissances entre nos générations. »

Elena relut le passage trois fois. Cette dernière phrase lui était destinée, il n'y avait aucun doute. Aimée Perrot l'avait-elle vue dans ses visions ? Certainement pas, car elle aurait manifestement informé Sam de son identité. La jeune femme se promit de poser la question à sa grand-tante, tout en ajoutant à sa liste l'acquisition prochaine d'une plume de hibou.

— Mais où diable vais-je trouver ça ? se demanda-t-elle.

Il était près de 20 h et ses jambes commençaient à s'ankyloser, à force de demeurer ainsi assise sans bouger. Elle décida de prendre une pause et de débarrasser la table. Elle ne pourrait faire un essai ce soir-là, elle n'était pas suffisamment préparée. Elle fut surprise de constater sa déception, mais il est vrai qu'elle avait attendu ce moment toute la journée. Soudain, une lueur d'espoir illumina son regard ; quelque chose lui revenait en mémoire.

Elle se précipita vers son débarras et se mit à fouiller vivement dans les vieilles boîtes brunies rangées sous son équipement de ski. Cela faisait des années qu'elle n'avait pas ouvert ces fameux cartons, véritable coffre au trésor de la petite fille qu'elle avait été. Elle prit délicatement son vieil ourson en peluche, tassa ses bouquins de jeunesse, sortit ses journaux intimes, empila ses cartes de hockey, poussa son gant de baseball... et trouva son tambour.

Il s'agissait d'un vieil instrument que son grand-père lui avait offert lorsqu'elle avait huit ans. Il était rond, assez léger et plutôt laid. Elena se souvint d'avoir ardemment espéré en recevoir un pour Noël, mais d'avoir été affreusement déçue en le voyant. Grand-père Léon lui avait dit qu'il s'agissait d'un tambour bien spécial, fait à la main et, surtout, très vieux. Elena le prit délicatement, le retourna plusieurs fois, le sentit. D'où venait-il ? Puis, elle aperçut une écriture familière dans la paroi intérieure en bois. Les lettres étaient devenues presque illisibles, mais Elena reconnut la forme singulière de la fine calligraphie.

— Mais... c'est son tambour ! s'écria-t-elle.

Puis, tout lui revint. Le cadeau sous l'arbre de Noël, le déballage, l'expression de grand-père Léon en voyant la déception sur le visage de sa petite-fille et ses paroles, qui lui revenaient en tête vingt-quatre ans plus tard :

— Ce tambour est dans la famille Perrot depuis un certain temps, ma puce. Il est à toi maintenant, tu le mérites, c'est un grand honneur que l'on te fait. La personne qui l'a fabriqué a fait une chose formidable pour moi un jour. Il s'agissait de ma tante, et c'était une personne bien spéciale. Comme toi, mon poussin.

Toujours agenouillée dans le petit rangement de son condo, Elena regarda l'instrument tendrement. Des larmes coulaient sur ses joues, heureuse qu'elle était d'avoir retrouvé ce souvenir oublié. Elle était également ravie de tenir entre ses mains le tambour de peau de bison confectionné par nulle autre qu'Aimée Perrot.

La jeune femme resta un certain moment assise par terre, entourée d'objets d'une autre époque et de vieilles boîtes oubliées. Lorsque le téléphone sonna, elle se ressaisit et alla voir l'afficheur. Il s'agissait de Charlotte. Elena regarda sa trouvaille et le téléphone à tour de rôle. Malgré tout, elle était consciente que le fameux essai n'aurait pas lieu ce soir-là. Et puis, son amie représentait une véritable source d'énergie et d'enthousiasme pour elle, ce qui était toujours nécessaire pour refaire le plein d'énergie de temps à autre. Elle décida donc de prendre l'appel bien qu'elle n'eût aucunement l'intention de discuter de ses projets particuliers.

— Salut, toi! lança Elena, tout en déposant le tambour chamanique sur la table.

— Devine ce qui m'est arrivé aujourd'hui?

* * *

David se regardait distraitement dans la glace de sa salle de bains, tout en se brossant les dents. Il s'apprêtait à se mettre au lit et avait la conviction qu'enfin, ce soir-là, son sommeil serait plus paisible. La journée avait été bonne. Richard et lui formaient une équipe efficace, et si les choses avançaient lentement, elles évoluaient du moins de façon encourageante.

Enfin, il avait élucidé cette histoire de tatouage. Sa rencontre avec le dessinateur avait confirmé l'hypothèse selon laquelle Lina Warren avait un nouvel homme dans sa vie peu de temps avant sa mort et que ce dernier avait beaucoup d'emprise sur la jeune fille. Le policier avait l'intime conviction qu'il s'agissait du meurtrier. D'abord, parce que son flair était efficace, mais également en raison du fait que cet homme mystérieux n'avait donné aucun signe de vie depuis la mort de Lina. David s'était attendu à ce qu'il se présente à l'enterrement de la petite Warren. Or, personne aux funérailles n'avait éveillé ses soupçons.

Couché dans son lit, David ferma les yeux et repensa à Jazz, le tatoueur qu'il avait rencontré plus tôt dans la journée. Mais il repensa également à la jeune fille à la réception… Malgré ses cheveux couleur cerise et plusieurs piercings au visage, son sourire ressemblait beaucoup à celui d'Elena Perrot. Il avait eu un choc en entrant dans le studio, situé rue Ontario, à Montréal.

Elle était appuyée sur une table et regardait une revue. La jeune fille aux cheveux rouges mastiquait bruyamment une gomme à mâcher, saveur de fraise. David avait pu la sentir dès qu'il avait franchi la porte du studio. Richard venait de lui donner l'adresse au téléphone et il s'était précipité sur les lieux.

— Bonjour, je suis le sergent-détective Allard du SPVM. Selon nos sources, une jeune femme serait venue ici le 27 mai dernier. Voici ce à quoi ressemblait son tatouage, dit-il en lui tendant une reproduction du dessin retrouvé sur la main droite de Lina.

— Ouais… c'est possible, répondit la jeune fille.

— J'aimerais m'entretenir avec la personne qui a fait ce travail, s'il vous plaît. Voici une photographie de la cliente en question.

— C'est la fille qui est morte, c'est ça ?

— Oui, Lina Warren.

— Ouais… on a vu à la télé.

— Nous avons fait un appel au public pour identifier la victime, cela fait presque deux semaines. Ce tatouage était un élément clé, pourquoi ne pas nous avoir contactés ?

— Wo là. Personne n'a reconnu quoi que ce soit. Pis Jazz n'était pas là…

— J'aimerais m'entretenir avec lui, insista David.

— OK. Mais il est avec un client. C'est une retouche, ce s'ra pas long.

Lorsque le Jazz en question était sorti de la cabine, suivi de son client, l'enquêteur avait été surpris par le personnage. Le jeune homme était petit, chétif et très efféminé. Il portait du noir de la tête aux pieds et ses oreilles étaient ornées d'immenses tunnels, également noirs. Le policier ne comprenait aucunement l'attrait que les jeunes avaient pour ce nouveau type de piercing à la mode. Ses cheveux étaient coupés très court et il portait des lunettes noires rectangulaires ultra stylisées. Lorsqu'il lui tendit la main, elle était flasque et sans conviction, ce que David détestait.

— Alors, vous vouliez me voir ?

— Oui. Reconnaissez-vous cette personne et ce tatouage ? demanda le sergent-détective, en lui tendant la photographie de Lina et une reproduction du dessin sur sa main.

— Yep, je me souviens de cette fille. Mais le symbole n'était pas comme ça.

— Ah non ?

— Il en manque un bout, précisa le tatoueur.

— Oh… c'est possible. La main était coupée… précisa le policier, mal à l'aise.

— Ouais, Blacky m'a parlé de ce meurtre dégueulasse, répondit Jazz tout en fouillant dans ses gros cartables.

— Vous avez eu connaissance de l'appel public ?

— Non, ça doit être parce que j'étais parti en Californie voir des chums là-bas. Tiens, voilà, j'ai trouvé, rétorqua-t-il, tout en montrant une image parmi les centaines que contenait le cartable dans lequel il fouillait.

— Effectivement, il en manquait un bout, constata David en voyant les courbes supplémentaires sur le dessin. C'est quoi, ce symbole ?

— C'est ultra populaire chez les fans de gothique et autres trucs médiévaux. Y'a plusieurs variantes, mais celui que cette fille a choisi est d'origine celtique. C'est un triskèle. Elle avait apporté un dessin qui était vraiment affreux, elle a de loin préféré le mien. C'est exactement celui que je lui ai fait.

— Ça veut dire quoi, au juste ?

— Aucune idée, mec. Je suis tatoueur, pas historien.

— Donc, Lina savait exactement ce qu'elle voulait ?

— C'est ça.

— Et elle est venue seule ?

— Mouais, il me semble.

— De quoi avez-vous discuté? C'est un peu comme chez le coiffeur, non? Vous devez jaser de tout et de rien avec vos clients? interrogea David.

— Écoutez, je ne me souviens pas de toutes les conversations que j'ai eues avec mes clients, sinon je virerais fou! Mais je me souviens d'elle. Elle n'arrêtait pas de dire «qu'il allait être content». C'était vraiment fatigant, elle n'arrêtait pas de m'emmerder avec son histoire de mec.

— Dites-m'en plus, essayez de vous souvenir des moindres détails, c'est vraiment important.

— Bon, OK. Ce que j'ai compris de son histoire, c'était qu'elle voulait impressionner son gars. Il s'était fait distant au cours des derniers jours et elle voulait tout faire pour ne pas le perdre. Elle disait qu'il aimait tout ce qui était celtique et que le triskèle était de loin son symbole préféré. En gros, c'est ça. Une chance que son *tattoo* était simple et sans couleur, parce que je ne l'aurais pas «toffée» une seconde de plus, cette jeune-là.

— Elle l'a nommé, ce mec adepte de celtique?

— *Fuck*, vous les avez, les questions! Je ne me souviens plus, moi! Déjà beau que je me souvienne d'elle!

Après son entretien, le sergent-détective était sorti du studio et n'avait pas manqué de faire un signe de tête à la jeune fille à la tignasse rouge. Il avait espéré un dernier sourire de sa part, mais elle l'avait regardé sans rien dire, de façon aussi inexpressive que s'il avait été un courant d'air.

Il était 22 h 15 et David ne dormait toujours pas. Ses pensées se livraient un véritable combat: du côté rouge se trouvait l'histoire de Lina Warren, tandis que du côté bleu, se trouvait la belle directrice du transbo. L'affrontement était sans pitié, si bien qu'il dut se lever pour prendre deux comprimés d'ibuprofène afin de se libérer de son mal de tête naissant.

Cela faisait près de deux semaines qu'il n'avait pas vu Elena Perrot, et cela le rendait malade. Il ne pouvait pas le nier, il avait cette fille dans la peau. Mais il était terrifié à l'idée de la revoir. Que pouvait-il bien lui dire ? Lors de leur dernier entretien, elle l'avait carrément chassé de la main, tel un infâme moustique. David savait ses chances minces, mais pour libérer sa conscience, il se devait de passer à l'action. Rapidement.

* * *

Mardi 21 juin 2011

Les yeux rivés sur l'écran de son ordinateur, Elena entreprit des recherches sur Internet afin de mettre la main sur une plume de hibou. Elle constata rapidement qu'il ne s'agissait pas d'une mince tâche. Il y avait des grands-ducs d'Amérique au zoo de Granby, mais il n'était pas question qu'elle se rende là-bas pour obtenir une simple plume. Elle pensa ensuite au Biodôme de Montréal, véritable zoo urbain à moins de quinze minutes du poste de transbordement. Toutefois, selon le site Web de l'établissement, aucun hibou n'y était hébergé.

— Voyons, comment est-ce possible ? dit-elle tout haut.

— Quoi, Elena ? lui répondit Louise, qui croyait l'avoir entendue lui parler.

— Je me demandais pourquoi le Biodôme n'a pas de hibou ! répéta-t-elle à haute voix à sa collègue.

— Tu veux y aller avec Clara ?

— Heu... oui, c'est ça. Elle adore les hiboux, improvisa sa supérieure.

— Eh bien, sache qu'ils organisent des spectacles d'oiseaux de proie tout l'été durant. C'est très divertissant, et il y avait un hibou quand j'y suis allée avec mes fils l'an passé. Ils ont adoré ça ! Ça commence en juillet, je crois.

— C'est vrai ? Merci de l'info, Louise !

Elena se leva et alla fermer la porte de son bureau. Il n'était pas question qu'elle attende jusqu'en juillet pour faire son essai. Les chances qu'elle revienne sur sa décision étaient trop importantes. Elle entreprit donc d'appeler au Biodôme et de s'informer des possibilités de se procurer une plume de hibou. En composant le numéro, elle se sentit légèrement ridicule.

La dame au bout du fil l'informa que les spectacles d'oiseaux de proie étaient offerts par l'entreprise Services environnementaux Faucon et qu'ils comprenaient trois types d'oiseaux : une buse à queue rousse, un faucon pèlerin et un grand-duc d'Amérique. Elle prit en note le numéro de téléphone que lui donna la dame, la remercia de son aide et communiqua aussitôt avec l'entreprise en question. Elle discuta avec un certain Paul, qui prit sa demande peu habituelle le plus sérieusement du monde.

— Je vais voir ce que je peux faire. Car vous savez qu'il est interdit de posséder ce type de plume si vous ne possédez pas de permis approprié ? Vous pourriez même avoir une amende pour braconnage ou commerce illégal si vous traversez la frontière avec votre plume !

— Une loi régit les plumes ? Je n'étais pas au courant... Vous savez, il s'agit d'un cadeau pour ma petite nièce de quatre ans, je ne compte pas voyager avec ça !

— En principe, je ne peux pas vous en remettre une, à moins que vous ne soyez amérindienne... Mais je pourrais peut-être vous faire une faveur personnelle.

— Mon ancêtre était iroquoise... Ça compte ?

— Bon, allons-y pour une faveur personnelle, ma chère dame. Je ne crois pas que la police se précipitera chez votre nièce pour ça, surtout qu'il s'agit d'un usage personnel ! Je suis même certain d'avoir plusieurs plumes de grand-duc en ma possession. Vous passeriez la chercher ?

— Oh, merci ! Je viendrai la chercher au lieu et au moment de votre choix, monsieur. C'est si gentil à vous ! Ma nièce sera comblée ! mentit-elle de nouveau.

Satisfaite, Elena nota l'adresse des bureaux de l'entreprise. Elle constata aussitôt que son siège social se trouvait à l'autre bout de l'île, à Sainte-Anne-de-Bellevue. Par chance, le Paul en question habitait le quartier Ahuntsic, ce qui lui convenait davantage. Ils se donnèrent donc rendez-vous dans un café de ce secteur, le jour même à 17 h, à son grand bonheur. Lorsqu'elle se leva pour ouvrir la porte de son bureau, elle affichait un large sourire. Cependant, celui-ci s'évapora quand elle aperçut l'homme au bureau de Louise.

— Mais que fout-il ici, celui-là ? se demanda la jeune femme.

David était extrêmement nerveux. Lors de son passage au centre de conditionnement physique le matin même, il avait pris une grande décision : faire un fou de lui en allant voir Elena, pour une ultime fois. Il était allergique aux regrets et il n'était pas question qu'il rate sa chance.

Il avait mis sa chemise à carreaux bleus, celle qui faisait ressortir ses beaux yeux, du moins selon les dires de sa mère. Il portait un pantalon décontracté et avait évité tout artifice inutile tels une cravate ou un veston, ou, pire, de mettre son badge du SPVM en évidence.

Lorsqu'il la vit près de la porte de son bureau, le policier manqua d'air quelques instants et dut se ressaisir. Qu'elle était magnifique avec son chandail noir, son jeans moulant délavé et... ses grosses bottes de travail à cap d'acier !

— Bonjour, David, l'accueillit Elena.

— Eh bien, voilà toute une surprise ! Vous vous souvenez de moi !

— Bien entendu que je me souviens de vous. Mais ne me demandez pas votre nom de famille, je l'ai complètement oublié !

— Allard, répondit-il fièrement, véritablement comblé par l'accueil qu'elle lui faisait.

— Asseyez-vous, je vous prie. Que me vaut cette visite, sergent-détective ? dit-elle tout en prenant place à son bureau.

Il ferma la porte, ce qui troubla quelque peu Elena, et il resta debout, à proximité du fauteuil en cuir beige situé face à la directrice. Ils se regardèrent un moment, jusqu'à ce qu'il réalise que c'était à lui de prendre la parole.

— Je ne suis pas venu pour l'enquête sur la mort de Lina Warren.

— Ah bon ?

— Je suis venu pour vous parler. En toute franchise.

— Heu… d'accord. Je vous écoute, marmonna-t-elle, visiblement embarrassée par la tournure de la conversation.

Il voulait lui dire qu'il la trouvait ravissante, attirante et qu'il ne cessait de penser à elle. Qu'il espérait la fréquenter, ne serait-ce que pour un soir. Qu'il espérait l'embrasser, ne serait-ce qu'une seule fois. Mais, totalement intimidé par la femme assise en face de lui, les mots ne se présentèrent pas comme il l'aurait espéré.

— Je suis venu vous demander… de… En fait, je voulais vous dire que… je pense beaucoup à vous ces derniers temps. Je… honnêtement, je suis venu ici ce matin pour vous…

Il hésitait, il bafouillait, il terrifiait Elena, qui s'était levée entre-temps. Elle se retenait de ne pas partir à la course. De ne pas crier. De ne pas rire. Ce colosse devant elle tremblait de tous ses membres. Un instant, elle le prit en pitié.

— J'aimerais bien vous embrasser. Voilà.

— Quoi ? dit-elle, le sourire aux lèvres. Vous savez, vous pourriez m'inviter à sortir, d'abord ?

— Mais j'ai tenté de le faire, deux fois plutôt qu'une, et vous avez refusé. Brutalement même. Et je suis certain que vous refuseriez encore aujourd'hui.

Il n'avait pas tort, elle aurait certainement décliné son invitation. Il se produisit alors un phénomène tout à fait inattendu : elle se mit à rire. D'abord d'un petit rire timide, mais qui se transforma rapidement en un rire plus soutenu, à la limite de l'arrogance. David, visiblement blessé, se retourna et se dirigea vers la porte.

La jeune femme s'en voulait terriblement, elle savait son rire tout à fait déplacé, mais il était totalement incontrôlable. La situation était d'une telle absurdité qu'elle n'avait pas été en mesure de se retenir.

Lorsqu'il fut rendu à la porte, elle lui demanda d'attendre et lui prit le bras. Il se retourna lentement et la regarda dans les yeux. Elena le fixa un moment. Elle avait retrouvé un semblant de sérieux.

En le regardant, elle constata qu'elle n'avait jamais prêté attention à ses grands yeux bleus. Ni à sa bouche, qui était gigantesque, comme son nez d'ailleurs. Il avait le dos légèrement voûté, comme s'il voulait faire oublier son mètre quatre-vingt-treize. Ses cheveux brun clair étaient bien coupés, mais plutôt sans éclat. Cependant, son allure générale était plaisante à regarder. Son regard était tendre, sincère et honnête. Il émanait de lui une sensibilité que peu d'hommes pouvaient se vanter d'avoir. Il n'était ni beau, ni laid. Il avait un charme, un je-ne-sais-quoi qu'Elena n'avait pas remarqué auparavant.

N'ayant jamais été aussi près d'elle, David avait énormément de difficulté à se maîtriser. La belle brune lui tenait le bras gauche et le retenait pour qu'il ne sorte pas ; pourtant, elle ne disait rien. Il eut alors l'impression qu'elle le regardait véritablement pour la première fois.

Ce qui suivit fut tout à fait instinctif et presque animal. Il se pencha vers elle et l'embrassa sur les lèvres. Ce n'était pas un doux baiser, il était même un peu trop impulsif et vigoureux. Mais Elena ne recula pas. Elle répondit à son étreinte en tendant la bouche à son tour. Il la souleva légèrement et l'embrassa davantage, en s'assurant que ses lèvres soient en parfaite harmonie avec les siennes.

Un éclair traversa le corps de la jeune femme lorsqu'il la serra davantage contre lui. Elle en voulait encore
plus. Sa grande bouche était délicieuse, parfaite. Ce fut
un baiser plus long qu'espéré, plus passionné que prévu
et plus intense que nécessaire.

Après cette étreinte, ils restèrent un long moment
nez à nez, savourant l'étrange épisode qu'ils venaient de
vivre. Elle s'esclaffa à nouveau, mais cette fois-ci d'un
rire nerveux et jovial, partagé par David.

Elena était complètement sous le choc. D'abord,
en raison de l'audace du policier. Ensuite, par cette envie
irrésistible qui naissait en elle de vouloir l'embrasser à
nouveau.

— Alors, sergent-détective, êtes-vous libre ce soir ?
demanda-t-elle, le sourire aux lèvres.

— Cela fait des semaines que je suis libre pour
vous.

— Ça vous dit, du chinois ? Je connais un bon
endroit.

* * *

Elena n'en revenait tout simplement pas et s'avoua avoir
passé une magnifique soirée avec David. Le propriétaire
de chez Wing Fâ avait été aux petits oignons avec eux,
leur offrant des fruits frais après le repas et un digestif
carabiné. Ils avaient partagé plusieurs plats, dont le
populaire poulet général Tao et les épinards croustil-
lants. Elena lui avait également fait découvrir son plat
préféré : le canard aux cinq épices. Il avait adoré.

Ce qu'elle ne savait pas, c'est qu'elle aurait pu lui faire manger du chien frit à l'encre de seiche qu'il se serait tout autant délecté. Car David aimait tout d'elle et chaque seconde passée à ses côtés justifiait amplement le geste insensé qu'il avait osé le matin même dans son bureau.

Quant à Elena, elle venait décidément de passer l'une des journées les plus étonnantes de sa vie, mais elle était réjouie et surprise par la tournure des événements. Ce policier n'était pas moche du tout, finalement.

Sur le chemin du retour, après avoir confirmé un prochain rendez-vous avec l'intrépide enquêteur, elle fouilla dans son sac afin de trouver son portable. Elle tomba sur la plume qu'elle était allée chercher plus tôt et la glissa entre ses doigts un moment. Elle était douce et d'une taille impressionnante. Le véritable fouillis qui régnait dans son sac retarda considérablement l'appel qu'elle voulait faire. Ce ne fut qu'une fois chez elle qu'Elena composa le numéro de Charlotte.

— Salut, toi ! répondit son amie.
— Devine ce qui m'est arrivé aujourd'hui ?

* * *

Il était cambré contre elle et elle sentait son souffle contre son cou. Sa main était baladeuse sous les couvertures. Elle s'entendit rire lorsqu'il effleura la peau entre ses reins. Sa main descendit plus bas, tout en douceur, la faisant gémir. Il y avait une faible odeur de lavande dans la pièce sombre. De sa voix suave, il lui dit :

— Je t'aime, ma belle.

Elle se retourna et, en guise de réponse, l'embrassa langoureusement. Elle prit son visage entre ses mains et sentit sur sa peau sa courte barbe, qu'elle aimait tant. Elle ferma les yeux doucement.

À son réveil, Elena tremblait de tous ses membres, elle grelottait malgré les couvertures et son pyjama de coton. Elle était engourdie de la tête aux pieds. Même sans tambour ni sauge, elle avait réussi, involontairement il va sans dire, à entrer en transe. Et, encore une fois, elle était avec Jake. Que voulaient lui faire comprendre les esprits ? Devait-elle avoir des sentiments pour lui ?

Il était près de minuit et, malgré tout, la jeune femme encore endormie souriait dans son lit. Non pas parce qu'elle était heureuse d'avoir retrouvé son amant chimérique, mais plutôt parce qu'elle pensait à un autre homme. Sa propre raison avait perdu son sens, elle était devenue insaisissable. Mais Elena était maintenant persuadée d'une chose : elle aimait bien ce David.

Elle était réellement décidée à oublier ce fantasme que représentait Jake, peu importe les messages que les esprits tentaient de lui faire comprendre. Cet individu, qu'elle se devait d'appeler Mark, était avec Amélia, après tout. Quant à Elena, elle avait enfin quelqu'un d'intéressant dans sa mire. Un homme vrai, réel et concret. Et il faisait maintenant partie de sa destinée.

Avant de retourner dans les bras de Morphée, elle décida que le lendemain, mercredi, serait un bon jour pour effectuer un essai contrôlé de chamanisme. Elle avait fait attention de ne pas trop manger d'ail durant le repas et était certaine de ne pas avoir touché à un seul morceau d'oignon. Maintenant équipée de sa plume et de son tambour, il ne lui restait qu'à emprunter, pour un temps indéfini, un bouquet de sauge du jardin de la voisine Marcelle.

Mais elle chassa rapidement de son esprit les images de la grosse dame au jardin fourni et les remplaça par d'autres plus agréables, comme celles du grand David, lui souriant de sa façon si tendre.

* * *

Mercredi 22 juin 2011

Andrew était assis dans son salon et nettoyait méticuleusement sa précieuse dague. Après l'avoir poncée, il la polit, l'aiguisa, jusqu'à ce qu'elle retrouve un éclat étincelant. C'était pour lui une routine incontournable qu'il devait répéter toutes les semaines, de préférence les mercredis.

La lame à double tranchant de cette ancienne arme médiévale était légèrement ondulée et particulièrement tranchante. Mais ce qu'il préférait, c'était son manche d'origine en bois, orné d'une gravure du symbole sacré de triskèle ainsi que de torsades d'or. Il avait volé la dague en 2006 lors d'une exposition spéciale sur les armes celtiques au Musée canadien des civilisations. Cela avait d'ailleurs été un véritable jeu d'enfant pour lui. À cette époque, il était coordonnateur de l'exposition, et personne ne s'était douté un seul instant qu'il était le coupable de ce vol.

Il s'agissait d'une dague commune, plutôt banale, comme il y en avait des dizaines dans l'exposition. Mais celle-ci était solide, en bon état et, surtout, elle arborait le triskèle. Lorsque Andrew l'avait vue pour la première fois dans la vitrine, il l'avait trouvée magnifique et s'était promis de se la procurer.

Il travaillait depuis bientôt deux ans au musée quand il avait mis au point son stratagème. Le jeune McRay, alors âgé de vingt-six ans, était un homme rusé, et il n'avait eu aucune difficulté à s'emparer de l'objet avec la plus grande discrétion. C'est même lui qui avait signalé sa disparition. Étant coordonnateur de l'événement, il n'avait d'autre choix que de connaître parfaitement l'inventaire de la collection. Logiquement, il devait donc être le premier à se rendre compte de son absence dans la vitrine.

Le jeune homme était respecté de tous ses collègues. Il était parfaitement bilingue et possédait des connaissances approfondies sur l'époque celtique. Natif d'Ottawa, plus précisément du quartier Orléans, il avait vécu seul avec sa mère jusqu'à ce qu'il ait eu la chance de voler de ses propres ailes. Il détestait sa mère au plus haut point, n'avait jamais connu son père et était enfant unique.

Afin de s'éloigner le plus possible de son insupportable marâtre alcoolique, il avait décidé de s'inscrire à l'Université Saint-Francis-Xavier, en Nouvelle-Écosse. La faculté des Arts de cette université offrait un programme d'études celtiques. Seulement deux universités l'offraient au Canada.

Andrew s'était rapidement démarqué des autres étudiants; il était particulièrement doué. Il s'était découvert une véritable passion pour l'époque celtique, que ce soit pour son histoire, ses peuples, ses coutumes, ses guerres ou ses croyances. Il projetait alors de s'investir dans ce monde fascinant dans l'espoir de trouver un certain équilibre dans sa vie. Cependant, les choses avaient basculé au cours de la nuit du 17 octobre 2005.

Le jeune McRay était bien populaire auprès de la gent féminine. Avec ses cheveux châtain clair, sa peau de pêche et son sourire enjôleur, il accumulait les aventures d'un soir. Il était plutôt connu sur le campus, même s'il ne se mêlait jamais à la masse. Il gardait le contrôle en tout temps.

Jamais Andrew n'avait sombré dans les méandres de l'alcool. Il ne voulait en aucun cas ressembler, ne serait-ce qu'un seul instant, à son idiote de mère. Malgré sa notoriété, il n'avait pas de copine stable ; il choisissait cependant méticuleusement les filles qui partageaient ses nuits à l'occasion.

Le soir du 17 octobre, il était allé rejoindre des camarades de classe dans un bar, près de l'université. Il aimait l'expérience particulièrement sordide de les voir, comme il se plaisait à le dire, s'effriter peu à peu sous l'effet de l'alcool.

Un peu après minuit, une jeune fille, qui semblait seule, s'était approchée de lui et lui avait fait des avances très explicites. Il avait formellement refusé son offre. La dépravée semblait éméchée, sentait l'alcool et la cigarette, en plus d'être vêtue et coiffée de façon grotesque. Elle n'avait posé aucune question et n'avait pas paru vexée par son refus. Une heure plus tard, Andrew en avait assez vu et quittait ses amis visiblement bourrés.

Une fois dans le stationnement, il avait de nouveau été abordé par la jeune aguicheuse, qui revenait tenter sa chance. Encore une fois, il avait refusé catégoriquement. Mais elle avait outrageusement insisté. L'étudiant avait rapidement perdu patience; il détestait l'emprise qu'elle avait sur lui. Elle le touchait, mettait sa main sur son sexe, lui léchait l'oreille. Elle voulait l'exciter, elle le voulait pour la nuit.

— Laisse-toi donc faire. Tu es trop craquant. Je te veux pour moi ce soir. Profites-en. Viens avec moi, juste derrière dans le boisé. Je te fais la pipe de ta vie. Allez…

Elle chuchotait à son oreille. Andrew n'avait que du dédain pour ce genre de personne. Il était convaincu que cette catin était complètement dopée et saoule. Elle le dégoûtait, mais, surtout, elle empiétait sur son territoire vital. Comme l'avait tant fait sa mère par le passé.

Il avait voulu s'approcher de sa voiture, sans y parvenir. Il commençait sérieusement à s'impatienter; il détestait perdre le contrôle de la sorte. Jamais il ne s'était senti ainsi depuis son arrivée dans les Maritimes. Il sentait la colère monter en lui, tel un brasier incontrôlable.

Il avait finalement décidé de la suivre dans le boisé, à l'abri des regards. Mais ses intentions n'étaient aucunement sexuelles. Après quelques pas, elle s'était approchée de lui et lui avait férocement détaché la ceinture. Il l'avait violemment prise par les bras et l'avait fixée du regard.

— Je ne veux rien savoir de toi, salope, tu m'as compris?

— Ben voyons, tous les hommes me passent dessus. Quand je le veux, où je le veux, avait insisté la *junkie*.

— Tu n'as aucun contrôle sur moi. Personne n'en a d'ailleurs. Et personne n'en aura jamais plus, lui avait répondu Andrew, en lui crachant presque au visage.

— Ferme-la et laisse-toi faire, ducon.

C'est alors qu'il avait lâché ses bras pour mieux lui empoigner le cou. Il l'avait serré si fort qu'elle ne pouvait plus émettre un seul son. En quelques secondes, elle était morte étouffée, les yeux encore surpris de la tournure inattendue des événements. Andrew avait brusquement lâché sa victime et l'avait regardée avec dégoût, quoique surpris de son geste qu'il n'avait pu retenir. Une partie de lui était terrifiée à l'image de cette femme morte à ses pieds. Mais le remords n'était pas si oppressant.

— Elle l'a cherché, la salope, elle l'a cherché, essayait-il de se convaincre.

Pour la première fois de sa vie, Andrew venait de faire la connaissance de son démon intérieur. Jamais il n'avait perdu le contrôle de façon aussi violente. Il se fâchait souvent contre sa mère, mais jamais il ne lui avait fait du mal. Ce soir-là, il venait de constater avec étonnement qu'il avait aimé observer sa victime réalisant soudain sa mort prochaine. Surtout, il avait adoré sentir son corps s'alourdir lorsqu'elle avait cessé de gémir. Durant ces quelques secondes, une force nouvelle avait dicté ses actes. Après quelques instants, il était revenu peu à peu à lui : il fallait se débarrasser du corps.

Il avait trouvé un endroit légèrement en dénivellation et s'était mis à creuser. Il avait creusé avec ses doigts jusqu'à s'arracher les ongles. Puis il avait terminé le travail à l'aide d'une branche trouvée non loin de là. La fosse n'était pas très profonde, suffisamment cependant pour y enterrer le corps frêle de la jeune femme.

À trois heures du matin il avait enfin réussi à camoufler l'emplacement de la fosse à l'aide de feuilles mortes et de branchages. Mais Andrew était désormais couvert de terre de la tête aux pieds.

En retournant vers le terrain de stationnement, il avait réalisé qu'il venait d'enterrer une fille dont il ne connaissait même pas l'identité. Était-elle du coin ? Sa disparition serait-elle signalée ? Arrivé non loin du bar, il regarda les environs. Tout était désert. Le bar devait être fermé. Ses amis étaient certainement trop bourrés pour s'être aperçus que sa voiture était encore stationnée là.

Une fois certain d'être seul, il avait sauté dans sa voiture et était parti chez lui. Avant d'entrer dans son immeuble, il avait ôté sa chemise, ses souliers ainsi que ses bas, et avait jeté le tout aux ordures. Il n'avait couru aucun risque. Il était ensuite entré doucement dans son appartement afin de ne pas réveiller son colocataire et avait pris une longue douche.

Finalement, plus jamais il n'avait entendu parler de la jeune *junkie* enterrée dans le boisé. Personne n'avait signalé sa disparition ni retrouvé son corps. Tout s'était déroulé exactement comme si rien ne s'était passé ce soir-là. Toutefois, plus rien n'avait vraiment été comme avant. Andrew avait découvert une partie de lui-même avec laquelle il ne voulait plus jamais se mesurer. Cette constatation l'avait hanté durant des mois.

Il rangea sa dague dans son étui et ferma les yeux. Quelquefois, il avait encore l'impression de sentir l'odeur répugnante de cette jeune droguée. Il remercia le ciel que personne n'ait jamais découvert son corps. Le jeune homme avait réussi à poursuivre sa vie et à tracer son chemin. Cependant, jamais il n'aurait cru à l'époque

163

que son monstre intérieur aurait développé cette fâcheuse habitude de refaire surface de temps à autre.

* * *

Elena avait beaucoup de questions à poser à Sam, mais elle prit la décision de ne pas l'appeler avant d'en avoir le cœur net une bonne fois pour toutes avec cette histoire de chamanisme. Pour une des rares fois de sa vie, elle ne donna pas le meilleur d'elle-même au travail. Elle était distraite, confuse et, surtout, elle manquait d'intérêt pour ce qu'elle faisait. Par chance, cette journée ne fut pas catastrophique ni submergée d'imprévus.

L'après-midi tirait à sa fin, et Elena sentit une certaine fébrilité l'envahir. Elle était à la fois excitée et anxieuse. De plus, il lui fallait choisir un sujet, une personne autre que le Mark d'Amélia. Elle se souvint d'avoir lu qu'Aimée Perrot faisait trimestriellement une série de transes spécialement pour sa propre famille. Elle l'avait noté à maintes reprises dans son recueil. Afin d'avoir la conscience tranquille, la chamane consultait les esprits pour connaître la destinée prochaine de certains membres de la famille Perrot, à leur insu bien entendu. Elena se dit qu'elle pourrait facilement faire de même pour un membre de sa famille ou même pour Charlotte, son amie.

Cependant, une lueur d'inquiétude jaillit soudainement dans son esprit. « Et si ça ne fonctionnait pas comme prévu ? Et si je faisais une erreur ? » Elena ne se faisait pas confiance. Elle devait choisir une autre personne… Louise, son adjointe ? Peut-être bien le grand Marcel, son homme de confiance au transbo ?

Arrivée chez elle, ce soir-là, la jeune femme eut une révélation. Marc-Antoine était assis par terre en train de jouer avec ses figurines. « Ce petit morveux sera le sujet idéal pour ma première transe officielle en tant qu'apprentie chamane », se dit-elle. Elena le regarda longuement. Il était silencieux et l'ignorait à la perfection. Avant de se diriger vers l'escalier qui menait à son condo, au deuxième étage, elle s'arrêta près de lui, mais cela ne changea rien à son mutisme. Elle décida de ne pas le saluer, comme à l'habitude. Il ne le méritait pas.

Une fois la porte franchie, l'apprentie se sentit très déterminée. Elle attendait ce moment depuis le début de la semaine et était plutôt fière de n'être pas revenue sur sa décision. Décidée, elle se changea et opta pour un pantalon de coton ample et un t-shirt. Ses cheveux attachés en chignon, elle sortit ses instruments : le tambour, la plume et la sauge. Pour ce premier essai, elle décida d'oublier les chants et autres incantations dans le langage rituel, tel que le nommait Aimée. De toute façon, ce charabia n'avait aucune signification pour la débutante.

Des interrogations de toutes sortes surgissaient constamment dans sa tête. Devait-elle manger avant ? Débrancher le téléphone ? Fermer les rideaux ? Une chose était certaine, Elena était convaincue qu'elle devait se départir de tout ce stress qui l'accablait. Elle décida donc de manger une banane, question de rassasier sa faim naissante, de fermer les stores, question de calmer l'atmosphère, et alla finalement s'installer dans sa chambre. Elle but à petites gorgées sa tisane à la sauge encore fumante, qui n'était pas particulièrement succulente, et ferma les yeux afin de se détendre. Sa position face à la situation avait grandement changé au cours des derniers jours. L'incompréhension et le déni avaient fait place à la curiosité et à un empressement qu'elle n'aurait pu imaginer au moment où le vieux journal lui avait été transmis par sa grand-tante. Elle avait prévu faire l'essai de la transe plus tard en soirée, avant d'aller au lit, mais son impatience prit le dessus.

Une fois sa tisane terminée, elle ne sut pas trop comment procéder. Elena défit son chignon et se coucha sur la couette de son lit. L'apprentie avait bien compris que le rêve était le meilleur portail pour les débutants. Aussi bien être confortablement installée. La jeune femme fixa le plafond et réalisa qu'elle était très calme, sereine. Elle se retourna et nota l'heure : son réveille-matin affichait 16 h 56.

Tout en se concentrant sur sa respiration, elle se mit à frapper doucement sur son tambour. Le son la surprit quelque peu, mais sa concentration vint tout de même rapidement. Le bruit qui émanait du contact du petit maillet de bois sur la peau de bison était léger et grave. Elena frappa doucement, car Aimée Perrot avait mentionné que la force du contact n'était aucunement un facteur déterminant dans l'atteinte de la transe.

Comme le lui avait « enseigné » son mentor, la débutante tenait le tambour contre elle, près de son cœur et sentait les vibrations de chacun des coups traverser son corps. Jamais elle n'aurait cru que ce petit stratagème aurait eu un effet aussi apaisant. Toujours calme et concentrée, elle commença à penser à Marc-Antoine. Elle fit le vide complètement et ne garda en tête que l'image de son jeune voisin. Ses yeux étaient fermés, elle tenait dans une main le maillet de bois qui frappait de façon monotone sur le tambour et, dans son autre main, sa plume de grand duc.

Lorsque Elena ouvrit les yeux, le tambour était muet, sa position n'avait pas changé, mais son corps tremblait de la tête aux pieds et refusait tout mouvement. La nouvelle chamane notait dans son esprit tout ce qu'elle avait découvert sur Marc-Antoine. J'aurais dû mettre un bloc-notes sur ma table de nuit, se dit-elle tout en espérant que sa requête, effectuée lors de son voyage, fût entendue. En se levant, non pas sans effort, elle s'arrêta net, encore sous le choc de ce qu'elle voyait. Il était 16 h 58.

— Mais, comment est-ce possible ?

Elena avait vu tant de choses ! Elle avait même pris le temps d'intervenir en faisant une demande bien spéciale aux esprits. La jeune femme ne pouvait concevoir que tout s'était produit en si peu de temps. Assise sur le bord de son lit, elle ressentit une grande fatigue l'envahir, mais se leva et laissa de nouveau pénétrer la lumière du jour dans son appartement. En remontant les stores de sa cuisine, elle aperçut Marc-Antoine, toujours dans la cour en train de jouer. Plus jamais elle ne jugerait ce petit garçon comme auparavant. Elle enfila un short, sauta dans ses sandales et alla le voir.

— Salut, Marc-Antoine.

— Hum.

— Je suis Elena, ta voisine. Je ne crois pas que tu connaisses mon prénom.

— Oui, je le connais.

— Ah oui ?

— Ma… mère me l'a dit.

— D'accord. Et comment va-t-elle ? Cela fait un bail que je n'ai pas eu de ses nouvelles. Elle réagit bien au traitement ? lui demanda Elena, prétextant qu'elle savait depuis toujours que sa mère était gravement malade.

— Elle ne vient plus à la maison.

— Pourquoi ?

— Mon beau-père dit qu'elle est dans une section de l'hôpital pour les gens qui vont mourir.

La jeune femme le savait déjà ; en fait, elle venait tout juste de l'apprendre. La mère de Marc-Antoine, Michelle, était en phase terminale à la suite d'un cancer dévastateur au sein droit qui s'était vite propagé au foie et au cerveau. Elle allait mourir le 11 juillet prochain. Et Marc-Antoine ne serait pas là. En fait, Elena savait maintenant que son beau-père, ce crétin de Dany, l'empêchait de se rendre à l'hôpital pour que le petit voie sa mère. Sous prétexte que Michelle ne voulait pas que son fils la voie dans cet état. Mais c'était faux. La malade recevait de fortes doses de morphine, et elle n'était plus tout à fait là. Dany ne comprenait rien aux besoins de Marc-Antoine, et encore moins à ceux de Michelle. Elle voulait voir son fils, plus que tout, mais ne pouvait le faire comprendre à personne.

— Que dirais-tu si nous allions prendre une crème glacée ensemble ?

— Quand ?

— Là, maintenant. Et ne me dis pas que tu vas manger bientôt. Je t'invite tout de suite, alors profites-en !

— OK, faut avertir Dany.

— Je m'en occupe.

Elena allait sonner à la porte lorsque le beau-père en question ouvrit.

— Bonjour ! Je suis votre voisine, Elena Perrot.

— Oui, je vous reconnais.

— J'amène mon ami Marc-Antoine pour une promenade. Nous reviendrons en soirée, d'accord ?

— Heu… hésita l'homme devant elle.

— Êtes-vous en train de me dire que vous vous inquiétez pour Marc-Antoine ? Que vous avez des soucis pour lui ? Vraiment ? se moqua-t-elle. Voici ce qui va se passer : je vais amener Marc-Antoine avec moi manger une glace et nous ferons une belle promenade ensuite. Pendant ce temps, vous poursuivrez vos activités habituelles. À ce que je sache, la télévision est toujours au même endroit. Voici mon numéro de cellulaire, si vous êtes vraiment inquiet, mais j'ai des réserves là-dessus. Marc-Antoine sera de retour au plus tard à 19 h 30. Bonne soirée.

Dany ne dit rien et la laissa partir. Il était complètement sidéré devant l'affront qu'il venait de subir. Il n'avait même pas eu le temps de penser pouvoir réagir. Il resta un long moment sur le seuil, puis il décida de rentrer chez lui et de faire exactement ce que venait de lui dire sa voisine.

Ils marchaient côte à côte, sans dire un mot. Marc-Antoine fixait le sol et frappait du pied tout ce que le trottoir lui offrait. Elena avait tant de choses à lui dire ! Mais elle devait contrôler ses ardeurs ; elle ne voulait pas l'effrayer. Après deux ans de voisinage, c'était bien la première fois qu'ils passaient plus de deux minutes ensemble. À leur arrivée à la crèmerie, elle reprit les choses en main.

— Alors, que vas-tu prendre ? Tu peux prendre ce que tu veux, je t'invite !

— Heu… un cornet à la vanille.

— Trempé dans le chocolat et des bonbons ? Et pourquoi pas un blizzard aux Smarties !

— Non, juste un cornet.

— Bon, d'accord.

Avec leurs commandes, ils allèrent s'asseoir à la petite terrasse adjacente au bar laitier. Grâce au feuillage dense des plantes grimpantes sur les murs de brique et à l'aménagement paysager tout en fleurs, on en oubliait presque les tumultes de la ville. Elle prit quelques bouchées de son yogourt glacé avant de reprendre la parole.

— Tu viens souvent ici ?

— Oui, je venais avec ma mère.

— Ça te manque ?

— Oui.

— Ta mère te manque ?

— Oui.

Après une petite pause et quelques bouchées de son cornet, Marc-Antoine reprit la parole, au grand soulagement d'Elena.

— Je prenais toujours un *sundae* au chocolat avec des arachides et plein de cerises quand je venais ici avec maman.

— Pourquoi n'as-tu pas pris ça aujourd'hui ? Ça semble délicieux !

— Parce que je vais le reprendre seulement lorsque maman sera là.

— Mais tu m'as dit qu'elle était très malade à l'hôpital ?

— Dany dit qu'elle va mourir bientôt.

— Oui, Marc-Antoine, c'est le cas.

— …

— Tu aimerais aller la voir là-bas ?

— Non.

— Je sais ce que tu veux. Tu veux la revoir ici, avec toi.

— Oui. Je sais qu'elle va mourir. Mais c'est arrivé trop vite. Je veux juste…

— Lui dire au revoir convenablement, devina Elena.

— Oui. Vivre avec elle… les « dernières fois ».

— Tu veux venir manger, pour la dernière fois, un *sundae* ici avec ta mère ?

— Et d'autres choses aussi.

— Tu as fait une liste ?

— Oui, répondit Marc-Antoine, en sortant de sa poche un petit bout de papier plié en quatre, complètement usé. Je veux aller au cinéma une dernière fois avec elle, reprit-il. Et puis je veux faire une promenade dans le parc en face de la maison, comme on en faisait souvent. Je veux aussi qu'elle vienne me border une dernière fois et qu'elle me raconte mon histoire favorite quand j'étais plus petit. Je veux qu'elle me fasse son gâteau au chocolat, elle me laissait toujours casser les œufs…

Marc-Antoine versa une larme, non sans gêne. Mais il était tout de même à l'aise avec Elena. Elle le regardait avec compassion. Elle l'écoutait attentivement. Cela faisait longtemps que personne ne l'avait vraiment écouté. Il n'en voulait pas à Dany d'être si stupide, ce n'était pas de sa faute. Mais il en voulait à tous ces médecins de l'avoir privé de sa mère si précipitamment. Il savait que la maladie avait trop progressé et que les jours de sa mère étaient comptés. Mais ce n'était pas juste. Pas pour un garçon de neuf ans qui se retrouvait seul au monde du jour au lendemain.

— Ce sont de belles activités… et tu mérites de vivre toutes ces « dernières fois » avec ta maman, l'encouragea Elena. Tu sais ce que j'ai lu dernièrement sur les gens gravement atteints par le cancer ?

— Non.

— Eh bien, il arrive, vers la fin, que ces personnes aient soudainement un regain d'énergie inexpliqué. La mort les rattrape généralement assez rapidement… Mais ce souffle de vie peut durer entre une et deux semaines. Comme si la vie leur donnait un moment de répit dans la maladie pour leur permettre, justement, d'être avec leurs proches et de vivre… leurs « dernières fois ». C'est assez mystérieux comme phénomène, mais ça arrive quelquefois.

Marc-Antoine la regarda avec intérêt. Était-elle en train de dire qu'il y avait des chances que sa mère puisse revenir à la maison ? Lors de sa transe, Elena avait fait la demande que Michelle Beaulieu puisse exaucer les souhaits de son fils. Lors de son périple dans le monde des esprits, l'apprentie chamane avait vu la progression du cancer et le dépérissement parallèle de Marc-Antoine. Elle avait pris connaissance de la petite liste du gamin et avait jugé qu'ils méritaient ces beaux moments.

172

Lors de sa transe, Elena avait compris qu'elle ne pouvait rien faire pour la mère ; la fatalité ferait son œuvre, peu importe ce qu'entreprendrait l'apprentie chamane pour l'en empêcher. De toute façon, elle n'était pas en mesure d'effectuer ce type de guérison et n'était pas certaine non plus qu'Aimée Perrot aurait pu faire quoi que ce soit. Le mal avait trop progressé.

Toutefois, sans changer le moment fatidique où Michelle rendrait l'âme, dans dix-huit jours exactement, Elena espérait que les grands esprits offriraient un second souffle de vie à la jeune mère afin qu'elle puisse retrouver son fils. Le temps d'un *sundae* et d'une promenade au parc La Fontaine.

— Marc-Antoine, reprit-elle, je suis certaine que ta maman connaîtra ce regain. M'entends-tu ? insista sa voisine en lui prenant la main. Bientôt, tu reviendras ici et tu prendras le plus gros et le plus délicieux des *sundaes* avec ta mère. Tu dois profiter de chaque moment. Car tu connais la suite, n'est-ce pas ?

— Elle va mourir bientôt…

— D'ici la fin de juillet. Sois fort. Tout ira bien pour toi. Tu seras très heureux chez tes grands-parents.

— Et Dany ?

— Mais on s'en fout de Dany !

Elena fut soulagée d'entrevoir un petit sourire aux lèvres de son nouvel ami. Après avoir terminé leurs délices glacées, ils allèrent se promener dans le parc, comme l'aimait tant Marc-Antoine. Ils ne dirent rien. Mais l'atmosphère était plus légère, et la jeune femme percevait une lueur d'espoir et de soulagement dans le regard du garçon. Des chiens couraient sans laisse malgré les indications contraires affichées partout dans le parc. L'air était chaud, mais l'humidité ne le rendait pas étouffant. Ce fut une belle promenade.

Vers 19 h, Marc-Antoine rentra chez lui retrouver son insignifiant beau-père. En franchissant la porte, le gamin se retourna et fit un sourire à sa nouvelle amie. Elena sentit alors une vague d'émotions la transporter. Le petit n'avait pas posé de questions et avait accepté ses dires sans broncher. De par l'assurance qui émanait d'elle, elle avait souvent cet impact sur les gens.

En rentrant chez elle, Elena sut que la chamane en elle venait de s'éveiller. Elle comprenait soudainement son ancêtre d'avoir donné sa vie aux autres à travers le chamanisme. Néanmoins, elle n'était pas du tout certaine de vouloir en faire autant.

Jeffrey l'accueillit lorsqu'elle franchit la porte. La soirée était jeune, et Elena ne tenait plus en place. Pour la première fois depuis le 11 juin dernier, soit depuis presque deux semaines, elle décida qu'il était temps de revoir Sam. Elles avaient beaucoup à se dire.

* * *

— Qu'a fait Aimée pour grand-père Léon ? demanda Elena à la vieille dame.

Sam était assise dans son fauteuil préféré et tricotait de belles pantoufles pour qui en voudrait. Elle était très habile de ses mains et avait un besoin insatiable de créer. Lorsqu'elle avait vu sa petite-nièce se pointer chez elle sans prévenir, elle en avait été extrêmement heureuse. La jeune femme lui avoua avoir fait un essai, ce qui surprit Henriette. Leur dernière conversation téléphonique lui avait laissé un goût amer, et elle avait dû se retenir maintes fois pour ne pas lui téléphoner au cours des jours suivants.

Assise sur le canapé beige à fleurs, Elena était décontractée et semblait rayonnante. Elle avait amené le recueil de son ancêtre avec elle, et Sam s'était esclaffée en voyant la quantité de pense-bêtes qui dépassaient des vieilles pages. Henriette lui promit de répondre du mieux qu'elle pouvait à toutes ses questions.

— Léon devait avoir environ trente ans, il était le jeune papa de quatre enfants. Il travaillait très fort et accumulait les contrats de livraison. Il n'avait pas encore fait l'acquisition de son premier camion de collecte de déchets, donc l'empire Perrot n'était même pas encore à l'état de projet. À l'époque, je devais avoir vingt-quatre ans et je travaillais pour Aimée régulièrement. Tu as lu qu'elle passait en revue quelquefois les membres de sa famille, n'est-ce pas ?

— Oui.

— Eh bien, lors d'une transe, elle avait vu Léon se faire renverser par un camion de marchandise. Il était mort sur le coup. Affolée, elle avait pris contact avec lui pour lui faire part de ses craintes, mais, surtout, pour l'avertir de ne pas traverser le boulevard Saint-Laurent, vers 13 h le vendredi suivant. Il avait suivi son conseil et avait même vu le camion de marchandise passer sur le boulevard. Aimée Perrot venait de changer bien des choses en sauvant la vie de son neveu.

— Elle avait réussi à lui dire tout ça ? L'heure, le jour, le boulevard ? Mais… comment a-t-elle fait ?

— Sa vision avait été courte, elle avait dû refaire l'exercice plusieurs fois pour pouvoir intervenir.

— Refaire sa transe ?

— Oui. Cela demande beaucoup de concentration et d'aptitudes. Une fois en transe, elle devait se concentrer sur les détails environnants, afin de trouver le moindre indice pouvant l'aider à situer l'événement. Elle menait en quelque sorte une enquête à même la vision que les esprits lui avaient transmise. Ce n'est pas facile… elle a dû voir ton grand-père mourir à plusieurs reprises !

— C'est très impressionnant. Alors, elle a sauvé grand-père d'une mort certaine… Elle a déjoué sa destinée, et celle de toute ma famille du même coup.

— Oui. Aimée me répétait souvent que la destinée est malléable et qu'elle se redessine constamment, selon le cours des événements. La plupart des actions que nous faisons au quotidien ne modifient pas significativement notre avenir, mais certaines circonstances majeures le peuvent, comme ne pas se faire emboutir par un camion, précisa Henriette entre deux coups de crochet.

— Elle était très habile, n'est-ce pas ?

— Je crois, oui. Elle n'était comparable à personne d'autre.

— Dis-moi, Sam, m'a-t-elle vu venir ?

— Que veux-tu dire ?

— Dans son journal, elle donne des conseils à « son successeur ». Elle parle de transfert intergénérationnel. Disons que je me suis sentie concernée en lisant certains passages !

— Eh bien, je crois que la raison pour laquelle elle a tant insisté pour que je garde son journal vient du fait qu'elle savait qu'un descendant Perrot serait un chaman. Tu as bien parcouru l'arbre généalogique de tes ancêtres ? Aimée en avait ciblé plusieurs, elle s'attendait donc à ce qu'il y en ait d'autres.

— Tu sais ce que je crois ? Je crois plutôt qu'elle m'a vue, lors d'une transe. Elle savait que j'étais une Perrot, mais n'a pas pu identifier ma provenance. Car elle parle à son successeur au féminin. Je suis certaine qu'elle a également vu que nous deviendrions proches, toi et moi. C'est pour cela qu'elle t'a donné comme mission de me trouver. Et lorsque tu y arriverais, c'est que je serais enfin prête à recevoir ses enseignements.

— Tu parles sagement, ma belle Elena. Peut-être as-tu raison, mais tu dois savoir que, si c'était le cas, elle ne m'en a rien dit, répondit Henriette en la regardant quelques instants. Alors, dis-moi, que vas-tu faire maintenant ? reprit-elle.

— La fameuse question…

— Il ne fait plus aucun doute que tu es chamane, j'espère que c'est également clair pour toi… Cette histoire avec le petit Marc-Antoine est très révélatrice.

— Oui, c'est certain. Je suis effectivement convaincue que je possède cette faculté. Cependant, j'ai besoin de pratique. Et je t'avoue ne pas savoir quoi faire de… cette aptitude. Une chose est certaine : une part de moi est convaincue que, malgré la fatalité ou notre destinée, nous avons toujours le choix.

Elena lui expliqua ensuite cette histoire saugrenue entre son beau Jake et Amélia. La jeune femme se surprit à être déjà moins émotive qu'auparavant en évoquant son nom.

— J'ai choisi de ne pas détruire le couple formé d'Amélia et de Mark, reprit-elle. Ils sont amoureux et magnifiques. Si leur histoire ne doit durer que quelques mois, eh bien, ce n'est certainement pas moi qui viendrai y mettre un terme. Que ce Mark soit l'homme de ma vie ou non, peu importe ce qu'en disent les esprits.

— Tu es forte, ma belle enfant. Tu l'as toujours été. Ton instinct est toujours ton meilleur conseiller. Et en tant que chamane, tu dois t'y fier plus que tout. Aimée aurait été fière de toi.

Elena regarda sa grand-tante un instant et savoura le moment présent. Le soleil se couchait lentement à l'horizon et la fatigue commençait à se faire sentir de nouveau. Mais elle était heureuse d'avoir pris la décision de venir voir Henriette. Cela leur avait été bénéfique, à toutes les deux.

— J'y pense, j'ai quelque chose à te montrer, Sam.

Elena se leva et retourna vers l'entrée chercher son grand sac. Lorsqu'elle sortit le tambour et le tendit à sa grand-tante, elle ne s'attendait pas à une si vive réaction.

— Grand Dieu ! Comment as-tu fait pour te le procurer ? s'écria Henriette en prenant délicatement le précieux instrument.

De ses mains fragiles et délicates, elle le manipula avec soin, tout en le humant. Ses yeux s'emplirent de larmes, submergée qu'elle était par de vieux souvenirs oubliés.

— C'est grand-père Léon qui me l'a donné lorsque j'étais toute petite. Je m'en suis souvenue cette semaine. Il était entreposé dans le fond d'une vieille boîte. J'ai toujours trouvé ce tambour particulièrement insignifiant... mais bien des choses ont changé depuis.

— À la mort d'Aimée, je l'ai cherché partout. Partout ! Elena, c'est un choc pour moi de le tenir à nouveau entre mes mains. Aimée a joué un rôle si important dans ma vie ! C'est comme si je retournais en arrière, à ses côtés.

— Je crois que grand-père Léon était suffisamment espiègle pour l'avoir volé !

— Ça ne me surprend pas de lui, ce chenapan ! Le fait qu'il te l'ait donné, en plus, est très révélateur.

— On m'a toujours dit que j'étais une vraie Perrot. Faut croire que grand-père le pensait aussi.

Sur le chemin du retour, Elena constata à quel point sa vie ne pouvait être plus comblée. Sa visite chez Henriette lui avait fait le plus grand bien, car elle ne se sentait plus seule dans cette aventure ésotérique. Sa grand-tante lui avait été d'un précieux soutien.

La jeune chamane était arrivée chez Sam avec tant de questions et d'incertitudes concernant ses nouvelles facultés ! Mais une question restait toujours en suspens au moment de son départ. Avec le recul, Elena se demandait pourquoi elle n'avait pas *rêvé* de la mort de sa grand-mère Angèle. Mais, au tout dernier instant, elle avait cru avoir trouvé une réponse satisfaisante en discutant avec Henriette dans l'embrasure de la porte.

— En fait, je crois que sa mort était inévitable, avait proposé Henriette.

— C'est vrai qu'elle était malade depuis un moment et que toute la famille voyait sa mort comme une libération.

— Oui, Angèle souffrait beaucoup.

— Récapitulons. J'ai rêvé de la mort atroce et subite de grand-père, en plus du suicide inattendu de mon ami Marco. Deux événements marquants et soudains. Je dirais même intenses et déterminants dans ma vie. Peut-être est-ce pour cela que j'ai perçu instinctivement les puissants messages des esprits lors de mon sommeil. La mort de grand-maman ne répondait pas à ces critères.

— C'est possible, Elena. Et pour ces visions avec Jake ?

— Mark, il s'appelle Mark.

— Oui, pardon.

— Eh bien, je crois que l'arrivée de Mark devait être un événement marquant dans ma vie. Mais j'en ai choisi autrement.

Les deux femmes s'étaient enlacées un long moment avant le départ d'Elena. Elles n'avaient jamais été aussi proches l'une de l'autre. Leur complicité avait atteint un autre niveau.

— Je suis fière de toi, Elena, si fière de toi ! lui avait soufflé à l'oreille Henriette.

Chapitre 6
La peur

Samedi 25 juin 2011

Après les fusions municipales de 2001, le village de Constance Bay, situé le long de la rivière des Outaouais, faisait désormais partie de la nouvelle ville d'Ottawa. Entouré de plages sablonneuses d'exception et de l'unique forêt protégée de Torbolton, le petit village de 3 000 habitants se démarquait par son statut bien particulier dans cette zone suburbaine.

Steve et John travaillaient ensemble depuis plus de quinze ans dans cette région. L'un était costaud, arborait la moustache et était francophone tout en comprenant parfaitement l'anglais ; le second était plutôt bedonnant, portait toujours les mêmes chemises venues d'une autre époque et parlait uniquement anglais tout en appréciant les nuances de la langue française. Tous deux étaient natifs de l'endroit et en aimaient particulièrement le caractère pittoresque. Ils étaient d'ailleurs très heureux d'avoir été choisis par leur employeur afin de travailler sur l'important chantier de la promenade Bayview.

Constance Bay avait sensiblement changé au cours des trente dernières années. Véritable oasis de paix pour plusieurs propriétaires de résidences secondaires dans les années 1970, le village était devenu au fil des ans un endroit paisible et unique pour la majorité des résidants permanents. Avec ses habitations singulières, retirées en forêt ou bordant la plage, le rythme de vie du coin n'était pas comparable à celui des grandes villes, ni même à celui des autres villages de la région.

— Je venais souvent ici quand j'étais petit. La plage a toujours été super, se rappela Steve, tout en descendant de sa camionnette.

— *I came here more when I was a teenager. I did a lot of crazy stuff around here*[1] *!* lui répondit John.

En 2006, le plan communautaire du village avait été publié à la suite des modifications subites survenues au cours des dernières années dans la région. Les principales conclusions de ce rapport convergeaient vers deux axes : éviter de faire de ce village une destination touristique et optimiser la qualité de vie des résidants.

Une des améliorations proposées visait l'embellissement de la promenade Bayview, qui était le principal boulevard du village. Elle ne possédait ni trottoir ni piste cyclable, comme l'ensemble des routes et des boulevards de Constance Bay. La compagnie de construction Takkard, pour laquelle les deux hommes travaillaient, avait donc été mandatée afin de refaire l'aménagement complet de la promenade dans le but d'y intégrer un endroit sécuritaire pour piétons et cyclistes.

---

1. « Je suis surtout venu ici lorsque j'étais adolescent. J'ai fait plusieurs folies par ici ! »

Il s'agissait de la troisième journée d'excavation pour Steve. Il devait creuser en bordure de la route existante, pour permettre l'installation des assises pour son agrandissement. John agissait en tant que superviseur de chantier et travaillait souvent à ses côtés, afin de le guider dans ses travaux et d'assurer le respect des plans et des échéanciers. Le superviseur accordait beaucoup d'importance à la sécurité des autres ouvriers ; d'ailleurs, aucun incident n'avait été porté à sa feuille de route.

Des camions porteurs attendaient en file afin de recueillir les chargements de terre amassés par la pelle mécanique. Vers 14 h, l'anglophone remarqua quelque chose d'inhabituel dans le sol sur les lieux des travaux. À proximité du boisé, face à la plage, il avait cru remarquer des sacs à ordures usés qui avaient certainement été enfouis à une certaine profondeur.

— *Stop Steve, there's something here*[2] *!* s'écria-t-il, en lui faisant des signes de la main.

— Quoi ? lui demanda le moustachu, après avoir arrêté son engin.

— *Looks like garbage bags*[3], ajouta son collègue.

— Encore des cons qui sont venus enfouir leurs déchets, ça arrive souvent !

— *Maybe, but we are at Constance Bay. A small village who cares about the environment. It doesn't fit. And why so deep ? Let me take a look*[4].

---

2. « Arrête, Steve, il y a quelque chose par ici ! »
3. « Ça ressemble à des sacs à ordures. »
4. « Peut-être, mais nous sommes à Constance Bay. Un petit village qui a à cœur l'environnement. Ça ne tient pas. Et pourquoi avoir creusé si profondément ? Laisse-moi y jeter un coup d'œil. »

Steve utilisa sa pelle afin de bien saisir tous les sacs enfouis et la positionna de sorte que son partenaire puisse en visualiser le contenu.

— *Holy shit! It looks like a skeleton*[5] ! s'exclama l'homme sous l'effet de la surprise, après avoir aperçu des ossements au travers des sacs noirs déchirés.

— Quoi ?

— *Seems to be human... We need to call the cops, man*[6] !

— Le patron ne sera pas content, ajouta l'opérateur de la pelle, tout en descendant de sa machine.

Le chantier de construction fut paralysé pour le reste de la journée. Les deux hommes qui avaient fait la découverte, ainsi que quelques collègues, restèrent un long moment sur les lieux, par simple curiosité. Ils ne pouvaient plus s'approcher de l'endroit où Steve avait déterré ce qui, de toute évidence, avait été enfoui afin de ne pas être dévoilé. Les travailleurs de chantier étaient captivés par les nombreuses procédures policières qui se déroulaient sous leurs yeux. Rapidement, des représentants de la presse arrivèrent sur les lieux. La seule information que les agents de la Police provinciale de l'Ontario (OPP) pouvaient divulguer était similaire aux conclusions de John et de son camarade : il s'agissait d'un squelette humain adulte, sordidement coupé en morceaux et disposé dans cinq sacs à ordures noirs.

* * *

---

5. « Merde ! Steve, ça ressemble à un squelette ! »
6. « Il semble humain en plus... Nous devons appeler la police ! »

Le samedi matin, Patrick entra dans le bureau d'Elena et ferma la porte. Il avait terminé son quart de travail, mais désirait parler à sa supérieure le plus rapidement possible. Ce jour-là, 25 juin, le contremaître remplaçant avait congé, et c'était à lui de prendre le relais.

— Mais que se passe-t-il, Pat ? Je crois n'avoir jamais vu une expression aussi tendue sur ton visage, l'interrogea-t-elle, perplexe.

— Marcel m'a fait part de certaines informations vraiment compromettantes, il est vraiment inquiet au sujet de José Léon. Des rumeurs circulent à son sujet. J'ai d'ailleurs remarqué qu'il n'était que l'ombre de lui-même ces derniers temps.

— Je t'écoute.

— Il semble que José soit devenu de plus en plus agressif. D'ailleurs, il aurait complètement défoncé son casier à coups de pied et de poing à son arrivée, à 5 h. Marcel m'a même informé que le gars s'en prenait physiquement à sa femme. Bref, je suis inquiet. En plus, il est si lourd ces temps-ci ! Il vous traite maintenant ouvertement de féministe et de... salope. Excusez-moi, Elena, je déteste vous dire cela. Vous savez à quel point je vous respecte. Mais il crie ces obscénités en pleine cafétéria, à qui veut bien l'entendre.

— Il n'a jamais été très respectueux avec moi, mais j'avoue qu'il dépasse les bornes... reconnut la directrice du transbo.

— Encore une fois, je vous le demande : vous devriez y voir... José Léon est peut-être efficace au boulot, mais son comportement est inquiétant...

— D'accord, tu as raison. Cette situation ne doit pas durer. Je vais réfléchir à tout ça, et toi… eh bien, tiens-moi au courant s'il y a du nouveau.

— N'attendez pas trop, Elena. Je vous souhaite un bon congé. On se voit lundi.

Elle se tourna et regarda par la fenêtre. Elle vit l'hispanophone manœuvrer avec adresse sa chargeuse sur roues. Il semblait concentré, mais avait la tête basse. Elle se demandait bien quoi faire de cet homme dont le comportement avait empiré si rapidement ces derniers temps.

* * *

Elena était face à sa garde-robe, analysant les choix qui s'offraient à elle. Elle n'arrivait ni à se concentrer, ni à faire une sélection. La jeune femme se sentait lâche, car elle n'avait pas su affronter José Léon. Elle s'était convaincue qu'elle devait se préparer adéquatement à ce type d'affrontement.

Il lui fallait réussir à chasser les tracas associés au poste de transbordement, car une soirée avec David l'attendait. Elle ferma les yeux et tenta de faire le vide, comme elle savait si bien le faire lorsque cela était nécessaire. Elle aurait bien aimé une bonne dose de Charlotte.

Elle avait vu son amie la veille, mais tant de choses se produisaient simultanément dans sa vie qu'elle aurait aimé sa présence de façon plus régulière, à l'image de la grande sœur qu'elle n'avait jamais eue.

Elles s'étaient donné rendez-vous le soir précédent dans l'un des restaurants préférés d'Elena: Les Cons

Servent, rue Papineau. L'ambiance y était rustique, dynamique et décontractée. La nourriture était délicieuse, judicieusement réinventée. Assise sur une banquette de bois, elle consultait le menu, sachant très bien que son choix ne serait guère différent de celui qu'elle faisait habituellement. Charlotte, quant à elle, n'était aucunement intéressée par les choix qui s'offraient à elle. Elle regardait plutôt son amie, assise en face, et la fixait avec insistance.

— Et puis ?

— Eh bien, je vais prendre le tartare de bœuf et les papardelles au canard confit, répondit distraitement Elena.

— Non, mais je m'en fous complètement de ton souper ! Je veux savoir comment ça se passe de ton côté ! Tu vois ce que je veux dire ? Depuis ton appel de cette semaine, je n'arrête pas de penser à toi et à ton beau policier !

— Tu sais, Marc-Antoine, mon voisin de neuf ans ? rétorqua-t-elle, ignorant la dernière réplique de Charlotte.

— Le p'tit morveux, oui.

— J'ai pris contact avec lui hier, pour la première fois. Sais-tu pourquoi il était si chiant ?

— Hum…

— Sa mère est malade et elle va mourir très bientôt. Je l'ai vraiment jugé trop vite, ce jeune. Il souffre tellement !

— Elena, regarde-moi, la coupa son impatiente amie. C'est bien triste, cette histoire, mais je n'en ai rien à cirer de ton fichu voisin haut comme trois pommes ! Je veux des nouvelles de ton colosse de policier !

— Sa mère va mourir, c'est si triste ! Et il n'a que neuf ans, je te ferais remarquer !

— Bon… Oui, OK, c'est triste. J'avoue.

Après un petit silence presque coupable, Elena changea finalement de sujet.

— Je vois mon gaillard demain soir.

— Ah ha ! Et le programme ?

— Apéro chez lui et souper au resto.

— Excellent ! Alors tu vas te le taper au retour !

— Non… Pourquoi dis-tu ça ? l'interrogea naïvement Elena.

— Si vous partez de chez lui pour le resto, vous irez soit en taxi, soit avec sa voiture. Donc, après le resto, de retour chez ton mec ! Et je te parie que vous opterez pour un digestif qui durera toute la nuit !

* * *

Elena prit le temps de se faire la plus coquette possible. Son eau de toilette, offrant des effluves de fleurs et d'agrumes, rendait la jeune femme irrésistible de la tête aux pieds. Ses ongles étaient manucurés avec soin, mais son vernis était banal, comme à l'habitude, mais ses ongles étaient coupés avec soin. Elle se devait d'être parfaite en tout point, surtout si le programme de Charlotte se réalisait.

Elle choisit finalement une petite jupe noire légère, ainsi qu'une camisole mauve pâle en satin. Elle opta également pour un long collier fantaisie afin d'agrémenter sa tenue ainsi que pour ses belles, et uniques, sandales noires à talons hauts. Pour finir, Elena jugea son allure satisfaisante. Elle sauta dans sa voiture et, grâce aux bons soins musicaux du compositeur

Claude Debussy, elle arriva chez son hôte forte d'une sérénité enviable. Ce n'est qu'une fois devant la porte de l'immeuble qu'elle ressentit un léger vertige.

David était l'heureux nouveau propriétaire d'un agréable condo situé dans l'arrondissement Mercier – Hochelaga-Maisonneuve, rue Bossuet, à moins de quinze minutes du centre-ville de Montréal et, surtout, à moins de dix minutes de son bureau. Il aimait bien son nouveau quartier, mais il n'avait pas encore eu l'occasion d'en découvrir tous les trésors cachés. Il avait donc effectué une petite recherche sur Internet afin de dénicher un restaurant adéquat pour y amener sa belle invitée.

Lorsque 18 h sonnèrent enfin, il attendait impatiemment l'arrivée d'Elena tout en regardant par l'immense fenêtre de son salon le petit parc aménagé en face de son immeuble. Il n'attendit pas longtemps ; elle ne tolérait sous aucun prétexte les retards.

— Bonsoir, Elena, tu es… ravissante ! prononça-t-il nerveusement, visiblement mal à l'aise de la voir si magnifique sur le seuil de son appartement.

— Merci, répondit-elle avec enthousiasme.

Malgré ses talons hauts, elle dut se lever sur le bout des orteils pour l'embrasser sur la joue.

Ils s'installèrent dans le salon, et l'hôte offrit à sa charmante convive une panoplie de cocktails en guise d'apéro. Étonnée, elle opta pour un *Cosmopolitan*, visiblement intriguée par les talents de barman de David.

Alors qu'il s'affairait au bar, Elena contempla le domicile du policier. Le style moderne et épuré était à l'honneur, avec des teintes monochromes de gris et de blanc. Tout était parfaitement ordonné, et l'atmosphère était plutôt froide et austère, ce qui ressemblait peu à ce qu'elle connaissait de lui.

— Ton intérieur me surprend, David, je ne m'attendais pas à un décor si rectiligne et si… gris.

Cette réplique le fit bien rire. Il s'approcha d'elle tout en lui tendant son verre, parfaitement dosé, et s'assit à ses côtés, un classique vodka martini à la main.

— Eh bien, sache que je n'ai aucun mérite. Il s'agissait du condo modèle de l'immeuble. Je n'ai rien changé à la déco, je m'y suis installé il y a deux mois seulement. J'ai encore des boîtes à défaire dans mon bureau, tu t'imagines ! Non, ce décor est intéressant, mais loin de ma personnalité.

— Tu aimerais quoi, au juste ?

— Plus de bois, plus de rusticité, avec un brin de contemporain tout de même.

— Évidemment, le bois, ça fait très mâle, dit-elle pour se moquer un peu de lui. Et j'en raffole aussi, ajouta Elena tout en savourant son breuvage.

— Mais j'ai l'essentiel.

— Quoi donc ?

— Mon écran plat de cinquante-deux pouces avec toutes les chaînes de sport !

C'est le cœur léger que le couple entra dans le taxi et se dirigea vers le restaurant indien Noptur, rue Sherbrooke. Elena était ravie, car elle adorait la nourriture indienne, avec ses parfums exotiques et variés.

Installés à leur table située près de la fenêtre, ils commandèrent chacun un autre cocktail, question de prolonger le plaisir, et portèrent un toast à la fête nationale du Québec, qui avait eu lieu la veille, et que ni l'un ni l'autre n'avait eu la chance de célébrer.

Leur première soirée avait été fort réussie, bien qu'improvisée, et les sujets abordés avaient été plutôt légers et grivois. Mais ce soir-là, Elena espérait faire plus ample connaissance avec l'homme assis en face d'elle et qui la dévorait des yeux.

Elle apprit donc que David avait connu une rupture abrupte et difficile avec sa précédente conjointe, bien que le policier n'eût pas voulu s'éterniser sur ce sujet. Il était québécois d'origine, ses parents vivaient à Trois-Rivières, ainsi qu'un de ses frères. Son frère cadet vivait au gré du vent en tant que médecin sans frontières, selon les besoins de la Croix-Rouge. Il avait également une jeune sœur qui enseignait à la polyvalente Antoine-Brossard, sur la rive sud de Montréal. David portait le grade de sergent-détective depuis quatre ans et il était totalement dévoué à son travail. Elena aimait bien l'entendre parler; sa voix était réconfortante, et il avait un irrésistible sens de l'humour.

Ils parlèrent ainsi jusqu'au dessert. Elena lui confia avoir certains problèmes de divergences avec sa mère. Elle lui expliqua qu'une distance insurmontable s'était installée au fil des ans dans leur relation. Plus rien ne les rapprochait. Elle parla également de son grand frère Bruno, d'Amélia ainsi que de Sam. Elle aurait tant aimé lui parler de chamanisme, de transes et de ses questionnements face à ce nouvel aspect de sa vie ! Mais elle se retint, de peur qu'il ne quittât précipitamment les lieux en la tenant pour folle.

— Tu aimes ton travail, Elena ?
— Oui, certainement.

— Le Groupe Perrot est un véritable empire, il y a assurément des possibilités infinies pour la fille du propriétaire dans ce type d'entreprise. Pourquoi avoir choisi le poste de transbordement ?

— J'adore le bruit, la poussière et l'odeur des déchets fraîchement collectés, lui répondit-elle spontanément en souriant, tout en sentant l'effet de l'alcool parcourir ses veines.

— Tu n'es pas obligée d'en parler, tu sais.

— Non, en fait, j'aime vraiment mon travail. J'ai bossé au siège social quelque temps, après mes études notamment. Mais j'ai choisi volontairement ce poste au transbo pour deux raisons : d'abord, pour assouvir mon désir insatiable de provoquer ma mère, et ensuite, pour bien comprendre ce qui se passe sur le terrain. Pour apprendre, pour mieux saisir, et pour ensuite mieux changer les choses. Je ne crois pas garder ce poste indéfiniment.

— Quelqu'un est au courant de cela ?

— Mon père. Seulement lui. Il sait que je travaille sur un projet présentement. Je réalise que, peu importe l'étendue des programmes de gestion des déchets en place dans les municipalités, que ce soit au niveau du recyclage ou du compostage, il y a gaspillage. Et c'est sans compter les résidus de construction et de démolition. Dans les commerces, c'est encore pire… car c'est le néant, ou presque ! Lorsque je vois ça, ça me donne la nausée. Tu sais que pratiquement tout est valorisable ? Que ce soit par recyclage, par compostage ou par valorisation énergétique. Je crois que l'on devrait trier de façon automatisée tous les déchets arrivant au poste de transbordement. Je suis certaine que nous pourrions récupérer d'intéressantes quantités de métal, de bois, de verre, de carton et de plastique. Pour le moment, la politique de la maison est de ne toucher à rien, afin de ne pas nuire à la productivité du transbo. Mais je triche, parfois… Reste que bon nombre de matières potentiellement dangereuses, tels les piles, la peinture, les appareils électroniques et informatiques, se retrouvent bien souvent à notre site d'enfouissement…

— Elena, tu es la seule personne que je connaisse qui parle aussi passionnément de déchets!

— Et je me retiens pour ne pas te parler en détail de méthanisation ou de valorisation énergétique, question de ne pas gâcher ta soirée!

— *Mais, tes paroles sont une véritable chanson à mes oreilles*, lui dit langoureusement David, d'une voix à la Barry White. Je suis si heureux que tu sois ici avec moi, tu n'as pas idée, insista-t-il plus sérieusement, en lui prenant délicatement la main.

Ils se regardèrent un moment sans rien dire, et Elena sut à cet instant précis que Charlotte avait encore une fois raison. Pas question d'aller rejoindre son chat ce soir-là.

* * *

Dimanche 26 juin 2011

Étendue nue dans le grand lit de David, Elena s'éveillait doucement. Elle avait connu une nuit de rêve, bien réelle cette fois. Elle tendit le bras vers l'autre côté du lit, mais remarqua rapidement que l'homme qu'elle apprenait à connaître et, surtout, à apprécier, n'était plus là. C'est alors qu'elle entendit une douce mélodie provenant de la salle de bains. Elle prit le long drap beige de coton égyptien et l'enroula autour d'elle. Délicatement, elle poussa la porte entrebâillée de la pièce lumineuse et humide. David était dans la douche et lui faisait dos. Elle le scruta longuement, savourant son anonymat. Il était grand, musclé et bien proportionné, et Elena était tentée d'aller le rejoindre afin de toucher à l'eau ruisselante sur son corps. Mais elle se retint, ne voulant ni brusquer les choses, ni interrompre un tel spectacle.

Avec un léger accent français jumelé à une voix grave et juste, il interprétait, le plus sérieusement du monde, l'une des plus belles chansons de Serge Gainsbourg :

« ... En dansant la javanai-se,

Nous nous aimions, le temps d'une chan-son... »

La douce mélodie contrastait avec la carrure de l'homme qui se trouvait devant elle. Elle recula et poussa doucement la porte. En fermant les yeux, elle savoura les dernières paroles du célèbre chanteur français, qu'elle connaissait bien grâce à Sam et à ses goûts musicaux plutôt vieillots.

Le sourire aux lèvres, Elena s'avoua totalement conquise par le charme irrésistible de David.

Malgré le bien-être nouveau qu'elle trouvait dans les bras du policier, la jeune femme dut se résoudre à rentrer chez elle. Après tout, le dimanche était sa seule journée de congé, et elle avait une multitude de tâches à faire à son condo. De toute façon, elle n'avait rien à revêtir, outre le coquet ensemble qu'elle avait porté la veille.

En début d'après-midi, elle rentra donc chez elle, rue Rachel. En se dirigeant vers la ruelle derrière son duplex, elle aperçut Marc-Antoine sur le trottoir, près d'une voiture garée devant chez lui. Elena reconnut alors Michelle, la mère du garçon, qui descendait prudemment du véhicule. Elle semblait faible, mais était tout de même en mesure de marcher seule. Marc-Antoine restait près d'elle et l'aidait du mieux qu'il le pouvait. Lorsqu'il aperçut la voiture d'Elena qui tournait dans la ruelle, il laissa tomber les sacs de sa mère et alla rejoindre la jeune femme.

Voyant son voisin accourir vers elle, Elena sortit de sa Ford, tout en faisant un signe de la main à Michelle en guise de bienvenue. Lorsque le jeune garçon arriva à sa hauteur, il arrêta brusquement sa course et la regarda un instant sans rien dire, le sourire aux lèvres.

— Alors, c'est le grand moment pour toi, n'est-ce pas ? Tu vas suivre ta liste maintenant, hein ? lui demanda-t-elle, tout en lui faisant un petit clin d'œil.

— Hum… Et si elle guérissait pour toujours, pour de vrai ?

— Marc-Antoine, les médecins savent que le mal de ta maman est toujours là, et tu le sais, toi aussi. Mais la vie lui donne un second souffle. Et à toi aussi, insista la jeune femme.

— Alors, je dois me dépêcher ?

— Ne perds pas de temps, mais ne brusque pas les choses, ta maman n'a pas autant d'énergie qu'elle le voudrait. Tu auras le temps nécessaire de passer à travers ta « liste des dernières fois ». J'en suis certaine.

— Comme lorsque tu m'as dit que tu étais certaine qu'elle reviendrait ?

— Oui, c'est ça.

Ils ne dirent plus rien pendant quelques secondes. Après maintes hésitations, il lui sauta finalement dans les bras et lui fit une longue étreinte. Elena crut entendre un « merci » étouffé contre sa poitrine, mais avant qu'elle ne dise quoi que ce soit, il était déjà parti en courant, sans la regarder. Elle était profondément triste pour lui, car, dans exactement deux semaines, le mal qui rongeait sa mère allait finalement prendre le dessus.

Jeffrey était furieux et impatient. Elena avait presque oublié son chat, qui devait être affamé. Après avoir réglé ce litige avec son colocataire félin, elle entreprit de faire un peu de lessive et du ménage.

Avant l'heure du souper, elle en profita pour téléphoner à la maison familiale afin de donner de ses nouvelles à ses parents. Toute la famille semblait bien se porter, selon les dires de son père, notamment Amélia, qui vivait comme sur un nuage avec son beau Mark. Seul bémol au tableau : les difficultés de sa sœur à se trouver un emploi. Le domaine de la photographie semblait féroce et coriace, tout le contraire d'Amélia. Nicolas mentionna à Elena qu'il avait fait à sa cadette deux offres d'emploi intéressantes au sein du Groupe Perrot, mais qu'elle les avait refusées.

Après quelques minutes de discussion avec son père, la jeune femme raccrocha, soulagée que ce soit lui qui ait répondu à son appel. D'abord, parce qu'elle détestait discuter avec sa mère, mais, également, parce qu'elle voulait lui annoncer en exclusivité l'arrivée de David dans sa vie.

Pour la première fois en deux ans, elle prit un bain au parfum de lait de chèvre et savoura ce précieux moment de détente. Elle se coucha tôt ce soir-là, car la nuit précédente avait été très courte. Heureuse, détendue et sereine, l'héritière Perrot s'endormit rapidement.

* * *

Lundi 27 juin 2011

Le réveille-matin retentissait depuis un moment déjà, et Jeffrey décida de se réfugier à la cuisine, découragé par la cacophonie qui régnait dans la chambre de sa maîtresse. Elena était terrifiée et confuse, complètement paralysée par une frayeur nouvelle. Elle ne parvenait pas à comprendre ce qui s'était produit durant son sommeil. Était-ce un véritable cauchemar, typique et normal? Où était-ce une transe involontaire, comme elle en faisait souvent depuis quelques semaines? Tous les symptômes étaient présents; pourtant, elle avait des doutes.

Elle statua cependant sur un constat indiscutable : cette récente vision eut été très brève, l'une des plus courtes qu'elle avait jamais connues, soit à peine quatre ou cinq secondes. Et pourtant, Elena était totalement affolée. Ce qu'elle avait vu se résumait en une sanglante attaque au couteau. Elle n'avait pas senti de douleur. Elle n'avait pas vu son agresseur, seulement une main tenant un poignard. Tout avait été si rapide qu'Elena commençait à douter de l'existence même de ce rêve.

Après quelques minutes, elle éteignit son réveille-matin et décida de se lever. Mais rien n'était comme avant. Elena Perrot sentait une douleur naissante à l'abdomen, une modification de sa perception… Elle faisait connaissance avec la peur, telle une névrose l'envahissant sournoisement. Cette angoisse s'ancra dans les entrailles de la jeune femme, et un vent de panique l'envahit. Pour la première fois de sa vie, elle se sentait véritablement en danger.

6 h 6. Elena était terriblement en retard; elle courut, pour finalement arriver au poste de transbordement à 6 h 47, encore plus stressée. Toujours dans sa voiture, elle hésitait à sortir. Serait-elle attaquée là? Qui la menaçait? Sa vision avait-elle eu lieu à l'extérieur ou à l'intérieur d'un bâtiment? Elle ne possédait aucun indice valable pouvant l'aider à démystifier les circonstances de cette attaque. Elle coupa le contact et ferma les yeux, tentant de faire le vide. Cette méthode avait toujours été couronnée de succès pour Elena, mais cette fois-ci était différente. Elle ne parvenait pas à calmer cette angoisse qui l'accablait.

* * *

David se rendit à son travail ce lundi-là avec une joie de vivre contagieuse. Souriant et particulièrement dynamique, il se retenait même pour ne pas gambader. Arrivé à son bureau, il tomba nez à nez avec son collègue, Richard, qui l'attendait patiemment en sirotant un café.

— Eh bien! Je ne t'ai jamais vu aussi rayonnant, David! Passé un beau week-end?

— Tout particulièrement, mon cher! Tu ne m'as pas préparé un café? demanda à la blague le policier.

— Non, désolé. Mais j'ai ouvert ton ordinateur… Regarde un peu.

Curieux, il se pencha vers l'écran et lut le communiqué de presse qui était affiché. Il s'agissait d'une annonce de la Police provinciale de l'Ontario (OPP) concernant la découverte d'un corps à Constance Bay. David avait eu vent de la nouvelle samedi en écoutant la radio, mais sa soirée avec sa nouvelle flamme le préoccupait davantage à ce moment-là.

— Oui, j'ai entendu la nouvelle. Je voulais justement y jeter un œil ce matin, lança-t-il.

— Cette annonce m'a aussi interpellé, ajouta Richard.

— J'avoue que la découverte d'un squelette en morceaux dans des sacs à ordures a quelque chose de familier, avoua le sergent-détective, tout en poursuivant sa lecture. Même si plusieurs assassins peuvent utiliser cette méthode pour dissimuler leurs crimes…

— Le SALVAC pourrait nous être utile, proposa l'agent Brunet.

— Ouais… mais je ne suis pas prêt à attendre que le processus soit terminé.

Le Système d'analyse des liens de la violence associée aux crimes (SALVAC) avait été élaboré et implanté au Canada dans les années 1990, afin d'analyser les connexions possibles entre certains crimes majeurs, dont ceux perpétrés par des tueurs en série. Chaque service de police, après avoir résolu ou non une enquête, devait remplir un livret SALVAC comprenant plus de cent cinquante questions spécifiques portant sur le profil du tueur, de la victime et du lieu du crime.

Les livrets complétés par le SPVM devaient être transmis à des fins d'analyse et de compilation au centre de coordination du Québec. Les spécialistes de ce centre informatisaient les données fournies et le logiciel SALVAC permettait ensuite d'analyser automatiquement les paramètres enregistrés, dans le but d'établir les connexions probables entre les enquêtes.

David considérait cette méthode comme étant une nécessité dans le travail d'enquête. Cependant, dans le cas de l'enquête sur la mort de Lina Warren, il ne pouvait se permettre de si longs délais. Car pour avoir accès aux conclusions du logiciel, il devait attendre la conclusion de sa propre enquête ainsi que de celle entreprise par le service de police ontarienne, sans compter les délais occasionnés par la compilation des données dans le système informatique. Remplir le livret à la fin d'une enquête représentait en soi une tâche ardue, bien que nécessaire. D'autant plus qu'ils n'avaient aucun indice concernant l'identité du tueur de la jeune Lina. Ni même son âge, son allure générale, la couleur de sa peau, rien. Le lieu du crime était également inconnu.

Avant même qu'il n'ait pu poursuivre sa discussion avec Richard, leur supérieur vint les rejoindre. Toujours impeccablement vêtu, le lieutenant-détective du Service des crimes majeurs du SPVM avait la responsabilité de superviser l'ensemble des enquêtes prises en charge par les douze sergents-détectives qui formaient son équipe. Il attendait beaucoup de David, qui ne cessait de faire des prouesses dans l'exécution de ses tâches. Claude Dallaire possédait plus de dix-huit années d'expérience en tant que sergent-détective lorsqu'il avait été promu au titre de lieutenant-détective en 2005. L'homme de cinquante-trois ans était réputé pour sa minutie ainsi que pour son attitude quelque peu envahissante dans le suivi des différentes enquêtes de son département.

— Allard, j'aimerais que vous passiez à mon bureau, s'il vous plaît, demanda le lieutenant.

— Oui, Claude, j'arrive dans deux petites minutes, répondit-il d'une voix hésitante.

Une fois le lieutenant parti, David se tourna vers son collègue et le regarda d'un air suppliant.

— Richard… Dis-moi que tu as reçu les vidéos ?

— Oui, elles sont arrivées.

— Ouf ! Commence tout de suite le visionnement. Aussi, je crois qu'il faudrait mettre la main sur les rapports d'autopsie du meurtre à Constance Bay. Faudrait communiquer avec l'OPP. Je vais en parler à Dallaire.

— Bonne idée, mais les analyses anthropologiques du squelette sont fastidieuses, et les délais peuvent aller jusqu'à trois ou quatre semaines…

— Oui, je sais… il va falloir tout de même attendre un peu, constata David.

— Mais tout peut être plus rapide si l'identification par empreinte dentaire est possible. Alors, restons optimistes et poursuivons nos efforts ici afin de résoudre le meurtre de la petite Warren, l'encouragea Richard.

— Bon, j'y vais.

— Ça va bien aller, on avance, tout de même. Ce n'est pas le *statu quo*.

Arrivé dans le grand bureau de son patron, David, suivant l'invitation du lieutenant Dallaire, s'installa dans le fauteuil face à lui. Le quinquagénaire parlait au téléphone, mais raccrocha quelques secondes plus tard.

— Alors, Allard, qui a tué cette pauvre mademoiselle Warren ?

— Un homme, répondit-il spontanément, sachant bien que l'humour n'était pas l'un des points forts du lieutenant.

— Lina Warren a été tuée le 1er juin dernier, cela va faire presque un mois, et c'est tout ce que vous avez pour moi ? Les premières semaines d'enquête sont cruciales, David, vous le savez bien.

— Écoutez, je dois vous avouer que, personnellement, je considère le développement de cette enquête comme étant plutôt décourageant. Mais nous nous approchons du but, je le sens. Nous possédons toujours un peu plus de morceaux du puzzle, et je suis convaincu que tout prendra forme rapidement.

— Sachez que je ne suis pas satisfait non plus du développement de l'enquête. Cependant, j'ai confiance en vous, et surtout en votre flair. Alors, trouvez au plus vite le fumier qui a découpé cette jeune fille ! Ma patience a des limites.

Après une pause, il poursuivit :

— Dans les faits, où en êtes-vous exactement ?

— Nous savons qu'avant son décès, Lina fréquentait un homme depuis quelques semaines. Il s'agit de notre principal suspect. Le problème, c'est qu'il est un véritable fantôme. Personne ne l'a vu. Personne ne le connaît. Nous savons qu'il a joint Lina par téléphone le 18 et le 24 mai. Il a utilisé la même cabine téléphonique pour effectuer ces appels. Il semble prudent. Brunet est présentement en train de visionner les vidéos des caméras de surveillance provenant d'une banque, située au coin est de Sherbrooke et

McGill College, et d'un petit resto, localisé sur la rue Sherbrooke, du côté ouest. Nous espérons vraiment pouvoir mettre un visage sur cet homme mystérieux.

— Très bien. Tenez-moi au courant des développements.

— Aussi, je voulais justement vous parler d'un autre point. Cela concerne la découverte du squelette à Constance Bay, en Ontario.

— Hum ? répliqua le lieutenant en le regardant, perplexe.

— Eh bien, je suis tout à fait conscient qu'il est trop tôt pour se prononcer, mais je trouve… disons, curieux, certains aspects similaires entre notre Lina et ce squelette.

— Effectivement, cette hypothèse est TRÈS prématurée.

— J'aimerais communiquer avec l'OPP, lieutenant, pour être tenu informé des développements. Vous comprendrez que si le squelette s'avère être celui d'une jeune femme, mon hypothèse mérite d'être vérifiée.

— Absolument, mais je doute de la raison d'être de votre optimisme. Je vous donne tout de même mon aval pour entrer en contact avec le service de police ontarien, déclara le lieutenant après une certaine hésitation. J'ai un collègue qui y travaille : Jean-Philippe Dussereault. Il est lieutenant-détective également, voici son numéro. Dites-lui que c'est moi qui vous l'ai donné, ça facilitera le processus.

— Merci, Claude.

— Mais ne vous éparpillez pas, Allard. Concentrez vos efforts aux bons endroits.

— Évidemment. Je vous remercie.

David était tout à fait satisfait de son entretien avec son supérieur. En plus, c'était la première fois que celui-ci le complimentait pour son travail. Il avait donc sa confiance. En fait, après réflexion, il n'était pas très surpris. Car son flair avait su faire ses preuves à quelques reprises par le passé, notamment lors de sa précédente enquête.

En effet, l'enquête du meurtre de Germaine Sauvé, une dame de quatre-vingt-deux ans, avait été résolue de façon inattendue par le sergent-détective. La vieille dame vivait seule dans une maison centenaire dans le quartier Outremont. Elle avait été retrouvée morte le 4 mars 2011 dans son salon. À première vue, elle ne montrait aucun signe de violence, outre l'énorme hématome constaté sur une bonne partie de son crâne, hématome qui pouvait être consécutif à une chute. Les analyses effectuées par le Laboratoire de sciences judiciaires et de médecine légale (LSJML) avaient indiqué que la blessure à la tête lui avait été fatale.

Selon ses proches, aucun vol n'avait été perpétré dans la demeure de la victime. Aucun motif valable pour cette mort suspecte n'avait été invoqué. Les empreintes digitales avaient été relevées et la présence de chaque visiteur avait été validée et datée. Il avait été conclu que la dernière personne à avoir vu Germaine Sauvé vivante était Malcolm Lindsay, son professeur de piano des cinq dernières années. De lourds soupçons pesaient sur lui, même s'il clamait son innocence. David, quant à lui, avait l'intime conviction que l'homme en question n'avait rien à se reprocher même s'il ne pouvait l'expliquer.

Plus tard, les analyses d'ADN avaient donné une nouvelle tournure à l'enquête. En effet, des cheveux très courts avaient été retrouvés sur les vêtements de la victime et les résultats obtenus désignaient le musicien. Malgré tout, le professeur avait catégoriquement refusé de modifier son plaidoyer.

Dépassé par les événements mais convaincu de la non-culpabilité de Lindsay, David n'avait pas baissé les bras malgré les reproches de son lieutenant. Le sergent-détective était retourné maintes fois sur les lieux du crime pour finalement découvrir des marques particulières près de la bouche d'aération du bureau. Il en avait conclu qu'un objet devait y avoir été caché. David Allard venait de trouver le mobile du meurtre de l'octogénaire.

Au cours d'un entretien avec le suspect qui était détenu en vue de son procès, David avait questionné Lindsay à ce sujet et le musicien lui avait alors appris ce qui se cachait dans la trappe d'aération. Madame Sauvé lui avait déjà confié garder une panoplie de vieilles cartes de baseball que son défunt mari s'était procurées dans les années 1950 et 1960.

— Elle les gardait par simple nostalgie. Je me souviens de lui avoir dit que ces cartes devaient valoir une fortune, mais cela ne la préoccupait pas, avait-il raconté à David.

— Pourquoi ne pas nous l'avoir dit plus tôt ?

— Je pensais que cela m'incriminerait davantage, mais à présent, je n'ai plus rien à perdre… Je n'étais certainement pas le seul à connaître l'existence de ces cartes.

— Qui d'autre, selon vous, pourrait bien être au courant ? En avez-vous parlé à quelqu'un ? lui avait demandé le policier.

Le regard du professeur s'était alors illuminé. Oui, il y avait une autre personne informée de l'existence des fameuses cartes et de leur emplacement.

David avait finalement réussi à innocenter Malcolm Lindsay du meurtre de la vieille dame. Le crime avait été perpétré par le frère jumeau de Malcolm, Jimmy Lindsay. Étant des jumeaux parfaitement identiques, les frères partageaient le même code génétique.

Malgré les regards soupçonneux, malgré les preuves tangibles à l'appui de la culpabilité du suspect et les reproches de son supérieur, David Allard avait réussi à surprendre toute la section des crimes majeurs du SPVM. Et il comptait bien faire honneur à sa réputation dans l'enquête de Lina Warren.

* * *

En montant les marches, Elena se demandait bien comment elle survivrait à sa journée. De façon machinale, elle entra dans son bureau, mit son lunch dans son petit frigo et enleva ses souliers afin d'enfiler ses bottes de travail. Une fois ses bottes attachées, elle se redressa et jeta un coup d'œil à l'extérieur.

Des *brokers* étaient déjà arrivés, afin de permettre le transport des déchets accumulés durant la nuit. Toute l'équipe s'affairait à la tâche. La machinerie était entièrement fonctionnelle. Les chargeuses sur pneus poussaient les déchets déversés dans des piles destinées au compactage. Les pelles rétrocaveuses acheminaient ces amoncellements d'ordures dans les compacteurs. Lorsqu'un camion à plancher mobile arrivait au site, qu'il soit du Groupe Perrot ou de l'externe, il se mettait en place dans une aire de déchargement et s'alignait vers le compacteur afin de recevoir les déchets dûment compactés, qui seraient acheminés à un site d'enfouissement. Il s'agissait d'une véritable chaîne de montage.

Après quelques minutes passées à regarder ce spectacle, Elena prit une décision. À l'aide de sa radio, elle appela Marcel, son employé de confiance. Elle aurait pu communiquer avec Patrick, mais celui-ci devait partir vers 8 h et elle ne voulait pas le contrarier avec ses requêtes saugrenues. Un jeune papa a suffisamment de contrariétés, jugea-t-elle.

Entre Marcel et Elena, un lien amical et sincère s'était vite développé. À chaque *party* de Noël du Groupe Perrot, Marcel réservait une danse spécialement pour elle. Elle ne pouvait s'empêcher de rire à chaque pas qu'ils faisaient. Il la faisait tournoyer, prenait des airs à la Frank Sinatra, chantait tant qu'il le pouvait. La jeune femme adorait sa joie de vivre, sa spontanéité, mais, surtout, sa loyauté. Elle avait une grande confiance en lui, et c'était principalement pour cette raison qu'elle lui demanda assistance.

Lorsque le grand Sénégalais entra dans son bureau, il devina rapidement qu'il était préférable de fermer la porte derrière lui. Le regard de sa supérieure n'avait rien de rassurant.

— Elena ?

— Marcel, assieds-toi, s'il te plaît. J'ai quelque chose de très important à te demander.

Après s'être confortablement installé, Marcel fixa calmement Elena. Il avait rarement été convoqué dans son bureau et l'attitude de sa patronne l'intriguait.

— Tu dois me promettre que cette conversation restera entre nous, Marcel. La raison pour laquelle je t'ai appelé repose entièrement sur la confiance que j'ai envers toi.

— Oui, Elena. Tu peux compter sur moi.

— J'ai de bonnes raisons de croire que quelqu'un veut s'en prendre à moi.

— Quoi ? s'écria Marcel.

— Ces raisons, je vais les garder pour moi. Mais elles sont de source plutôt fiables.

Depuis son réveil, elle ne cessait de revoir l'attaque au couteau qu'elle avait vécu durant la nuit. Et s'il s'agissait d'une transe, d'une vision ? se demandait-elle constamment. Le doute avait germé dans son esprit et plus les minutes passaient, plus l'apprentie chamane était certaine qu'une attaque surviendrait incessamment.

— S'en prendre à toi ? De quelle façon ? demanda avec inquiétude son employé assis devant elle.

— C'est grave, Marcel. Du moins, je le crois… Je me sens menacée. Et cela me prend tout mon courage pour t'en parler ce matin.

— Tu as reçu des menaces ?

— Euh… indirectement, si on veut. Bref, je dois t'avouer que je n'ai aucune idée de qui il peut s'agir. Mais je peux te certifier que j'ai la trouille en ce moment. Je te demande donc ceci : j'aimerais que tu gardes un œil sur moi. Que tu restes attentif et vigilant. Je ne te demande pas d'être mon garde du corps… mais presque ! Tu veux bien, disons, pour le reste de la semaine ?

— Bien sûr, Elena, je serai ton ange gardien à la minute où tu franchiras l'entrée du transbo… Tu devrais alerter ton père et la police.

— Peut-être, mentit la directrice, sachant bien qu'elle ne pouvait divulguer l'origine de ces menaces.

Lorsqu'il sortit du bureau d'Elena, Marcel n'en revenait tout simplement pas. Il sentait la colère monter en lui. Il était furieux, et sa bonne humeur habituelle s'était complètement dissipée. Il marchait dans le corridor vers les aires de déchargement tout en fronçant les sourcils et en serrant les poings. José Léon allait le payer s'il venait à toucher ne serait-ce qu'un seul cheveu de sa « patronne ».

Depuis quelque temps, l'hispanique était encore plus déplaisant qu'il ne l'avait jamais été. Ses propos envers Elena étaient disgracieux, et Marcel ne se gênait pas pour le remettre à sa place. Mais cette fois-ci, la situation était bien plus grave qu'il ne le croyait. Le Sénégalais était certain que José Léon avait un rôle à jouer dans toute cette histoire de menaces envers sa supérieure.

* * *

Mardi 28 juin 2011

Charlotte habitait un sympathique appartement du Plateau-Mont-Royal, situé dans un secteur tout aussi plaisant. Le soir, le rythme des rues montait d'un cran en raison des multiples bars branchés qui faisaient la réputation du quartier. Les restaurants ne manquaient pas dans le voisinage, cependant, la jeune femme avait choisi de recevoir son amie dans le confort de son cinq-pièces. Il était rare qu'elles se voient un mardi soir, mais l'arrivée de David dans la vie d'Elena compromettait grandement sa disponibilité durant le week-end.

Ayant bien en tête que son amie figurait parmi les personnes les plus carnivores de la ville, elle avait tout de même opté pour le poisson comme menu du soir. Elle souriait déjà à l'idée de l'expression qu'afficherait la belle Perrot en voyant son assiette. Pourtant, la cuisinière en herbe était très confiante : cette recette de bar rayé aux pois chiches et au chorizo connaissait un succès fulgurant à tous les coups.

Pendant qu'elle s'affairait à la cuisine, elle en profita pour déguster un petit verre de chardonnay, tout en écoutant la musique des Black Eyed Peas à tue-tête. Elle avait terminé plus tôt ce jour-là, afin de pouvoir faire quelques courses de dernière minute.

Étant chef des événements entreprise de médias, elle pouvait se permettre ce genre de privilège, puisque l'été était une période plutôt tranquille. Cependant, dès que l'automne se pointait le bout du nez, Charlotte Dubois ne comptait plus ses heures de travail. Avec l'arrivée des grandes expositions, des salons et autres événements en septembre, que ce fût à Montréal ou dans la région de Québec, l'organisatrice en chef se devait d'user d'originalité et d'opportunisme afin de favoriser le rayonnement de plusieurs magazines populaires imprimés par son employeur. Ses tâches étaient variées et pouvaient être d'ordre administratif, organisationnel ou créatif. Mademoiselle Dubois était devenue au fil des ans la reine des cocktails dînatoires et des événements bon chic bon genre.

Elena arriva pile à l'heure prévue, et son amie prit le temps de s'asseoir en sa compagnie avant de poursuivre les derniers préparatifs du repas. Elle avait hâte de prendre de ses nouvelles, car il semblait bien que la vie de son ancienne colocataire fût devenue un véritable tourbillon au cours des dernières semaines. Ce qui devait grandement la changer de son petit train-train quotidien.

— Alors ma belle, comment vas-tu ? demanda l'hôtesse, assise sur le bout de son canapé, avide de nouvelles croustillantes.

— Je sais ce que tu veux entendre ! Il est merveilleux et il chante si bien sous la douche…

— *Coudon,* tu ne serais pas en train de tomber amoureuse, toi ?

— Je crois que ça se dirige vers ça… tout doucement. Je ne suis pas comme toi, *Miss,* je prends le temps de faire les choses convenablement. Mais il me plaît… beaucoup, même.

— Alors, c'est sur la bonne voie. Excellent ! Quand vais-je le rencontrer ?

— Bientôt. Je veux le garder pour moi encore un peu. Je dois t'avouer que j'adore cette sensation nouvelle de me sentir attachée à quelqu'un. Je ne peux m'empêcher de lui parler plusieurs fois par jour. Tu te rends compte ? Ça ne me ressemble tellement pas !

— Ne sois pas trop collante, ça fait peur aux gars.

— Je sais, mais je crois que l'on est rendus là, tous les deux. Je lui envoie des messages texte avant de lui téléphoner, pour être certaine de ne pas le déranger. Il est enquêteur, tout de même…

— J'avoue que la fille indépendante et casanière que je connais en prend pour son rhume ! Mais tu sais quoi ? Je suis si heureuse pour toi !

— Et toi, avec ton Christian ?

— Le pigiste ?

— Quoi ? Y'en a d'autres ?

— Bien, il y a le Christian de la comptabilité aussi…

— Charlotte, pour l'amour du ciel ! Tu ne changeras jamais !

— Le pigiste, oublie ça. Par contre, le comptable a du potentiel.

— Tu es consciente que tu viens d'utiliser les mots « potentiel » et « comptable » dans une même phrase ? répliqua Elena à la blague.

— Allons, il n'est pas si mal. Il fait le travail au lit, en tout cas.

— C'est déjà ça !

* * *

La soirée passa rapidement, et Charlotte fut très heureuse de constater le surprenant appétit de son amie pour son poisson grillé. Elle faisait la vaisselle lorsqu'elle décida d'aborder un sujet qu'elle savait plus délicat. Cela faisait presque deux semaines qu'elles ne s'en étaient pas parlé.

— Dis-moi, Elena, tu as terminé de le lire, ce vieux journal de ton ancêtre ?

— En bonne partie, oui.

— Et alors?

— Aimée Perrot était une femme surprenante, voilà ce que j'en conclus. Mais je ne suis pas comme elle, et je ne veux certainement pas le devenir. Il semble, effectivement, que j'aie le potentiel pour suivre sa voie. Mes *rêves* ne sont pas le fruit de mon imagination. Comme Mark, que j'ai imaginé être mon amant alors que je ne l'avais jamais vu.

— Une chance que David est là, car tu aurais certainement eu de la difficulté à l'oublier.

— Peut-être... Mais j'ai décidé de le rayer de ma tête, pour protéger ma sœur. C'est plus évident à dire qu'à faire... David aide la cause, c'est certain. La simple idée de me retrouver face à face de nouveau avec Mark me terrifie. Je ne sais pas comment je vais réagir, ce ne sera certainement pas facile. Mais je ne crois pas qu'il s'agissait vraiment d'amour... En fait, je crois qu'il s'agissait... qu'il s'agit, encore d'ailleurs, d'un désir tout à fait bestial.

— Grrr... Tu commences à me ressembler! commenta Charlotte. Alors, as-tu fait un essai, comme le voulait ta grand-tante? Je veux dire, avec ton livre...

— Ouais... sur le petit Marc-Antoine.

— C'est pour ça que tu me prenais la tête avec lui! Et ça s'est bien passé, alors?

— Oui, plutôt bien, je dois dire.

— Tu as fait un essai avec moi? Tu as un don extraordinaire, Elena! Je veux connaître ce qui m'attend!

— S'il te plaît, ne me demande plus jamais de faire un essai avec toi. La vie que tu auras sera celle que tu auras choisie. Le destin se modifie selon ta volonté, ne l'oublie pas. Devenir chamane n'est pas un choix facile. Il est possible de commettre des erreurs, surtout au début. Il faut beaucoup d'entraînement, et je ne suis pas prête à consacrer le temps et surtout l'énergie nécessaires pour perfectionner cette faculté.

— Alors, si je comprends bien, tu vois ce don comme une malédiction ?

— Pour le moment, j'ai arrêté de me poser des questions. D'un côté, je suis terrifiée, de l'autre, fortement intriguée. J'avoue que mon expérience avec Marc-Antoine a été extraordinaire. Très gratifiante même.

— Alors pourquoi les autres ne le seraient-elles pas ? Tu devrais être un peu plus optimiste face à tout ça !

— Être optimiste, ça, c'est ton travail. Moi, je suis réaliste. J'ai déjà un boulot, et suffisamment de préoccupations comme ça. En plus, j'ai maintenant quelqu'un dans ma vie. Aimée Perrot a donné sa vie au chamanisme. Elle a vécu dans un monde parallèle, éloignée de tous. Elle a aidé beaucoup de gens, mais il y a l'envers de la médaille également. Je l'ai senti dans son recueil. Et dans les propos de Sam. Mon ancêtre a connu de grands moments de détresse, de solitude, de doute, de tristesse, de fatigue… Imagine avoir le pouvoir… de tout savoir. Et de devoir accepter tes limites.

— Quelles limites ?

— Ne pas pouvoir toujours changer le cours des choses ou accepter la fatalité. Mais ma principale limite est plus personnelle… J'appréhende surtout la mort… Celle que je vais devoir vivre et revivre à travers les autres. Et c'est sans parler de leurs douleurs… Je ne suis vraiment pas certaine d'être en mesure de supporter ça.

— Je dois admettre que c'est assez effrayant comme perspective de carrière. De toute façon, il s'agit de ton choix. Cependant, si jamais l'envie te prenait…

— Charlotte, n'essaie pas, s'il te plaît.

— D'accord. Veux-tu du dessert ? Je suis nulle en pâtisserie, alors j'ai acheté des éclairs au chocolat, ça te dit ?

— Avec un grand verre de lait !

— Quoi ? Pas un bon cappuccino ? Tu n'as plus huit ans, quand même !

— La dernière fois que j'ai mangé un éclair au chocolat, je devais justement avoir huit ans ! Alors, ne gâche pas mon plaisir, et sors le lait ! répliqua-t-elle joyeusement, ravie du dessert qu'elle allait se permettre.

Vers 21 h, Elena jugea qu'il était temps pour elle de retrouver son lit douillet et son colocataire à quatre pattes. En chaussant ses souliers, elle se releva brutalement et s'adressa à Charlotte.

— Merde, j'allais complètement oublier ! Je voulais te parler d'Amélia.

— Que veut ta petite poupée ?

— Ce n'est pas la mienne, mais plutôt celle de ma mère ! précisa Elena. En fait, je t'ai dit qu'elle était photographe ?

— Tu t'es moquée du fait qu'elle se prétendait photographe, oui.

— Imagine-toi donc qu'Amélia a vraiment du talent. Je la taquine souvent, mais tu sais combien je tiens à elle.

— Pour que tu décides de lui laisser ton Jake, oui, je le vois bien.

— Je me demandais si tu n'aurais pas une possibilité de travail pour elle.

— Ouf... je ne vois pas vraiment.

— Allons, Charlotte, vous devez nécessairement engager des photographes lors de tous ces événements que tu organises, pour les suivis avec les clients, votre site Web, etc.

— Mes clients sont majoritairement de grands magazines québécois, ils ont déjà plusieurs photographes sur appel.

— Allez, je te le demande comme une faveur personnelle. Pour vos besoins corporatifs, Amélia serait une photographe parfaite. Elle possède maintenant un portfolio. Appelle-la, tu verras bien comme elle est bonne !

— Je le fais seulement pour toi, Elena. Pas pour ta grébiche de sœur.

— Grébiche ? Ma mère peut-être, mais pas ma sœur, voyons !

— D'accord. Barbie dans ce cas.

— C'est mieux... À bientôt, Charlotte. J'ai passé une agréable soirée.

— Moi aussi... et la prochaine fois, je veux voir ton policier !

* * *

216

Mercredi 29 juin 2011

Deux jours avaient passé depuis la demande inquiétante d'Elena à son employé. Marcel enfilait son survêtement de travail lorsque le vieux Gérald et José Léon entrèrent dans le vestiaire. L'homme de soixante-quatre ans jeta un regard lourd au grand Noir tout en faisant un signe vers José Léon. Le moral de l'hispanique semblait au plus bas, et il n'était pas le seul à le constater.

Le Mexicain avait le nez dans sa case et ne bougeait pas. L'homme de confiance de la directrice analysait tous ses faits et gestes depuis lundi. Ce mercredi matin, José Léon ressemblait davantage à un mort-vivant qu'à un opérateur de chargeuse sur roues. L'atmosphère était lourde dans le vestiaire. Finalement, Marcel brisa le silence.

— Alors Gérald, tu as vu le match de l'Impact, hier ?

— Euh… Ouais, lui répondit le vieil homme, voyant les efforts de son collègue pour amorcer une conversation.

— Et toi José, ça va ce matin ? poursuivit-il.

— Fiche-moi la paix, le négro.

Gérald se leva d'un bond, lui-même insulté par les paroles de son collègue. Mais le principal concerné ne dit rien. Il avait croisé le regard dur de l'homme en détresse et ce qu'il y vit lui glaça le sang. Ses traits étaient tirés, ses yeux rougis, il était méconnaissable. Et, d'un seul coup, il comprit que sa chute libre était peut-être due à la consommation de drogue. Le quinquagénaire ne fut pas atteint par la réplique raciste qu'il venait d'encaisser; il était surtout triste de constater à quel point l'espèce humaine était capable d'une autodestruction aussi efficace.

Plus tard, vers 6 h 30, Marcel descendit de son engin afin de rencontrer Elena et de lui faire part de ses observations concernant José Léon. Il était fort conscient que cela mènerait au congédiement immédiat de l'hispanophone. Il ne pouvait compromettre la vie de ses collègues en opérant un appareil de plusieurs tonnes tout en ayant les facultés affaiblies.

En marchant vers l'escalier métallique adjacent à l'aire de déchargement numéro 3, il remarqua que la chargeuse sur roues de José était inopérante. Tout en cherchant du regard l'opérateur de la machine, il prit conscience peu à peu qu'un nœud lui nouait l'estomac. Son collègue mexicain n'était nulle part. Affolé par ce constat, il se mit à gravir les marches deux par deux et ouvrit la lourde porte donnant sur le corridor. Il l'aperçut qui se trouvait plus loin et qui marchait d'un pas hésitant vers les bureaux administratifs.

Le souffle coupé, Marcel remarqua qu'il tremblait de tous ses membres. Il était en train de faillir à sa tâche, à sa mission. En effet, un homme sexiste, drogué et violent se dirigeait vers le bureau d'Elena Perrot, sa supérieure qui venait de lui avouer avoir reçu des menaces de mort. Mais il n'était pas trop tard. Le grand Sénégalais se mit à courir afin de rattraper le fautif. Il lui cria de s'arrêter, mais l'hispanique se contenta de pousser la porte de bois tout en tournant la tête vers lui. Il lui lança le regard le plus sombre et le plus anéanti que Marcel ait jamais rencontré.

Il poursuivit sa course le long du corridor le plus rapidement qu'il le put, bien qu'il perçût le trajet comme interminable. C'est alors qu'il entendit un cri étouffé, suivi d'intenses pleurs. Affolé, il poussa enfin la porte des bureaux et se tourna vers le bureau d'Elena. La porte était fermée. Louise, debout derrière son bureau, regardait la scène terrifiée, ne sachant quoi faire à la suite des cris qu'elle venait d'entendre.

José Léon n'en pouvait plus. La vie s'était déchaînée sur lui tel un torrent. Tout s'écroulait autour de lui. Jamais il n'avait pensé un jour en arriver à ce point, mais il n'avait plus aucun choix. Il devait affronter Elena, une bonne fois pour toutes. Il ne pouvait se permettre de retarder ce moment plus longtemps.

Il s'était assuré que le changement de quart de travail était terminé avant de se retirer en douce vers le bureau de sa supérieure. Il avait été très contrarié d'apercevoir le grand Noir dans le corridor, mais avait décidé de poursuivre sa route, tel que prévu.

Arrivé en face d'Elena, l'homme en détresse était resté immobile un bref instant avant de se précipiter sur elle. Jamais il n'avait pensé avoir un jour aussi honte devant son impuissance.

Marcel ouvrit la porte du bureau brutalement, prêt à l'assaut. Ce qu'il vit le figea sur place. Son collègue se tenait, tout voûté, contre sa supérieure et pleurait bruyamment contre elle. Sur cette triste image, il ferma la porte et repartit travailler, soulagé.

Elena prit dans ses bras le dernier homme qu'elle aurait pu imaginer devoir un jour consoler. L'homme le plus antipathique qu'elle ait rencontré, le plus maussade, le plus irrespectueux, la personne la plus sexiste travaillant pour elle. Il était là, en pleurs, totalement démuni. Elle tenta de l'apaiser du mieux qu'elle le put.

Lorsque Marcel était entré en trombe dans son bureau, sa patronne lui avait fait un signe de la tête afin qu'il quitte les lieux. Le Sénégalais avait alors désamorcé la véritable bombe humaine qu'il était devenu et avait quitté les lieux, rassuré.

Après quelques sanglots intenses, José Léon accepta de s'asseoir et de boire un peu d'eau. C'est alors qu'il commença à lui parler, mais Elena avait peine à le comprendre. Ses propos étaient entrecoupés de pleurs. Le chagrin de l'homme était palpable et, surtout, profond. Ce que la jeune femme comprit de son discours lui donna des frissons dans le dos. Elle sentit même des larmes lui monter aux yeux en découvrant l'enfer dans lequel était plongé José Léon depuis plusieurs mois.

L'hispanophone habitait l'un des quartiers les plus difficiles de Montréal. La présence de gangs de rue était chose courante dans les boulevards et ruelles du secteur où il vivait avec son épouse et ses cinq enfants. La famille Fernandez vivait dans un duplex modeste, mais répondant tout de même à leurs besoins. Sa conjointe, Myra, parlait très peu le français et restait à la maison afin de prendre soin de sa famille. Le couple, marié depuis vingt-quatre ans, avait deux garçons âgés de treize et seize ans ainsi que trois filles, âgées de onze, quatorze et vingt ans.

L'aînée, Sophia, étudiait à l'Université du Québec à Trois-Rivières en communications sociales, programme exclusif à cette université. José Léon mettait tout en œuvre pour que sa fille ne manque de rien. Peu de temps après son arrivée sur le campus, elle avait trouvé un petit boulot dans un supermarché afin de subvenir à ses besoins. Mais l'aide financière de ses parents était encore essentielle.

Les quatre adolescents vivant à Montréal exerçaient également une pression non négligeable sur le portefeuille familial, bien que le plus vieux des garçons ait réussi à trouver un travail à temps partiel dans une petite boulangerie portugaise, qui aidait à bonifier légèrement les revenus familiaux.

Vers la fin du mois d'avril, la direction de l'école secondaire était entrée en contact avec les Fernandez concernant le comportement inquiétant du jeune Estéban. Les résultats scolaires du garçon de treize ans étaient en chute libre. Les registres démontraient également un taux d'absentéisme élevé, ce qui avait grandement surpris les parents. La mère avait observé certains changements chez Estéban, mais voyait dans le comportement de son fils celui d'un adolescent en pleine puberté.

Finalement, c'est en mai que le ciel était tombé sur la tête de la famille. Le garçon séchait ses cours afin de pouvoir flâner avec les pires rapaces du quartier. Pis encore, ses parents avaient découvert qu'il prenait régulièrement de la drogue. À treize ans, le jeune adolescent était accro à la cocaïne et au crack.

Dès lors, plus rien n'avait été comme avant dans le petit duplex des Fernandez. Crises, pleurs et tensions faisaient partie du quotidien. Tous étaient affectés par les déboires de l'adolescent. La mère avait consacré énormément d'énergie à la réhabilitation de son fils. Elle l'avait accompagné dans toutes les séances nécessaires à son rétablissement, pour finalement l'envoyer dans un centre de désintoxication. L'heure était grave pour le jeune homme.

Voir son fils dans un état aussi lamentable, aussi soumis à ces drogues euphorisantes avait complètement anéanti l'épouse de José Léon. Rapidement, elle avait sombré à son tour, mais cette fois-ci, c'est la dépression qui avait fait son apparition dans le domicile des Fernandez. Sous forte médication, Myra n'était plus que l'ombre d'elle-même. Ses émotions étaient à fleur de peau et elle vacillait constamment entre un état léthargique et un sommeil végétatif. Rien de rassurant. Les trois enfants vivant encore à la maison devaient généralement se débrouiller seuls, en raison des horaires exigeants de leur père.

Pour ajouter à leur malheur, le pire des scénarios s'était produit le 18 juin précédent. Vers 2 h 30 du matin, José Léon avait reçu un appel de Trois-Rivières. Il avait appris que sa fille Sophia venait d'être violée par deux étudiants. Elle avait été tabassée suffisamment sérieusement pour être hospitalisée et gardée en observation pour un temps indéterminé. Le père, dans tous ses états, avait pu discuter avec sa fille aînée. Elle était encore sous le choc, mais, surtout, furieuse. En pleurs, elle lui avait demandé de venir la rejoindre, ce qu'il avait fait. Il avait passé la journée du dimanche à son chevet. Finalement, il avait pu la ramener à Montréal le soir même.

— Depuis plus d'une semaine, nous nous occupons de notre fille. Elle va mieux et elle portera plainte, précisa le père bouleversé. C'est terrible, l'ambiance à la maison. Mon fils va revenir dans une semaine et ce n'est pas l'idéal comme situation.

L'homme fit une pause et éclata de nouveau en sanglots.

— José ? Que puis-je faire pour toi ? Pour ta famille ? J'apprécie le fait que tu sois venu me parler. Dis-moi comment t'aider, s'il te plaît, l'implora Elena, très émue par la tragédie que vivait son employé. Je sais que cela t'a demandé beaucoup de courage de venir me parler. On ne se le cachera pas, notre relation est loin d'être… saine. Alors, sache que je conçois parfaitement le cran dont tu as fait preuve ce matin.

— Je ne voulais pas venir te parler de tout ça. Pas à toi. Il est vrai que l'on ne s'apprécie pas tous les deux, soyons francs. Mais je n'ai pas eu le choix. J'ai honte de te le demander.

— Quoi donc ?

— J'aimerais prendre quelques jours de congé.

— C'est tout ? Mais certainement ! C'est tout à fait normal, voyons ! Tu pourrais retourner avec Sophia à Trois-Rivières et l'aider dans ses démarches. C'est l'évidence même !

— Vraiment ?

— N'importe qui en ferait autant, José Léon. Prends le temps qu'il te faut, c'est trop important. Les gars s'entraideront, tout ira bien.

— Oh ! merci, Elena. Je ne m'y attendais pas.

— Ce n'est pas parce que je ne tolère pas ton attitude en général que tu n'as pas le droit de profiter de quelques jours de congé en période de crise !

— Je pourrai partir après le lunch ? J'aimerais acheter un petit cadeau à ma fille. Je ne sais pas quoi encore, mais elle le mérite.

— C'est une bonne idée. Elle a un téléphone cellulaire ?

— Oh non ! c'est beaucoup trop cher. Mais elle adorerait ça, c'est certain.

— Allez, José, tu peux partir la tête tranquille. J'aimerais par contre que tu me téléphones pour m'informer de la date de ton retour. Tiens-moi au courant pour que l'on puisse planifier nos horaires en conséquence.

— Merci, Elena.

Il se leva et la regarda un moment. En lui faisant un petit signe de la tête, il se dirigea vers la porte et sortit. Elena resta un moment debout, appuyée sur son bureau. La scène qu'elle venait de vivre était absolument surréaliste. Mais tout avait du sens ; qui n'aurait pas eu le goût de tout démolir sachant que sa fille avait été violée à deux reprises ? Elena aurait probablement défoncé bien plus qu'un casier de métal.

Elle sut que sa relation avec son employé venait de changer, mais elle était encore convaincue qu'il n'acceptait pas qu'elle soit sa supérieure. Un léger dédain était toujours palpable dans son regard.

José Léon quitta le poste de transbordement, résolu à passer plus de temps avec sa famille. Il devait avouer avoir sous-estimé la bonté de sa supérieure. Il décida de juger à son retour si sa perception de la jeune femme devait changer ou non.

Assise dans sa voiture, toujours immobilisée dans le stationnement avant du poste de transbordement, Elena
constata à quel point elle avait eu du mal à passer au
travers de cette journée. Elle avait été sur le pilote automatique lorsqu'elle avait vérifié les registres, rencontré
l'entrepreneur responsable de la réparation du toit de
l'entrepôt (qui coulait encore), supervisé les activités
de transbordement, signé divers documents nécessaires à
la facturation, bref, elle avait eu l'impression de vivre
chaque heure de cette journée comme si elle avait été
aveuglée par un épais brouillard.

Car, malgré toutes les facettes peu reluisantes de
son employé en détresse, Elena ne pouvait ressentir autre
chose qu'une profonde tristesse et, surtout, une terrible
culpabilité face au calvaire qu'il vivait. Elle aurait peut-
être pu, si elle avait suivi les conseils de son ancêtre, éviter
le viol qu'avait subi la pauvre Sophia Fernandez.

L'apprentie chamane avait compris, en ce mercredi maussade, qu'Aimée Perrot ne s'obligeait pas à
réaliser périodiquement une série de transes pour ses
proches uniquement par simple curiosité ou par responsabilité sociale. Non, Elena avait compris que son
ancêtre passait en revue le destin de sa famille et de ses
amis afin de ne pas vivre avec cette écrasante culpabilité
que venait de découvrir la femme de trente-deux ans.

Toujours immobile dans son véhicule, elle prit son
portable et téléphona à David. Ils devaient se voir ce
jour-là, tous deux incapables d'attendre plus longtemps
de se retrouver.

— Bonjour, Elena. Et puis, il est parti ? demanda-t-il, faisant référence à la discussion qu'ils avaient eue plus tôt.

— Oui, mais il est parti sans rien dire. Écoute, je sais que nous avons convenu que tu viendrais manger chez moi ce soir, mais je ne sais pas si ce sera possible. En fait, tu peux venir chez moi, sans problème, mais nous risquons plus de manger de la pizza qu'un bon petit plat que je t'aurai concocté. Je dois faire un saut chez ma grand-tante Henriette. Je vais faire en sorte d'être chez moi vers 18 h. Ça t'ira ?

— Aucun problème, Elena. J'ai justement un peu de paperasse à remplir, ici. Je terminerai un peu plus tard et j'irai directement chez toi ensuite. Ta grand-tante va bien ?

— Oui, elle va bien. Ne t'inquiète pas… J'avais simplement promis d'aller la voir, mais j'ai oublié. Alors je vais aller faire un petit saut pour lui dire un beau bonjour, mentit honteusement la jeune femme.

— Alors, à ce soir !

Elle mit le contact et démarra en trombe. Elle devait arriver chez Sam vers 16 h 45, ce qui lui laissait amplement le temps de discuter avec sa parente.

Arrivée au complexe pour personnes âgées, Elena dut entreprendre une véritable enquête afin de déterminer où se trouvait Sam. Après avoir sonné à plusieurs reprises à son appartement, elle discuta avec une préposée afin de s'assurer que sa grand-tante n'était pas souffrante. En apprenant qu'elle était en aussi grande forme que lors de sa précédente visite, elle entama une chasse à l'homme qui prit plus de vingt minutes. Elle

226

finit par la trouver au premier sous-sol, en train de jouer aux quilles avec quelques comparses.

— Elena ! Mais quelle belle surprise ! Nous avons justement terminé notre partie, et nous allions manger tous ensemble. Tu te joins à nous ?

— Bonjour, Sam… Je n'ai pas beaucoup de temps, je voulais simplement parler avec toi quelques minutes.

— Tu es au courant qu'Alexander Graham Bell, au 19e siècle, nous a offert une incroyable invention qui s'appelle le téléphone ?

— Je sais, mais je préférais te parler en personne.

— Ah bon, je comprends. Viens au comptoir et discutons un instant, proposa la vieille dame, tout en faisant signe à ses amies de poursuivre sans elle.

Elena détestait l'endroit, la musique était médiocre, tout comme l'ambiance et l'éclairage jaunâtre. Elle en conclut qu'elle détestait tout simplement les quilles, peu importe le lieu.

— Il est arrivé quelque chose d'assez intense au travail aujourd'hui. L'un de mes employés m'a avoué que sa fille aînée a été victime d'un double viol.

— Doux Jésus ! C'est atroce.

— Oui, en effet. Depuis sa confidence, j'ai découvert ce qu'est la culpabilité d'un chaman. Ce n'est pas comme pour Marco, car à dix-sept ans, je n'avais pas conscience de mes facultés. Mais aujourd'hui, c'est différent. J'aurais pu l'anticiper… et intervenir.

— Peut-être, mais cet employé ne fait pas partie de ta famille immédiate. Tu ne peux te concentrer sur tous les gens que tu connais, c'est impossible. Tu n'as pas à te sentir coupable… Mais je comprends ton sentiment. Tu me fais beaucoup penser à Aimée en ce moment.

— Elle a vécu cela aussi, n'est-ce pas ?

— Oui, Elena. C'est arrivé à quelques reprises, mais elle s'est adaptée.

— En faisant des transes régulièrement pour ses proches, c'est ça ?

— Oui, elle notait tout dans un petit calepin, pour être certaine de n'oublier personne. C'était exigeant, mais souvent, en une seule journée, elle faisait pas mal le tour de son petit monde.

— Une journée ! Mais après une transe, même si, dans les faits, elle ne dure qu'une minute, je me sens si épuisée !

— Les effets s'amenuiseront avec le temps. Il faut beaucoup de volonté… et de pratique.

— Et puis, j'ai une autre question. Pourquoi, selon toi, est-ce que je vis de plus en plus de transes non contrôlées ? Je veux dire, pourquoi en vivre deux en trente-deux ans et, soudainement, en vivre une ou deux par semaine, si ce n'est pas plus ? demanda la jeune femme.

— Ouf ! Bonne question. Ce que je vois, c'est que ça semble lié à la maturité. Les chamans atteignent leur maturité, après un bon entraînement, il va sans dire, vers la trentaine. Je crois que tu étais enfin prête et mûre pour converser avec les esprits. Ce que tu as connu plus jeune est assez exceptionnel et doit relever d'un grand pouvoir en toi. Je suppose que tu seras très puissante un jour. Si tu t'y mets, bien entendu.

— Aimée n'a pas eu de vision lorsqu'elle était jeune ?

— Je ne me souviens pas qu'elle m'en ait parlé. Je sais qu'elle se savait différente, mais que cela est arrivé vers l'adolescence. Tu n'as pas réessayé, c'est ça ?

— Non, je n'en ai pas le goût, car, de toute façon, je fais encore des transes spontanées et l'effet est le même, précisa Elena, en pensant justement à la vision du couteau la poignardant qu'elle avait toujours en tête.

— Tu sais que plus tu pratiques des transes contrôlées, plus les esprits cesseront de t'importuner avec ces *rêves* fortuits.

— Tu crois vraiment ?

— Oui, répondit la vieille dame après avoir pris une gorgée d'eau.

— Aimée faisait-elle parfois des erreurs d'interprétation ?

— Rarement, je dois dire ! Mais elle m'a dit en avoir fait au début. Tu sais, je l'ai connue alors qu'elle avait environ trente-neuf ans, elle était déjà active depuis un moment. Les erreurs de sa part à cette époque étaient rarissimes.

— Oh ! Sam… je me sens si dépassée par les événements ! J'ai peur de refaire des transes, mais je déteste cette culpabilité qui me ronge.

— Le regret et la culpabilité peuvent venir à bout de quelqu'un, tu le sais ? Ce sont tes pires ennemis, car ils peuvent te ronger de l'intérieur. Elena, tu dois suivre ton instinct, tu dois te laisser aller. Ce sera toujours le bon choix.

— Merci, Sam. Désolée d'avoir interrompu ton programme avec tes amies. Je dois partir maintenant, quelqu'un m'attend.

— Un homme ?

— Eh oui, tu te rends compte ! Il s'appelle David. C'est encore tout nouveau… Une chance qu'il est là ! Il me fait du bien. Toi aussi, d'ailleurs.

— Tu lui as parlé de chamanisme ?

— Non ! Je… je ne crois pas que je vais lui en parler, d'ailleurs !

— Tu devras pourtant, un jour…

Satisfaite de sa rencontre, Elena regagna rapidement sa Ford Focus afin de retrouver son nouvel amoureux. Il était déjà 17 h 40. Elle devait se hâter pour ne pas le faire attendre.

Tout en conduisant, elle réfléchit aux propos qu'elle venait d'avoir avec Henriette. Elena n'avait pas parlé de la peur qui la terrassait depuis lundi. Elle ne voulait surtout pas l'inquiéter.

Maintenant convaincue que la main au poignard n'était pas celle de José Léon, elle ne savait vraiment plus quoi en penser. Qui lui en voulait suffisamment pour vouloir l'attaquer, voire la tuer ? Elena devait éclaircir ce flash du couteau. Peut-être devait-elle faire comme son ancêtre chamane et tenter de revivre la transe à maintes reprises afin d'y découvrir des indices. La jeune femme ne s'en sentait pas capable. D'abord, d'un point de vue technique : comment faire abstraction d'un poignard la transperçant afin de se concentrer sur les détails environnants ? Comment bien analyser cette scène qui ne durait que quelques secondes ? Elena songea à un second aspect encore plus inquiétant : celui de la douleur. Qu'elle fût physique ou psychologique, revivre à répétition une scène où l'on se faisait poignarder n'avait rien de réjouissant.

Le plus éprouvant pour elle, c'était le fait de ne pouvoir en parler à personne. Seules Sam et Charlotte connaissaient ses étranges facultés. Mais l'existence récente de cette peur qui l'empoignait à la gorge depuis trois jours faisait encore partie du jardin secret d'Elena.

Et maintenant, la culpabilité venait se joindre au cocktail explosif qui prenait forme dans son corps tout entier. David allait certainement se rendre compte des profondes préoccupations qui la terrassaient depuis leur dernier rendez-vous, le samedi précédent. Et elle savait trop bien que le mensonge n'était guère un ingrédient de choix dans la recette du bonheur à deux. Elle allait donc devoir prendre une décision.

Chapitre 7
La confusion

Mercredi 29 juin 2011

Installé dans un café de la rue Peel, le jeune homme dégustait un panini jambon-fromage tout en feuilletant un vieux journal qui traînait sur une table. Il ne le parcourait que distraitement. En fait, il se sentait quelque peu euphorique ce mercredi-là, et ce, malgré le temps gris omniprésent. Andrew McRay rayonnait. Car il était sur la voie de la réussite, il le sentait.

Enfin, sa vie avait pris un nouveau tournant, comme il l'avait tant voulu. Il venait même d'obtenir un petit contrat qui le remplissait de joie. Il allait en fin de compte pouvoir renouer avec sa passion en enseignant l'histoire celtique à l'Université McGill. Il était chargé de cours adjoint, mais cela lui convenait amplement, car son travail à temps partiel lui permettait de vaquer à ses autres occupations. Il reprenait finalement le contrôle de sa vie et de son esprit.

Alors qu'il terminait son café et engouffrait sa dernière bouchée de pain, son regard s'arrêta sur un petit article dans la section des faits divers. En lisant le texte, il apprit qu'un squelette en morceaux avait été découvert à Constance Bay, dans la région d'Ottawa. La Police provinciale de l'Ontario ne pouvant identifier la victime étant donné son état, des analyses en laboratoire étaient prévues afin d'élucider ce sordide homicide.

Il referma le quotidien d'un geste brusque et scruta la une. Le journal était daté du samedi 25 juin 2011. Cela faisait donc six jours que le corps de Christelle avait été découvert.

En 2005, Andrew McRay était âgé de vingt-quatre ans. À la fin de ses études universitaires de deuxième cycle, le jeune homme s'était trouvé un emploi au Musée canadien des civilisations, à Gatineau. Il s'y était installé et avait croisé le chemin d'une jolie Québécoise du nom de Christelle Rivard, avec qui il avait filé le parfait amour durant plusieurs mois.

La jeune femme de vingt ans, sans histoire, était rapidement tombée amoureuse du séduisant Ontarien. Elle vivait encore chez ses parents, mais au fil des mois, elle s'était mise à passer la majorité de ses fins de semaine à l'appartement de son amoureux. Quant au jeune homme, après de nombreuses aventures passagères lors de son passage en Nouvelle-Écosse, il vivait enfin sa première véritable histoire d'amour.

La belle blonde étudiait afin de devenir secrétaire juridique et occupait à temps partiel un poste de commis à la pharmacie de son quartier. Andrew et elle se voyaient principalement le week-end, étant tous les deux très pris par leurs horaires respectifs durant la semaine.

C'est en mars 2006 que l'on avait nommé Andrew coordonnateur de l'exposition spéciale sur les artefacts et armes datant de l'époque celtique. Il adorait sa nouvelle affectation, et cette période avait incontestablement été l'une des plus belles de sa vie.

Malgré leur bonheur, une ombre au tableau persistait : l'odieux Bertrand Rivard. Son amoureuse confiait régulièrement à son amant l'emprise que son père avait sur elle. La jeune femme avait été élevée dans une discipline de fer et elle n'en pouvait plus de la pression paternelle qu'elle devait endurer quotidiennement. Et, évidemment, il n'était pas question qu'elle quitte la maison avant d'avoir terminé ses études.

Par chance pour elle, son calvaire avait pris fin au cours du printemps 2006. En effet, Bertrand était subitement décédé d'une crise cardiaque, le soir du 4 mai. Christelle Rivard n'avait versé aucune larme à son enterrement.

Peu de temps après, elle avait demandé à Andrew si elle pouvait emménager chez lui. Il avait accepté, voyant cette démarche comme le début d'une vie de couple paisible. Mais la suite des choses ne s'était pas déroulée comme il l'avait espéré.

Après la mort de son père, sa conjointe des derniers mois avait changé du tout au tout. Pour la première fois de sa vie, elle s'était sentie libre, vivante et en plein contrôle de son existence. Elle s'était mise à faire des projets, à modifier son look, à réorienter son choix de carrière, et même à redécorer l'appartement de son petit ami. Tous ces changements presque simultanés déstabilisèrent complètement Andrew.

Il avait rapidement pris conscience que la situation éveillait en lui un sentiment d'insécurité et de panique incontrôlable. Il avait tenté par tous les moyens de prendre le dessus : il ne voulait pas faillir. Une partie de lui désirait déployer tous les efforts nécessaires afin d'encourager sa copine dans son épanouissement personnel. Mais sa volonté avait un ennemi, une facette de sa propre personne qu'il n'arrivait pas à apprivoiser. Cette autre part de lui-même, beaucoup plus malfaisante et compulsive, refusait de perdre son emprise sur la jeune femme et de s'adapter à cette nouvelle situation. Ce sombre côté détestait systématiquement toute perte de contrôle, tout changement hors de sa volonté, comme il l'avait tant subi au cours de son enfance.

Pendant plusieurs semaines, l'homme paniqué avait essayé de refouler ce monstre intérieur qui grandissait en lui tel un cancer. Christelle ne se doutait de rien et semblait vivre sur son nuage. Un nuage qui s'éloignait de plus en plus de celui d'Andrew. La renaissance pourtant normale de sa bien-aimée représentait pour lui un symbole de destruction. Il avait tenté de contrôler ses ardeurs, d'éteindre ce feu qui prenait racine en lui, mais en vain. Au cours de la nuit du 8 juillet 2006, Christelle Rivard était sauvagement assassinée, démembrée et décapitée par un Andrew complètement aveuglé par la rage.

En pleine nuit, il l'avait transportée, inconsciente, à Constance Bay, où il était certain que personne ne l'apercevrait en train d'achever son horrible besogne. L'endroit était idéal, en retrait des habitations, en plus d'être en bordure d'un boisé. Son plan avait fonctionné à la perfection, bien qu'il se fût préparé à quelques heures seulement du moment fatidique.

Après avoir pris toutes les précautions nécessaires, notamment en cachant soigneusement la dague celtique qui lui avait servi d'arme, il avait signalé la disparition de sa petite amie aux autorités. Son corps n'avait jamais été retrouvé, et son conjoint avait été lavé de tout soupçon, après une longue enquête infructueuse.

Pour lui, la fin de sa relation avec Christelle était survenue le jour de la mort de Bertrand Rivard. Il avait longtemps pleuré la mort de la jeune femme, qu'il avait réellement aimée, et avait été profondément déçu de sa propre défaillance. Mais encore une fois, il n'avait pas eu d'autre choix que de se soumettre devant cette partie démoniaque de sa conscience.

Sa peine était cependant sincère et, encore aujourd'hui, il reconnaît être déstabilisé par la nouvelle qu'il venait de lire. Il se leva enfin et partit, d'un pas lent, vers le campus où il devait donner son cours.

* * *

Assis au bureau de Richard, David regardait en boucle les séquences vidéo datées du 18 et du 24 mai précédent. Accoudé à sa table de travail, le policier affichait une certaine déception.

— Bon… Nous savons maintenant que notre suspect est de race blanche, qu'il doit avoir moins de quarante ans, mesurer autour d'un mètre quatre-vingt-dix et peser entre quatre-vingts et quatre-vingt-quatre kilos. Ce n'est pas si mal !

— Ouais, au moins on avance… Mais c'est fou à quel point nous ne sommes pas chanceux dans cette

237

enquête! Nous avons deux séquences vidéo, un bon éclairage, deux angles différents et aucun visage! Rien. *Niet. Nada.*

Les vidéos provenant de la banque, de l'autre côté de la rue, offraient un bon plan du présumé agresseur, mais seulement de dos. Sur la séquence du 18 mai, les policiers avaient validé la présence du suspect dans la cabine téléphonique à l'heure exacte de l'appel au restaurant où travaillait la jeune Warren. L'homme portait un t-shirt vert ainsi qu'un jeans délavé. La conversation avait duré huit minutes et quatorze secondes.

Sur la séquence du 24 mai, le nouvel amoureux de Lina l'appelait sur son cellulaire de la même cabine téléphonique. Il portait une chemise blanche à manches courtes, un pantalon cargo beige ainsi qu'une casquette. La conversation avait été passablement agitée et plus brève. Dans les deux cas, son visage était caché lorsqu'il était sorti après avoir donné ses coups de fil, soit par un homme qui passait devant lui, soit par la palette de son couvre-chef. Les deux fois, le suspect s'était rapidement retourné, afin de marcher dans le sens opposé à la caméra.

Pour ce qui était des visionnements provenant du restaurant situé à côté de la cabine téléphonique, les résultats étaient tout aussi décevants. Un groupe de touristes japonais se trouvaient juste au mauvais endroit lors de la séquence du 18 mai. Et, comble de malheur, aucune séquence n'était disponible pour le 24 mai puisque la caméra de surveillance en question avait rendu l'âme un jour plus tôt.

— Il est certain que la silhouette peut aider. Il faudrait aller refaire un tour dans le quartier de Lina avec des photos de ces visionnements. Peut-être que quelqu'un va se rappeler l'avoir vu. Tu veux bien t'en occuper, Richard ? Durant ce temps, j'irai faire un tour au restaurant où travaillait Lina. Elle a confié à sa collègue Johanne que son copain était un client du resto. On verra bien ce que ça donnera avec le peu que nous avons sur lui.

— Dommage que le restaurant La Venezia ne possède pas de système de surveillance...

— Bien dommage, en effet, approuva David.

— Tu veux que je m'occupe de l'impression des photos ?

— Oui, merci, Richard. Je dois aller faire un petit compte rendu au lieutenant-détective, répondit David tout en se levant.

— Des nouvelles de l'OPP ? demanda l'agent Brunet.

— Non, pas encore. Le contact que nous avons, le lieutenant Dussereault, a promis de me joindre dès qu'il y aurait du nouveau des médecins légistes. En attendant, je crois que je vais prendre ma journée de demain pour visionner les séquences vidéo du trottoir de la rue Sherbrooke du mois de mai en entier, au cas où j'aurais la chance d'apercevoir notre homme.

— Plutôt fastidieux comme travail, non ?

— Bah... Il faut bien s'occuper pour ne pas perdre espoir ! répliqua David, en se dirigeant vers le bureau de son supérieur afin de lui faire part des prochaines étapes de l'enquête.

* * *

Vendredi 1er juillet 2011

Elena, nerveuse, se dirigeait vers le domicile de son nouveau compagnon. Cette tension était essentiellement due au fait qu'elle avait finalement pris une grande décision. Ce soir-là, elle allait lui confier à quel point sa vie avait pris une toute nouvelle tournure depuis la dernière semaine et à quel point sa peur récente lui empoisonnait l'existence. David lui avait posé des questions le mercredi précédent, mais elle avait prétexté une migraine.

Sachant bien qu'elle ne pourrait gérer cette situation seule, elle avait décidé qu'il fallait en parler à quelqu'un : même si le flash du couteau n'était pas venu hanter son sommeil une seconde fois, même si, depuis plusieurs années, Elena avait pris l'habitude de ne se confier qu'à Charlotte ou à Sam. Cette fois-ci était différente. Cette fois-ci, il y avait un homme dans sa vie. Et elle ne voulait parler à personne d'autre.

Lorsqu'il lui ouvrit la porte, une force inexplicable la projeta vers lui. Elle lui sauta au cou et ils restèrent un moment enlacés. Bien qu'ils se soient vus deux jours plus tôt, Elena était incontestablement en manque de la chaleur qui émanait de l'homme en face d'elle.

— Je t'ai manqué on dirait, blagua le grand policier.

— Tu n'as pas idée, avoua-t-elle, de plus en plus convaincue que ce qu'elle ressentait pour lui se rapprochait de l'amour.

— Jeffrey va te pardonner cette fois-ci ?

— Probablement ! Et puis, il se fiche de ma présence. Ce qu'il veut, c'est de la bouffe ! Aussi, j'ai prévu le coup cette fois-ci, dit-elle tout en lui montrant sa petite valise contenant ses effets personnels.

— Alors, cette migraine, elle a fini par passer ?

— Justement, parlant de cette migraine…

Elena alla s'asseoir confortablement dans le fauteuil en cuir du salon et accepta volontiers le verre de vin blanc que lui offrait David. Elle le regarda un instant avant de poursuivre :

— Comment avance ton enquête ?

— Non ma chère, ne me fais pas marcher ! Qu'allais-tu me dire ?

Après avoir pris une impressionnante gorgée de vin et l'avoir bruyamment avalée, elle affirma à brûle-pourpoint :

— J'ai peur.

— Pas de moi, j'espère !

— Pas encore, non. Sérieusement, David, j'ai vraiment peur. Ça m'empêche de respirer ! avoua-t-elle en le fixant d'un regard implorant.

— Mais, de quoi ?

— De qui, tu veux dire ? J'ai peur de quelqu'un qui me veut du mal. Qui veut même ma mort.

— Quoi ? Mais qu'attendais-tu pour me le dire ? Dis-moi de qui il s'agit, et…

— Écoute, je ne sais pas de qui il s'agit ! le coupa-t-elle. Je le sais, c'est tout. Je me sens en danger. C'est la première fois que cela m'arrive. C'est très fort, tu n'as pas idée. Je pensais oublier, mais la peur est désormais bien ancrée en moi, expliqua Elena, le plus sérieusement du monde. Tu sais, je n'ai jamais eu de migraine de ma vie…

— Je vois… Et tes inquiétudes sont basées sur quoi ? Tu dois avoir un petit indice tout de même ? Aide-moi à t'aider !

— Je te dirais que je me base sur mon instinct féminin, qui est infaillible, soit dit en passant, répondit la jeune femme, substituant volontairement ce présumé instinct au chamanisme. Je ne voulais pas t'en parler, mais c'est devenu insupportable.

— Tu as vraiment peur ?

— Oui, vraiment… avoua Elena, les yeux emplis de larmes.

Son amant déposa son verre sur la table et en fit de même avec le sien. Il se pencha ensuite vers elle et l'embrassa tendrement. Tout en l'enveloppant de ses bras, il tenta de la rassurer du mieux qu'il put. Il lui promit de la protéger, coûte que coûte.

Si David était en mesure d'assurer sa protection lorsqu'il était avec elle, il ne pouvait la faire suivre vingt-quatre heures sur vingt-quatre. Pourtant, il la croyait sur parole, car la femme de trente-deux ans qu'il tenait dans ses bras, si imperturbable d'habitude, semblait totalement terrifiée.

— Tu es la femme la plus forte et déterminée que je connaisse, Elena. Je suis certain que tu passeras au travers. On le fera ensemble.

— Je vais me ressaisir, je le sais. Mais j'avais besoin d'en parler. Ça fait tant de bien !

— Tu sais… je pourrais t'aider davantage.

— Non, je ne veux pas de garde du corps devant chez moi, répondit-elle, pensant deviner sa pensée.

— Ce n'est pas à cela que je faisais référence, je ne le pourrais pas de toute façon. En fait, pour cela, il faut un doute raisonnable basé sur un fait ou une preuve quelconque. Par contre, je pourrais te procurer un petit *taser*, un pistolet électrique. Ça ne tue personne, en principe, mais ça fout la trouille à quiconque t'importune.

— C'est légal ?

— Ça, c'est la police qui décide, dit-il en lui faisant un clin d'œil.

— Il est certain que ça me rassurerait d'en avoir un sur moi.

— Alors, je m'en occupe. Allez, prends ton verre et accompagne-moi à la cuisine. Ce soir, je te concocte mes escalopes de veau au marsala.

Elena se leva d'un bond, libérée d'un lourd fardeau. Elle se sentait incroyablement bien en la présence de David. Et, surtout, en sécurité. Elle avait aimé lui parler et se demanda comment il réagirait s'il apprenait qu'elle était chamane. Mais elle chassa cette idée de son esprit. Il n'était pas question d'alourdir l'atmosphère à nouveau.

Le romantique détective maîtrisait l'art de cuisiner avec efficacité et élégance. Il était beau à voir dans son tablier et avait une allure de grand chef. La jeune femme était heureuse de rester chez lui pour le weekend, même si elle allait devoir travailler quelques heures au poste le samedi suivant. Il était de plus en plus difficile pour elle de se séparer de ce gaillard au cœur tendre.

* * *

— Allons, tu ne peux pas me renier comme ça ! Je suis ta mère, après tout. Je t'ai élevé seule. Tu me dois au moins ça !

— L'argent que je t'ai envoyé la dernière fois, tu l'as certainement bu.

Andrew l'entendait se plaindre et lui ordonner de lui envoyer de l'argent. Il l'avait déjà fait par le passé, mais l'avait amèrement regretté. Il se demandait même pourquoi il avait pris la peine de lui téléphoner en ce premier dimanche de juillet. Peut-être voulait-il vérifier si elle était encore en vie ? Il aurait bien espéré qu'elle ne réponde pas. Sans doute la meilleure solution était-elle de se rendre à Ottawa et d'en finir une bonne fois pour toutes avec elle… Car il savait que s'il se retrouvait de nouveau face à face avec son ignoble mère, son monstre intérieur ne serait tout simplement pas maîtrisable.

Il finit par lui raccrocher au nez, incapable d'entendre sa voix une seconde de plus. Il regretta de lui avoir parlé. Il voulait tant oublier son enfance, oublier l'enfer qu'il avait vécu jusqu'à son départ pour la Nouvelle-Écosse !

Somme toute, le jeune McRay jugeait qu'il avait bien su s'en sortir. Il n'était ni névrosé ni narcissique. Grâce à son intelligence et à sa grande culture, il avait su tirer son épingle du jeu, et il avait même cru un instant avoir réussi à se sortir indemne de sa pénible enfance.

Jusqu'à ce qu'il ait eu treize ans environ, Irène McRay veillait à ce que son fils unique reste cloîtré à la maison familiale. À part l'école, le garçon n'avait aucun droit de sortie. Sa mère, contrôlante, prétextait que les autres n'étaient pas assez bons pour lui et que sa place se trouvait chez lui, auprès d'elle. Irène détenait une véritable emprise sur son fils. Malgré tout, Andrew réussissait haut la main tous ses cours, ce qui n'avait rien pour l'aider à diminuer son impopularité grandissante à l'école. Il ne pouvait avoir de véritable ami. Sa mère lui refusait même l'utilisation du téléphone. Pour passer le temps, il s'était mis à lire tout ce qu'il trouvait : qu'il s'agisse de romans, de revues à potins, de boîtes de céréales, d'encyclopédies, d'essais littéraires ou de manuels scolaires…

L'année de ses neuf ans avait été particulièrement marquante pour le jeune garçon solitaire qu'il était devenu. À cette époque, Irène avait perdu son emploi et son amoureux en moins d'une semaine. Elle avait alors rapidement sombré dans les bas-fonds de l'alcoolisme, ce qui n'avait guère facilité sa relation déjà atypique avec son fils.

Arrivé à l'adolescence, Andrew avait ressenti le besoin tout à fait normal d'enfreindre les règles de sa mère. Cela était devenu possible, puisque Irène s'absentait de plus en plus ou errait dans la maison tel un zombie. Son besoin d'ingurgiter d'astronomiques quantités de gin avait atteint son paroxysme. Cela permettait donc au jeune adolescent de filer en douce sans qu'elle en eût vraiment conscience. Le simple fait de pouvoir enfin marcher librement à l'extérieur le comblait. Il avait rapidement réalisé que sa mère l'avait littéralement privé d'une liberté qu'il commençait à peine à découvrir. Il pouvait désormais passer de longs moments à déambuler dans les rues de son quartier.

Malgré ses habitudes de solitaire, il avait tout de même réussi à se lier d'amitié avec quelques jeunes de son voisinage. À l'âge de quinze ans, il comptait quelques amis et prenait de plus en plus d'assurance. Voulant paraître le plus normal du monde, il faisait tout en son pouvoir pour socialiser avec les autres, et ses efforts avaient porté leurs fruits. Il ne s'approchait cependant pas des jeunes filles, car il en était tout simplement incapable. En effet, la seule femme qu'il eût fréquentée dans sa vie se trouvait probablement endormie saoule quelque part chez lui. Pourtant beau garçon, Andrew repoussait systématiquement toutes les adolescentes qui lui démontraient un quelconque intérêt.

Lorsque la mère du jeune garçon retrouvait une certaine lucidité, elle s'entêtait à appliquer les mêmes règles strictes qui avaient façonné son enfance. Cependant, même s'il était toujours aussi intimidé par elle, il la confrontait de plus en plus lors de leurs nombreuses altercations.

Un soir, Irène s'était aperçue que son fils n'était pas rentré à l'heure prévue. La scène qui s'ensuivit avait été terrible, car la règle était pourtant claire: aucune sortie après l'école. Cette journée-là, il avait commis sa première erreur.

Sa mère, revenant d'un entretien afin d'obtenir un poste de secrétaire chez un concessionnaire automobile, n'avait pas bu cet après-midi-là. Malheureusement pour Andrew, il avait tenu pour acquis qu'il avait la voie libre et était parti traîner dans le parc avec ses copains. Lorsqu'elle était rentrée vers 17 h, ne trouvant pas son fils à la maison, elle était devenue folle de rage. Afin de le punir, elle avait décidé de l'enfermer dans la chambre froide du sous-sol pour un certain moment. Grâce à la petite ampoule de la pièce, il avait passé la première heure à lire les étiquettes de boîtes de conserve empilées sur les étagères.

Comble de malheur pour lui, sa mère l'avait complètement oublié cette nuit-là. Après avoir avalé pratiquement une bouteille de gin à elle seule, elle s'était endormie, ivre, sur le canapé. Ce n'était qu'au petit matin qu'elle avait entendu les coups répétitifs d'Andrew au plafond de la chambre froide. Il venait de vivre la pire nuit de toute sa vie. Souffrant d'une légère hypothermie, il avait dû manquer la matinée de cours afin de se remettre de son calvaire. Alors qu'il était sous la douche ce fameux matin-là, il avait réalisé à quel point il détestait sa mère.

Les années qui avaient suivi avaient été pénibles pour le jeune homme. Irène avait redoublé d'ardeur afin de le surveiller constamment. Par chance, ses excellents résultats scolaires lui donnaient libre accès à toutes les universités. Vivant en partie grâce à l'héritage de ses grands-parents, l'étudiant s'était empressé de choisir un programme universitaire avant que sa mère ne dilapidât entièrement leur principale source de revenus.

Il avait donc choisi l'université avant tout, s'assurant d'une distance suffisante entre lui et cette femme qu'il désirait tant fuir. Elle fut d'ailleurs complètement démolie et impuissante face au départ de son fils unique. La première année d'études en Nouvelle-Écosse avait été très stimulante pour Andrew. Non seulement il adorait les études celtiques qu'il avait entamées à tout hasard, mais, en plus, son passé de garçon solitaire était resté loin derrière lui.

Il avait cependant d'énormes difficultés avec les jeunes étudiantes, toutes plus jolies et entreprenantes les unes que les autres. Il s'était donc forcé à avoir quelques aventures sans lendemain avec certaines d'entre elles, afin de parfaire son éducation sexuelle. Mais, surtout, il agissait de cette façon afin de sembler le plus normal possible.

À présent, Irène vivait sans le sou et, de toute évidence, était toujours aussi dépendante de l'alcool. Andrew avait honte de penser qu'aujourd'hui cette femme dépravée et complètement à la dérive s'avérait être sa propre mère. Il aurait aimé se débarrasser de ce fardeau qu'il tentait quotidiennement de nier. Après le meurtre de Christelle, il avait même eu envie d'aller la retrouver et de l'éliminer de sa vie pour de bon. Car il savait que ce monstre qui prenait quelquefois place en lui devait être étroitement lié, d'une manière ou d'une autre, à la haine qu'il entretenait pour cette femme. Mais il s'était retenu, et l'impulsion de partir pour Ottawa la retrouver s'était évaporée quelques jours plus tard.

À l'époque, il était convaincu que s'il apportait quelques changements à sa vie, il pourrait repartir à neuf et contrôler le mal qui faisait soudain irruption du plus profond de lui-même. En ce dimanche matin, il constatait une fois de plus qu'il avait échoué avec Lina. Lui, qui était pourtant si enjoué il y avait de cela quelques jours, était littéralement bouleversé et assombri par la nouvelle de la découverte du corps de Christelle.

Il ne pouvait nier sa réalité : en moins de huit ans, il avait tué et démembré trois femmes. Ces actes, il devait les accepter, car il était bien conscient qu'une partie de lui les avait commis. Mais Andrew voulait vraiment passer à autre chose. La mise à mort de Lina avait été compulsive et, depuis, le vent avait vraiment semblé vouloir changer en sa faveur.

Il devait donc poursuivre sur cette lancée et éloigner le spectre de sa mère comme il l'avait fait depuis son départ pour l'université. Par chance, Irène McRay ne connaissait ni son adresse actuelle, ni même son numéro de téléphone. Il se promit de ne plus jamais commettre l'erreur de lui téléphoner.

* * *

Mardi 5 juillet 2011

Les médecins légistes, accompagnés d'un anthropologue judiciaire, passèrent de nombreuses heures à examiner le squelette de Constance Bay. Les premiers résultats de leur fastidieuse analyse furent transmis rapidement à l'enquêteur responsable du dossier à l'OPP.

Une semaine après la découverte du corps, il ne faisait plus aucun doute qu'il s'agissait de restes humains, plus précisément d'une femme âgée de vingt à trente ans, probablement de race blanche et mesurant approximativement un mètre soixante-cinq. La détermination de ces faits relevait d'une science bien complexe, celle de l'étude des os. Que ce soit par l'analyse de la forme du crâne, de l'indice médullaire des os longs, tels l'humérus et le fémur, ou de la forme du bassin, l'ostéologie se révélait être une science plutôt efficace.

On examina également le squelette dans le but de déterminer la cause et le moment de la mort. Les spécialistes eurent plus de difficultés à obtenir des résultats probants. Ils réussirent à conclure que le corps devait être enterré depuis au moins cinq ans, sa décomposition ayant été plus lente en raison de la présence des sacs à ordures. Avec les années, le plastique s'était effrité et affiné, laissant finalement accès aux divers insectes responsables de la dégradation du corps. D'ailleurs, plus aucune trace de tissus n'était présente sur le squelette.

De plus, la datation du moment de la mort ne pouvait encore être déterminée avec exactitude, car l'analyse anthropologique des ossements allait prendre un certain temps. Si plusieurs facteurs fournissaient des indices aux experts, comme la présence d'empreintes de racines, la fragmentation causée par des périodes répétées de gel et de dégel, de même que la porosité et la décalcification des os, leur interprétation n'était pas instantanée. Malgré tout, certaines hypothèses purent être avancées par l'équipe médico-légale.

Ainsi, grâce aux premières informations fournies par ces spécialistes, les enquêteurs furent à même de dresser une liste des femmes disparues au cours des quinze dernières années en Ontario et au Québec, répondant aux descriptifs sommaires fournis par le squelette.

Après avoir pris connaissance des rapports préliminaires de l'enquête, le lieutenant-détective Jean-Philippe Dussereault entra en contact avec le sergent Allard du Service de police de la Ville de Montréal, comme convenu.

— Il s'agit effectivement d'une jeune femme, sa mort remonte à plusieurs années. Six personnes, disparues entre 2004 et 2008 en Ontario et au Québec, répondent aux quelques critères d'identification que nous possédons. Nos spécialistes vont procéder à l'analyse de l'empreinte dentaire de la victime, afin de la comparer aux dossiers dentaires que nous possédons de quatre des six jeunes filles portées disparues. Peut-être aurons-nous suffisamment de chance pour être en mesure de l'identifier.

— Sinon ? demanda David.

— Eh bien, nous n'aurons d'autre choix que de faire appel à nos artistes et d'entreprendre une reconstruction faciale complète à partir du crâne. Ce qui ajouterait d'importants délais à notre enquête.

— Une petite question, lieutenant… Les anthropologues judiciaires ont-ils terminé l'analyse des ossements ? Ont-ils émis une hypothèse quant à l'arme qui a servi à découper la victime ? interrogea le sergent-détective.

— Ils ont étudié chaque os avec la plus grande attention, afin de déterminer la cause de la mort. Le travail n'est cependant pas terminé. Ils cherchent également un signe distinctif sur le squelette, à savoir si la victime aurait subi une opération ou une blessure dans sa vie, ce qui faciliterait son identification. En raison de l'état lamentable du squelette, ils n'ont pu déterminer hors de tout doute raisonnable la cause de la mort. Par contre, des traces de lame sont omniprésentes sur les os, comme si l'agresseur s'était acharné sur sa victime pour la démembrer. Le rapport précise que l'arme utilisée n'était ni une hache ni une scie. Sinon, la coupe aurait été plus nette.

— Le démembrement a-t-il été fait aux articulations ?

— Non, pas toujours.

— Écoutez, la similitude de ces observations avec celle des médecins légistes qui ont analysé le corps de Lina Warren est frappante. Avez-vous une objection à ce que je vous transmette notre rapport d'autopsie afin que vos spécialistes puissent le comparer avec le vôtre ?

— Aucun problème, David.

— Merci. Nous sommes dans un véritable cul-de-sac avec notre enquête, ici. S'il s'agit du même tueur, peut-être pouvons-nous espérer qu'il ait été moins vigilant il y a de cela quelques années.

— Peut-être. Je communique avec vous dès que nous avons réussi à identifier la victime. Je vous ferai alors parvenir par télécopieur le dossier d'enquête sur sa disparition.

— Parfait, c'est vraiment apprécié. Bonne chance dans vos démarches, lieutenant Dussereault. J'attends de vos nouvelles avec impatience.

David raccrocha et leva la tête afin de chercher du regard son collègue Brunet. Ne le trouvant pas, il prit la direction du bureau de son supérieur afin de lui annoncer la bonne nouvelle. Car il était certain d'avoir finalement trouvé une piste qui pourrait avoir un lien avec son enquête.

La semaine précédente, Richard et lui avaient passé de longues heures à rencontrer de nouveau toutes les personnes qui avaient été interrogées dans l'affaire Lina Warren, en plus du voisinage de la jeune fille. Cette fois-ci, les policiers avaient en main la silhouette en photo du seul suspect. Toutefois, personne n'avait remarqué la présence de cette mystérieuse personne.

David avait aussi passé beaucoup de temps à visionner les séquences vidéo des caméras de surveillance de la banque et du restaurant situé non loin de la cabine téléphonique qui avait été utilisée par le suspect. Encore une fois, les résultats avaient été peu concluants. À un certain moment, il avait cru apercevoir l'homme en question, mais trop vaguement. Cette tâche fastidieuse s'était avérée une véritable perte de temps.

Mais en ce mardi 5 juillet, le détective entra d'un pas décidé dans le bureau de son patron, ragaillardi par le développement inattendu que prenait son enquête. Son flair ne l'avait pas trompé, il avait vu juste une fois de plus, il en était convaincu.

* * *

La journée d'Elena se déroula à grande vitesse. Elle eut carrément l'impression d'être à la petite école avec ses employés, spécialement avec Denis, l'un de ses journaliers. En plus, un déchargement en après-midi fut particulièrement pénible, alors qu'en plein transbordement des déchets, une violente bourrasque emporta le quart du contenu d'un camion dans les grillages des clôtures avoisinant le site, et ce, malgré la protection du toit et des parois de béton des aires de déchargement. Les gigantesques portes, freinant les déplacements des camions, restaient presque toujours ouvertes, laissant tout l'espace voulu aux incidents du genre. D'autant plus que les sacs à ordures, déchirés et constamment manipulés par la machinerie, se séparaient facilement de leur contenu.

— Ah, merde! s'écria Elena en voyant les déchets s'envoler au loin. Elena à Denis, demanda-t-elle sur sa radio.

— Oui, j'écoute.

— Denis, prépare ton matériel et va porter main forte à l'équipe d'entretien pour me ramasser ce fouillis aux clôtures, s'il te plaît! Et prends Pat avec toi, vous aurez besoin de toute l'aide disponible pour limiter l'éparpillement! ordonna-t-elle, heureuse de constater la présence de son contremaître en renfort.

Vers 16 h 20, Elena se dirigea tranquillement vers son bureau afin de signer la paperasse usuelle. En marchant, elle discuta avec son contremaître.

— J'ai beaucoup apprécié ton aide aujourd'hui, Pat. Mais, tu n'es pas censé être ici avant 15 h. On peut savoir ce que tu faisais au transbo si tôt? Tu n'as pas une petite famille maintenant?

— Oh... Félix est un bon bébé et il dort beaucoup. Et Chantale aussi, d'ailleurs. C'est que... quand elle ne dort pas, elle est insupportable. Je n'en fais pas un plat, ce doit être les hormones! Mais disons que j'aime mieux lever les pattes lorsque son humeur est aussi joyeuse.

— Je vois... Elle se sent peut-être débordée par sa nouvelle vie. Tu devrais aller lui parler... Et, surtout, ne pas la laisser seule tout le temps. Elle a besoin de toi, ne serait-ce que de ta présence. Tu sais, sans soutien ni aide, ça peut devenir inquiétant...

— Inquiétant?

— On ne sait jamais comment ça peut tourner…
Je veux dire, la dépression post-partum, ça peut arriver à
n'importe quelle nouvelle maman. Même ta Chantale.

— Vous dites qu'elle est en dépression ?

— Oh non, je ne dis rien de tel ! Je ne suis pas
médecin ! Mais qui sait… C'est assez fréquent après un
accouchement. Ça peut durer des mois. Ma belle-sœur
en fait une justement, enfin je crois…

Plus tard, en arrivant chez elle, Elena prit une
seconde douche et se changea pour enfiler des vêtements
plus confortables. Son repas fut plutôt frugal, mais lui
convint parfaitement. Après avoir parlé un certain temps
au téléphone avec David, elle alla s'installer dans son
fauteuil et ferma les yeux afin de faire le vide, comme
elle aimait le faire à l'occasion. Un calme absolu l'enve-
loppa ; ses idées semblaient plus claires. Elle se leva et
alla chercher le recueil d'Aimée.

La belle brune n'avait pas ouvert le vieux journal
depuis un certain temps déjà. Son ancêtre devait bien se
retourner dans sa tombe à voir l'usage qu'en faisait sa
descendante ! Tout en le feuilletant, elle constata à nouveau à quel point l'auteure prenait à cœur son rôle de
chamane. Elle était si dévouée à la cause et aux autres
qu'Elena avait bien de quoi lui faire honte. Cela faisait
presque trois semaines qu'elle n'avait pas tenté une nouvelle transe contrôlée. Même si tout s'était bien déroulé
la première fois, la jeune femme n'avait pas eu le courage de renouveler l'expérience.

De fait, la situation avait sensiblement changé
depuis une semaine. Maintenant, la peur freinait impla-
cablement les ardeurs de l'apprentie. Malgré tout, sa

conscience la harcelait, lui dictait d'éclaircir les circonstances du flash du couteau qu'elle avait eu au cours de la semaine précédente. Elle n'avait plus le choix : elle devait affronter cette nouvelle crainte avant qu'il ne soit trop tard. Prétendre être désormais en sécurité avec un *taser* dans son sac et un policier comme partenaire de vie relevait de la naïveté.

Elena savait bien que la seule façon d'amoindrir son angoisse reposait entièrement sur sa capacité à définir le contexte de cette attaque meurtrière. Partir à la chasse aux indices ne pouvait qu'être son ultime priorité. Elle devait donc tenter de refaire cette transe fortuite, compétence qu'elle n'avait jamais encore exercée.

Pourtant, cela était possible, et elle ne le savait que trop bien. Aimée l'avait prouvé plusieurs fois au cours de son existence. Elle avait, après tout, sauvé son grand-père d'une mort certaine. La jeune femme se demandait combien de fois son ancêtre avait dû revivre cette transe afin de déterminer le lieu et le moment exacts de l'accident qui devait ôter la vie à Léon Perrot. Selon Sam, elle l'avait vu se faire littéralement écraser par un camion de marchandise sur le boulevard Saint-Laurent au moins cinq ou six fois. Après cet exercice, qu'Elena jugeait complètement surréaliste, la chamane avait connu les circonstances exactes du drame et avait pu agir afin d'éviter le pire.

L'élève qu'elle était n'avait jamais encore entrepris de vivre une seconde fois une même transe, une pratique qu'Aimée semblait avoir appris à maîtriser. Elle se demandait bien comment elle, ne possédant aucune expérience sur ce plan, réussirait cet exploit dans le cas d'une vision se résumant à quelques secondes. Elle entendait déjà la voix de Sam insistant pour qu'elle fasse au moins un essai… Et sa grand-tante avait parfaitement raison. De toute façon, elle n'avait plus vraiment le choix : sa vie en dépendait.

En se levant pour se faire une tisane à la menthe poivrée, Elena jeta un coup d'œil par la fenêtre et vit Marc-Antoine dégustant ce qui restait d'un *sundae* au chocolat. Sa mère, Michelle, se trouvait à ses côtés. Ils marchaient paisiblement sur le trottoir vers le duplex. Le jeune garçon semblait rayonnant. Et pour cause ! Il venait d'exaucer un des vœux inscrits sur sa précieuse liste « des dernières fois ». Sa voisine espérait qu'il aurait le temps de réaliser tous les souhaits qu'il avait notés sur sa petite feuille fripée. Car le temps filait à toute allure. Dans exactement six jours, sa maman allait succomber à son virulent cancer. Mais Marc-Antoine aurait connu d'agréables moments avec elle et peut-être arriverait-il à mieux vivre son deuil le moment venu.

Tout en humant sa tisane fumante, Elena détourna son regard de la fenêtre et se mit à fixer le tambour d'Aimée, laissé à lui-même dans le salon depuis plusieurs jours. Elle sentit son appel, impatient d'être utilisé à nouveau. Avant même de goûter une seule gorgée, elle jeta son infusion à la menthe dans l'évier et se prépara une tisane à la sauge. Elle ne se souvenait pas d'avoir mangé des oignons ou de l'ail au cours de la journée ; elle avait donc probablement des chances de réussir.

Tout en buvant sa nouvelle tisane, elle réfléchit un instant à une transe qu'elle avait déjà vécue et qu'elle pourrait aisément reproduire afin de s'exercer. Elle ne pouvait concevoir de revivre le flash du couteau sans avoir la certitude qu'elle était en mesure de réussir. Malheureusement pour elle, son inventaire était plutôt restreint… En fait, elle n'avait en tête que ses nuits torrides avec le beau Jake, connu aujourd'hui sous le nom de Mark. Elena ne pouvait concevoir de faire un essai avec ces visions. Elle aurait littéralement eu l'impression de tromper David ! D'ailleurs, la culpabilité l'étouffait juste à y penser. Après réflexion, elle opta plutôt pour la scène de la terrasse sur la rue Saint-Denis, dont elle se souvenait parfaitement. Selon elle, il s'agissait de la scène idéale, même si la jeune femme redoutait l'état d'esprit dans lequel elle serait après l'avoir vécue une seconde fois.

Vers 20 h 45, elle s'allongea dans son lit, le tambour à la main. Cette fois-ci, l'apprentie mit la plume de hibou contre elle, à l'intérieur de son chandail. Un calepin et un crayon l'attendaient, au besoin, sur sa table de chevet. Elle fit quelques exercices de respiration avant d'entreprendre le tambourinement nécessaire à l'obtention d'un rythme monotone. Elle se concentra de toutes ses forces sur le polo bleu que portait Mark lors de cette vision, sur la bière blonde qu'il buvait, sur la rue bruyante les entourant… Elena ne savait comment procéder, mais espérait bien que les esprits allaient saisir le sens de sa quête.

Lorsqu'elle ouvrit les yeux, elle fit abstraction du froid et des tremblements qui l'envahissaient et se précipita sur son calepin. Un inébranlable soulagement se manifesta en elle alors qu'elle notait en détail l'épisode qu'elle venait de revivre. Elle avait revécu exactement les mêmes deux minutes que durait la transe spontanée qu'elle avait eue il y avait de cela quelques semaines. Elle remarquait à quel point une transe volontaire et contrôlée s'avérait beaucoup plus riche en informations. Son attention étant quintuplée, Elena semblait mieux vivre le moment. Ainsi, elle nota que la température extérieure était relativement fraîche, malgré le soleil omniprésent, ainsi que la présence de voisins de table qu'elle n'avait pas constatée la première fois. Il s'agissait d'un vieux couple qui l'avait fait sourire. Elle nota également qu'elle avait commandé un verre de sangria, ce qui la surprit légèrement.

Elle reposa son crayon et décida de tenter sa chance de nouveau afin de se concentrer sur d'autres éléments de son entourage. Lorsqu'elle entreprit sa seconde transe, elle se dit qu'il serait intéressant de fermer ses yeux, pour mieux entendre les sons ambiants. Pour une raison qu'elle ignorait, cette volonté se concrétisa et sa vue fut masquée. Elle vécut donc les prochaines minutes dans le noir le plus complet, ce qui lui permit d'intensifier sa sensibilité non seulement aux bruits environnants, mais également aux odeurs. Rapidement, elle réussit à se concentrer sur une conversation qu'entretenaient deux passants : elle portait sur le prochain spectacle de U2, à l'Hippodrome de Montréal. Elle mit donc en sourdine la voix mielleuse de l'homme assis en face d'elle afin de percevoir plus clairement la conversation se déroulant sur le trottoir. Elena avait un parfait contrôle de ses sens.

Une fois la vision terminée, le choc physique qui s'ensuivit fut pénible. Elle sentit une grande fatigue l'accabler, en plus des symptômes habituels, tout aussi désagréables qu'à l'habitude. Sa main tremblait tant qu'elle dut attendre quelques minutes avant de noter ses observations dans son calepin. C'est alors qu'Elena remarqua que quelque chose clochait. Le groupe de musique irlandais U2 allait se produire sur la scène de l'Hippodrome de Montréal le vendredi 8 juillet prochain, ainsi que le samedi suivant. Il s'agissait d'un spectacle grandiose, d'une envergure inégalée. Tout le monde en parlait depuis des mois dans la métropole. La jeune femme avait d'ailleurs tout fait pour obtenir des billets.

En analysant la situation, Elena constata qu'elle aurait donc vu Mark avant la tenue du spectacle, qui allait avoir lieu exactement trois jours plus tard.

— Mais ça ne fonctionne pas du tout! Je n'ai même pas encore cette relation avec Mark! Et je n'ai jamais pris de verre avec lui cet été sur la rue Saint-Denis! s'exclama-t-elle, seule dans sa chambre.

Il n'était pas encore 21 h et devant cette confusion absolue, elle décida de refaire un essai. Quelque chose lui échappait et elle devait éclaircir ce mystère. Elle se concentra donc de nouveau de toutes ses forces et, malgré ses tremblements toujours présents, elle se mit à jouer doucement du tambour.

À ce moment précis, la jeune femme ne se doutait aucunement que la découverte qu'elle était sur le point de faire redéfinirait complètement sa vision du chamanisme. Même Aimée Perrot ne s'était jamais rendue aussi loin.

— J'ai adoré l'Italie! Les gens y sont si gentils et accueillants… La beauté de Rome est à couper le souffle! Là-bas, le passé se moque du présent. Les bâtiments de la république romaine et les monuments religieux sont omniprésents et nous transportent totalement à une autre époque. J'aimerais tellement t'y amener, ma belle, c'est si romantique ! Et la nourriture y est incroyable !

Mark racontait avec enthousiasme l'un des voyages en Italie qu'il avait faits il y avait de cela quelques années, alors qu'Elena sirotait sa sangria distraitement. Durant la conversation, il lui prit la main et elle eut des frissons au contact de sa peau, comme cela avait été le cas lors de ses deux précédentes transes. Malgré tous ses efforts, l'homme élégant aux cheveux noirs assis en face d'elle la déstabilisait encore. C'est alors qu'elle remarqua un élément qui la fit sursauter. Elle n'y avait pourtant jamais prêté attention : la main qui tenait son verre, sa propre main. Celle-ci était fine et élégante, comme la sienne, mais ses ongles y étaient parfaitement taillés et couverts impeccablement d'un vernis d'une teinte fuchsia des plus originales. Ce qui était aux antipodes d'Elena.

Sur ce constat, la chamane sortit de sa transe avec affolement. Elle resta un long moment totalement immobile dans son lit, son regard toujours surpris fixant le plafond de sa chambre. Elle venait de vivre la plus profonde et la plus déstabilisante des révélations.

Depuis plus d'un mois, elle vivait dans la confusion la plus totale. Depuis plus d'un mois, elle rêvait de sa sœur, Amélia. Sous le choc, elle fut totalement déroutée par sa découverte. Elle ne pouvait croire qu'elle ne s'était rendu compte de rien auparavant. Lors de ses transes, la jeune femme se trouvait littéralement dans sa sœur, dans sa tête, dans son corps.

Lors du rêve de la mort de son grand-père, elle avait également vécu l'expérience à travers ses propres yeux, mais il s'agissait d'une vision portant sur elle-même. Tandis qu'avec Marco, elle l'avait vu pendu dans son garage de l'extérieur, tel un témoin de la scène, aussi transparent et invisible qu'un spectre. Jamais elle n'avait imaginé vivre l'expérience chamanique au travers d'une autre personne qu'elle-même.

Lorsque Elena réalisa qu'elle avait vécu en détail la vie sexuelle de sa petite sœur, elle bondit de son lit et alla vomir. Son corps n'était plus en mesure de confronter cet amoncellement d'émotions tout aussi déstabilisantes qu'éprouvantes physiquement. Depuis plusieurs semaines, elle violait littéralement l'intimité de sa sœur. Elle se dégoûtait elle-même. D'autant plus qu'elle avait cru littéralement que Mark lui était destiné. Toutes ces caresses, ces mots doux, cette tendresse ne concernaient qu'Amélia, et non elle…

Sur le coup, elle se mit à pleurer, car elle avait véritablement senti l'amour incommensurable et passionnel des deux amants. C'en était presque douloureux. Elle avait l'impression de les avoir trahis en profitant de cette passion fusionnelle entre eux.

Ainsi, depuis le début, cette aventure enflammée avec l'irrésistible Mark ne lui était aucunement promise. Pour la première fois de sa vie, Elena sentit une folle jalousie l'assaillir et elle se maudit doublement.

* * *

Mercredi 6 juillet 2011

David venait d'obtenir l'autorisation de se rendre à Constance Bay, dans la région d'Ottawa, afin de rencontrer l'enquêteur et le lieutenant-détective assignés au dossier du meurtre de la jeune femme démembrée. Vingt minutes plus tôt, il avait reçu un appel du lieutenant en question. La technique peu orthodoxe ainsi que l'outil employé dans les deux crimes semblaient similaires.

— Les médecins légistes ne peuvent nier les ressemblances, précisa Jean-Philippe Dussereault à David, et ce, même s'ils n'ont analysé que les photographies que vous m'avez envoyées par courriel hier. D'après eux, l'hypothèse selon laquelle ces crimes auraient été perpétrés par la même personne doit être étudiée sérieusement. Sergent Allard, votre flair fait honneur à votre réputation. Le lieutenant Dallaire ne s'était pas trompé à votre sujet.

Après une brève pause, il poursuivit d'un ton enthousiaste :

— Alors, quand prévoyez-vous nous rendre une petite visite ?

Le policier avait donc l'intention de se rendre en Ontario afin de participer à l'enquête. Il devait non seulement prêter main-forte aux enquêteurs de l'OPP, mais aussi tenter de déceler des corrélations ou des similitudes avec le meurtre de la jeune Warren. De toute façon, résoudre ce cas allait probablement permettre de résoudre le sien, en supposant que les conclusions des anthropologues judiciaires soient fondées.

La petite ville de Constance Bay se trouvait à quarante minutes d'Ottawa, et donc à une distance raisonnable de Montréal. Puisque David allait rester dans la capitale, non loin du siège social de l'OPP, il pouvait y être en moins de deux heures. Il pourrait toujours revenir au Québec rapidement en cas d'urgence.

— Bonjour, Elena.

— Eh… bien le bonjour, monsieur le sergent-détective ! lui répondit la jeune femme, heureuse d'entendre sa voix. Comment vas-tu ?

— On ne peut mieux, l'enquête vient d'emprunter un tout nouveau virage. Je ne peux pas tout te dévoiler, mais laisse-moi te dire que mon instinct policier semble aussi infaillible que ton instinct féminin !

— Que veux-tu dire ? demanda-t-elle, curieuse.

— Eh bien, j'essaie par tous les moyens de retrouver le tueur de la pauvre Lina, alors, j'étudie toutes les possibilités ! Je crois ne pas m'être trompé cette fois-ci. Et d'ailleurs, je t'appelle pour te dire que je vais devoir aller à Ottawa et y rester quelques jours. Je vais probablement revenir pour le week-end ou en début de semaine prochaine.

— Ottawa ? C'est en lien avec le squelette qu'ils ont trouvé, c'est ça ?

— Je t'ai déjà parlé de cette affaire ?

— Non voyons, tu te connais, tu ne me dis pas grand-chose… J'écoute les nouvelles, tu sauras ! dit-elle. Alors, tu ne seras pas là dimanche ?

— Il y avait quelque chose dimanche ? demanda-t-il, tout en réfléchissant. Merde ! J'avais complètement oublié le brunch chez tes parents !

— C'est bien dommage, dit-elle, déçue.

— Elena… Je ne peux te promettre que j'y serai. On ne sait jamais ce qui peut survenir dans la vie d'un policier. Tu dois savoir ça, et ce sera toujours comme ça, tant que je serai actif sur le terrain.

— Oui, je sais. Je suppose que je vais devoir m'y faire…

— Mais sache que je ferai tout mon possible pour y être. Moi aussi j'ai hâte de rencontrer ta famille. Et j'ai surtout hâte de te voir, toi… Je t'appellerai de là-bas, d'accord ?

— Tu me manques déjà, David. J'ai tant aimé notre petite fin de semaine chez toi ! Jamais je n'aurais pensé être si bien dans un endroit aussi gris et terne que ton condo…

— On se reprendra bientôt. Et puis, si je vois qu'il y a du surplace là-bas, je saute dans ma voiture te retrouver… Autre chose, as-tu encore peur ? Comme tu m'en avais parlé samedi ?

— Ouais… Je ne peux rien y faire.

— OK, alors si tu as besoin d'assistance durant mon absence, appelle mon collègue Richard. Il est au courant de tes craintes, tu peux compter sur lui, c'est un bon ami.

— Merci d'y avoir pensé, David, j'apprécie.

Elle raccrocha le combiné et resta songeuse quelques minutes. Elle refoula sa déception et poursuivit l'analyse des statistiques du poste de transbordement pour le mois de juin. Les résultats étaient satisfaisants et devraient l'être tout autant pour le mois de juillet, la période des déménagements aidant.

La jeune femme aurait bien aimé revoir son nouvel amoureux, mais elle se forçait à se concentrer sur son travail, afin de ne pas trop y penser. Les choses allaient très rapidement avec lui, mais elle désirait malgré tout garder la tête froide. Elena Perrot n'était certainement pas le genre de personne à sauter dans les bras du premier venu et à entreprendre sa vie avec lui en l'espace d'un mois. Enfin, elle le croyait. Cependant, une partie d'elle-même ne pouvait se passer de son beau colosse, et si elle ne s'était pas retenue, elle aurait été s'installer chez lui à l'instant, laissant même Jeffrey chez ses parents, si cela était nécessaire.

L'arrivée de José Léon dans son bureau, l'avertissant de son retour au travail, mit fin à ses pensées et à l'analyse superficielle des chiffres qui se trouvaient devant elle. L'hispanophone semblait plus reposé, mais elle n'eut même pas le temps de prendre des nouvelles de sa famille qu'il avait déjà franchi la porte séparant les bureaux des espaces réservés aux employés.

* * *

Jeudi 7 juillet 2011

Encore une fois, Jeffrey se surpassa. Elena fut réveillée par un toilettage complet de sa joue droite, gracieuseté d'un félin affamé. Le réveil indiquait 5 h 25 et la jeune femme se leva péniblement. Comme à l'habitude, elle nourrit son chat, prit une douche rapide et s'installa pour le petit déjeuner. Comme tous les matins, elle s'habilla simplement, faillit oublier son dîner au frigo et fit une dernière caresse à son chat. Malgré tout, le lever du jour du 7 juillet n'était pas comme les autres.

Assise dans sa voiture, elle hésitait à ouvrir la radio. Lors des vacances de son animateur-vedette, l'émission matinale qui l'accompagnait tous les jours jusqu'à la rue Broadway n'était que l'ombre d'elle-même. Elle décida d'opter pour le silence relatif que lui offrait l'habitacle de son automobile et de poursuivre ses réflexions qui accaparaient son esprit depuis qu'elle avait ouvert les yeux ce matin-là.

En ce début de journée ensoleillé, la Focus hybride roulait sur le pilote automatique. Lorsque la directrice constata qu'elle était déjà garée au poste de transbordement, elle fut surprise de ne pas se souvenir du trajet qui l'avait amenée jusque-là.

Une fois assise dans son bureau, tout en contemplant par la fenêtre le site en pleine effervescence, elle se perdit à nouveau dans ses pensées. Ce matin, elle venait de réaliser que la situation était encore plus complexe qu'elle ne l'avait pensé.

Avec la révélation qu'elle avait eue le mardi précédent, le flash du couteau qui l'effrayait tant venait de prendre une tout autre dimension. Car désormais, il n'y avait plus aucune certitude quant à l'identité de la personne agressée.

Depuis le 27 juin, Elena était convaincue qu'elle était personnellement en danger de mort. Toutefois, maintenant qu'elle savait être en mesure de vivre ses transes à même le corps d'une autre personne, comme cela avait été le cas d'Amélia, il était évident que l'attaque au couteau pouvait être destinée à n'importe qui, incluant elle-même. Il pouvait s'agir de sa sœur, de Charlotte, de sa mère, de Sam ou même d'un homme.

La jeune femme fut soudainement terrifiée par l'ampleur de sa mission : elle devait identifier la victime et son agresseur. Elle devait donc revivre ce flash de quelques secondes afin de recueillir le plus d'indices possible. Et s'il s'agissait du prochain homicide à avoir lieu à Montréal, dont elle ne connaissait ni la victime, ni l'agresseur ? Comment pourrait-elle réussir à les identifier ?

Aussi, elle se voyait mal réaliser des transes sur chaque personne qu'elle connaissait de proche ou de loin, afin de vérifier leur espérance de vie. La tâche était gigantesque et, surtout, exigeante. En plus, le temps pressait. Elle n'avait aucune idée du moment de l'agression.

Tout en appuyant sa tête sur la fenêtre, elle sentit le poids du rôle qu'elle avait à jouer dans la vie de cette personne. Elle ne pourrait survivre au meurtre de Charlotte ou de sa mère simplement parce qu'elle aurait failli à sa tâche.

Comme pour Aimée, le chamanisme avait aujourd'hui toute la place dans la vie d'Elena. Il s'agissait d'une question de vie ou de mort. Elle fut tentée de retourner chez elle sur-le-champ afin de se mettre au travail, mais, contrairement à son ancêtre, la jeune femme avait une vie à l'extérieur du monde découvert dans ce vieux journal. Elle ne pouvait tout simplement pas se permettre de quitter le poste de transbordement, d'autant plus qu'elle était la fille du président du Groupe Perrot.

La journée se déroula avec une insupportable lenteur. La directrice n'en pouvait plus. Plusieurs fois, elle réfléchit à la mission qui l'attendait le soir même. Elle se mit à penser à mille scénarios. Et si elle faisait une erreur ? Ou, pire, si elle était incapable de trouver un quelconque indice dans les quatre ou cinq secondes dont elle disposait ? Elle devait absolument demander aux esprits plus de temps. Ce flash avait été inspiré par eux, contre sa volonté ; ils devaient nécessairement être en mesure de lui en fournir davantage. Mais la tâche ne serait pas facile, car provoquer une transe riche en informations nécessitait un élément conducteur. Lorsqu'elle avait travaillé sur le cas de Marc-Antoine, elle connaissait l'identité de la personne à « espionner ». Cette fois, elle ne connaissait rien, ni du lieu, ni du moment, ni des personnes concernées.

En après-midi, Elena reçut un appel de Charlotte l'invitant à un 5 à 7 dans un bar branché du Plateau-Mont-Royal.

— Voyons ma belle, ça va te faire du bien de revoir Bianca, Marie et Steph. Ça fait des lunes que tu ne les as pas vues !

— Pas ce soir, d'accord ?

— Quoi, tu vois David ? Amène-le !

— Non, il est parti à Ottawa pour un certain temps.

— Alors, quel est le problème ? Ne me dis pas que tu préfères aller jouer au bingo avec ta mémé quand même !

— Ma grand-tante n'a rien à voir dans ma décision. Je… je suis fatiguée et je veux rester chez moi.

— Tu sais que tu es une cause perdue ? Je te rappelle bientôt.

— Attends, je me demandais comment ça se passait avec tes Christian.

— Je vais te raconter tout ça ce soir ! Qu'en dis-tu ?

— Charlotte…

— Bon, d'accord. Je revois mon cher Christian-le-comptable samedi soir, je crois que ça devient assez sérieux pour dire qu'il est officiellement passé du stade de baise occasionnelle à *chum* potentiel.

— Hum… c'est du sérieux ! Et dis-moi, tu le connais bien, ce gars-là ? Il n'est pas trop névrosé ?

— Euh… je ne lui ai pas encore fait passer son test psychologique, mais c'est la prochaine étape sur ma liste, si ça peut te soulager, rigola son amie.

— Et l'autre Christian, il le prend comment ?

— On s'en fout, du pigiste. Il baise comme un pied et il est trop intense pour moi.

— Comment, intense ? Intense violent ou intense asocial ?

— Bordel, Elena ! C'est quoi, ces foutues questions ? s'écria-t-elle, impatiente d'en finir.

— Rien, je voulais juste savoir. Je ne veux pas qu'il t'arrive quelque chose, c'est tout…

— Ben voyons ! La seule chose qui va m'arriver, c'est de ne plus voir le pigiste à poil dans mon lit. Voilà. Rassurée ?

— Disons… À bientôt Charlie, et merci pour l'invitation de ce soir. On se reprendra.

— C'est ça, à plus… et je déteste ce surnom ! raccrocha son amie, visiblement découragée.

La jeune femme se sentait ridicule. De toute évidence, les réponses seraient plus faciles à obtenir en faisait une transe sur Charlotte. Elle en aurait le cœur net de cette façon.

* * *

Arrivée chez elle ce soir-là, Elena se força à se préparer un semblant de repas avant de se mettre au travail. L'appétit n'était guère au rendez-vous, puisqu'une multitude d'émotions se bousculaient en elle. À la fois fébrile et nerveuse à la pensée de ce qui l'attendait, elle tenta de mettre de l'ordre dans ses idées.

— Je dois me faire un plan de travail, Jeffrey, dit-elle à son chat, tout en avalant une bouchée de quiche réchauffée.

Elle n'arrivait pas à saisir encore l'étendue des possibilités que lui offraient ses interactions privilégiées avec les esprits. Toutefois, elle était rassurée de savoir qu'Aimée avait également connu les mêmes questionnements et que, de toute évidence, maîtriser l'ampleur de cette terrible faculté relevait de l'exploit.

En effet, son ancêtre avait choisi de prendre en charge exclusivement les gens qui lui demandaient son aide ou qui faisaient partie de sa famille. Elle parvenait donc à contrôler efficacement ses transes et à focaliser son énergie selon sa volonté. Aimée semblait avoir trouvé sa voie et arrivait à vivre normalement la mission qui lui avait été donnée. Son mentor chamane vivait de peu de choses, notamment des quelques offrandes qu'on lui donnait pour ses services, mais elle ne demandait rien. Elena respectait profondément cette femme qui avait voué sa vie à sa communauté, et ce, avec un altruisme sans limites.

Pour Elena, tout était différent. La panique prenait de plus en plus de place devant la gravité de la situation dans laquelle elle se trouvait… Après avoir rincé son assiette, elle s'appuya sur le rebord de l'évier. En fermant les yeux, elle tenta de se calmer. Sur le bord des larmes, elle constata à quel point elle aurait tant voulu parler à Aimée ! Elle savait que tous les grands chamans devaient être entraînés par leurs prédécesseurs. Il s'agissait d'un entraînement de longue haleine qui pouvait s'échelonner sur plusieurs années, voire toute une vie ! Quant à la jeune femme, cet apprentissage autodidacte l'accablait plus qu'il ne la motivait. L'apprentie était seule dans cette aventure avec comme uniques outils un vieux journal et un tambour en peau de bison.

Toujours dans ses pensées, elle sursauta lorsque le téléphone sonna. Elle était si concentrée qu'elle n'avait pas non plus remarqué l'ambulance qui se trouvait stationnée dans la rue, face à son duplex.

— Oui, allô ?

— Bonjour ma belle !

— Ah, c'est toi, Sam… dit-elle distraitement.

— Que se passe-t-il ?

— C'est ma voisine. Elle va moins bien maintenant, elle retourne à l'hôpital, en civière en plus. Elle doit vraiment être mal en point. Je viens de constater la présence de l'ambulance…

— Quelle voisine ?

— Michelle, la mère de Marc-Antoine. Elle va mourir lundi.

— Oh... la maman de ton petit voisin. Eh bien, tes nouvelles aptitudes ont été très utiles dans son cas, ne crois-tu pas ?

— Oui, certainement. Je ne l'ai pas guérie, mais au moins, je crois que la boucle a été bouclée avec son fils avant son départ.

— Tes actions ont leurs limites, mon poussin ! affirma Henriette. Je t'appelais simplement pour prendre de tes nouvelles. Nous ne nous sommes pas reparlé depuis ton interruption durant ma partie de quilles !

— Eh bien, sache que j'ai finalement recommencé à faire des transes volontaires.

— Bonne nouvelle ! Ça s'est bien passé ?

— Tu te souviens, tous ces rêves que j'ai faits sur Jake ? Imagine-toi donc que j'ai découvert qu'il s'agissait en fait de ma sœur.

— Je ne comprends pas.

— Ma vision lors de ma transe provenait de son corps, de sa tête ! C'est pour ça que je pensais qu'il s'agissait de moi. J'ai refait à répétition un de ces rêves afin de me pratiquer, exactement comme le faisait Aimée. J'ai alors remarqué les ongles parfaits d'Amélia, pas les miens.

— Mais, c'est extraordinaire, Elena ! Tu es tellement talentueuse d'être en mesure de le faire si rapidement... et par toi-même, en plus !

— C'est justement ce à quoi je pensais, Sam. J'aurais bien aimé faire un brin de jasette avec Aimée. J'ai beaucoup de questions, et peu de réponses. Même si tu es là... Comprends que je me sens bien seule dans toute cette histoire.

— Je te comprends. Ce n'est pas facile. Mais tu dois savoir que ma tante est aussi passée par là.

— Ah oui ?

— Elle aussi était seule, et cela a pris des années avant qu'elle trouve sa voie. Elle a persévéré, et regarde tout le bien qu'elle a pu faire autour d'elle ! Sauver ton grand-père est un exemple parmi tant d'autres. Avec le temps, tu ne peux que devenir encore meilleure, Elena.

— Elle a toujours su quoi faire, elle avait la vocation, elle y a consacré sa vie. Pas moi.

— Un instant… Sache qu'Aimée a connu une importante période de remise en question. Il y avait des gens qu'elle ne pouvait sauver de la maladie, et cela l'a presque rendue folle. Elle voulait sauver tout le monde ! Comme elle, tu comprendras que tu as le choix dans ta vie. Elle sentait jusqu'au fond d'elle-même qu'elle ne pouvait cesser de pratiquer le chamanisme. Elle avait décidé qu'il était temps pour elle de trouver la place qui lui revenait : elle s'était donc mise à mieux définir son champ d'expertise, la guérison n'étant pas son fort, tu es au courant. À un certain moment, elle avait décidé de l'exclure complètement de ses compétences. Elle a fait ce choix, ce qui a modifié grandement le fondement même de ses pratiques. Et puis, lorsque cela devenait trop difficile et pénible pour elle, elle s'arrêtait un moment, tout simplement.

— Quoi, elle prenait des vacances ?

— Exactement. Elle ne l'a pas écrit clairement dans son recueil, mais tu constateras qu'elle n'a pas « pratiqué » durant deux ans. Et ça a fonctionné, car elle a réussi à se contrôler. Et par choix, ma tante est redevenue active par la suite. Tu auras toujours le choix, Elena, quoiqu'il soit encore trop tôt pour toi. Si tu arrêtes maintenant, au stade où tu en es dans ton développement, ce sera presque de la torture. Tu auras d'autres transes incontrôlées que tu n'arriveras peut-être pas à comprendre ou à interpréter. Et c'est à ce moment-là que tu feras des erreurs.

— Tu sais, je constate l'étendue des répercussions que peut avoir cette faculté non seulement sur ma vie, mais sur celle des personnes qui m'entourent. Je vais devoir faire des choix à mon tour, c'est certain. Mais tu as raison, c'est encore trop tôt. J'ai bien des devoirs à faire avant.

— J'aime de mieux en mieux ton raisonnement, Elena. Je retrouve bien la Perrot en toi. Tes paroles sont plus sages, comme une vraie chamane!

— Bof… Je ne me sens pas encore comme telle.

— La sagesse fait partie de cette discipline. Tu sais qu'Aimée a vu sa mort plus d'un an à l'avance? Tu te rends compte? Elle savait qu'elle allait mourir et que rien n'y changerait, que la maladie l'emporterait. Elle me l'a confié avec un calme et une sérénité absolus. C'est la sagesse du chaman qui parlait. Car, on ne peut toujours changer sa fatalité: la mort va toujours nous attendre au tournant. Toutefois, ton ancêtre a réussi à changer le cours du destin de bien des personnes et elle est morte heureuse, prête à rejoindre les siens et, surtout, satisfaite du devoir accompli, conclut la vieille dame.

— Ça m'a fait du bien de te parler. Ton appel tombait à point. Je dois aller travailler, maintenant, je t'en redonnerai des nouvelles.

275

— Bonne chance, Elena, tu fais honneur à ta famille.

— Merci, Sam. Merci pour tout.

Détendue, elle entreprit d'abord de faire une transe sur Charlotte. Elle venait d'avaler sa tisane de sauge qui, malgré toute sa bonne volonté, n'était pas aussi buvable que les fois précédentes.

Elle remit la plume de hibou contre sa poitrine, sachant que l'énergie d'Aimée pourrait passer par elle. À bien y penser, elle n'avait jamais été bien loin de son élève lors de ses exercices. La jeune femme ferma les yeux et entendit Jeffrey courir se cacher dès les premiers tambourinements.

Lorsque Elena sortit de sa transe, son visage affichait un large sourire. Elle prit son calepin et écrivit tout ce dont elle se souvenait. La quantité d'informations qu'elle avait récoltées l'impressionna. De toute évidence, l'avenir prochain de Charlotte n'était pas en danger, même si certains petits détails allaient certainement l'importuner.

— Charlotte ne me croira pas! se dit-elle, toujours le sourire aux lèvres.

Après une petite pause de quelques minutes, la chaleur regagna son corps et les tremblements cessèrent. Elle constata que le délai des symptômes était déjà moins important que la fois précédente. Toujours couchée dans son lit, elle se concentra sur sa respiration. Son angoisse était palpable, et elle devait se calmer. Car la prochaine tâche n'était pas de tout repos: elle devait affronter sa peur de nouveau, ainsi que la lame d'un couteau.

* * *

Vendredi 8 juillet 2011

David déjeuna dans sa chambre ce matin-là. Il désirait prendre quelques minutes supplémentaires afin de lire un dossier que son supérieur lui avait fait parvenir par courriel. Il venait de l'assigner à une nouvelle enquête. Le Montréalais ne pourrait rester très longtemps dans la capitale. Par chance, les procédures avaient été entreprises par son collègue, Richard Brunet.

Il dévorait son croissant tout en lisant les circonstances entourant le vingtième homicide de l'année à Montréal. Un homme d'une cinquantaine d'années avait été retrouvé mort la nuit précédente dans le quartier Saint-Michel. Le policier lisait le reste du courriel de son lieutenant lorsque son cellulaire retentit dans la chambre d'hôtel.

— Allard.

— *Good news ! We have a match*[7] ! s'exclama le sergent-détective Scott, de l'OPP, en faisant référence aux empreintes dentaires de la victime de Constance Bay.

Le sergent-détective du SPVM ne contenait pas sa joie. Il espérait tant l'arrivée de développements intéressants avant son retour à Montréal ! En arrivant face au quartier général de l'OPP, il constata que son veston était couvert de miettes de croissant. Il était parti si rapidement de l'hôtel qu'il ne se souvenait même pas s'il avait pris le temps de se brosser les dents. Après s'être rapidement épousseté, il entra dans l'édifice Lincoln-Alexander afin de retrouver ses nouveaux coéquipiers.

---

7. « Bonne nouvelle, nous avons une concordance ! »

— Bonjour, David !

— Bonjour, lieutenant Dussereault, répondit-il, visiblement excité.

— Eh bien, l'enquête de la disparition de Christelle Rivard vient de prendre une tout autre tournure, mon ami ! Les médecins légistes sont catégoriques sur son identité.

— Vous pouvez me faire un résumé ? demanda-t-il, tout en prenant le dossier que le lieutenant lui tendait.

— C'est une affaire non résolue qui pesait lourd sur notre équipe. Christelle Rivard était âgée de vingt ans lorsqu'elle a disparue au courant de l'été 2006. Son père était décédé d'une crise cardiaque deux mois plus tôt. La jeune fille vivait depuis six semaines chez son copain, un certain Andrew McRay. Ils filaient le parfait amour depuis presque un an. C'est d'ailleurs le conjoint qui a signalé sa disparition. Il a d'abord téléphoné à la mère de Christelle, s'inquiétant du fait qu'elle n'était pas rentrée de son travail. Elle travaillait comme commis à la pharmacie. Son patron nous a affirmé qu'elle était présente cette journée-là. Son enlèvement a eu lieu après 17 h 15, heure à laquelle la victime a été vue pour la dernière fois, le vendredi 7 juillet 2006.

— Quand ce McRay a-t-il signalé sa disparition ?

— Vers 1 h du matin. Il a aussi communiqué avec toutes les amies de Christelle, croyant qu'elle était sortie sans lui. Il a prétendu qu'elle sortait quelquefois les vendredis avec elles. Mais après avoir discuté avec une certaine Susanne, il a su que quelque chose n'allait pas, puisqu'elle lui a assuré qu'aucune sortie n'avait été prévue ce soir-là.

— Que savez-vous sur lui exactement ?

— Qu'il est natif de la région d'Ottawa, qu'il a fait de brillantes études à l'Université Saint-Francis-Xavier en Nouvelle-Écosse et qu'il travaillait depuis plus d'un an au Musée canadien des civilisations à Gatineau. Il a quitté son boulot vers 18 h 15 ce vendredi-là, cet élément a été validé sur place. Je l'ai rencontré à quelques reprises. Il était complètement anéanti par la disparition de sa copine. Nous n'avions rien pu lui reprocher, car, selon les voisins, il avait passé toute la soirée du vendredi chez lui. Nous n'avions aucune piste à l'époque, aucun témoin, rien.

— Maintenant, nous savons que cette jeune fille a probablement été tuée ce soir-là. Il faut rouvrir l'enquête et tout reprendre depuis le début.

— Je suis d'accord avec vous, sergent Allard. L'enquêteur Allan Scott informe en ce moment même la mère de la victime de la nouvelle. Il entrera ensuite en contact avec Andrew McRay. Cela fait cinq ans que ces personnes sont dans l'attente. Dès qu'Allan aura terminé ses appels, nous établirons notre stratégie.

— Malheureusement, je dois partir pour Montréal d'ici lundi. Une nouvelle enquête m'a été assignée, je vais aller y jeter un coup d'œil. Mais soyez cependant assuré que je ferai tout en mon pouvoir pour apporter mon aide dans ce dossier. Je reviendrai bien assez vite !

David s'installa au bureau temporaire qu'on lui avait attribué et lut attentivement le dossier portant sur la disparition de Christelle Rivard. Il prit de nombreuses notes, sachant qu'à tout moment un élément prouvant le lien de ce meurtre avec celui de Lina Warren pouvait lui sauter aux yeux. Toutefois, il n'aurait jamais cru que ce pût être le cas aussi rapidement. Il se leva d'un bond afin de rejoindre le lieutenant Dussereault et de lui faire part de sa découverte.

* * *

Couchée en boule dans son lit, Elena essayait tant bien que mal de se remettre de la douleur que lui avait infligée sa dernière transe. Il était 2 h du matin et elle ne parvenait toujours pas à trouver le sommeil. Jeffrey vint la retrouver, mais sa chaleur n'eut aucun effet sur la jeune femme.

Le flash de l'agression au couteau avait été aussi bref que la première fois. Toutefois, ayant choisi la transe contrôlée, Elena était à l'affût des moindres détails environnants. Ses sens étaient tous éveillés et en alerte. Rapidement, elle remarqua un mur de béton gris, une fenêtre rectangulaire avec vue sur une usine rouge, ainsi qu'une bibliothèque poussiéreuse tout juste à droite de la fenêtre. Vers la quatrième seconde, elle ne s'attendait aucunement à sentir la froide lame du couteau pénétrer sa poitrine. La douleur avait été telle qu'elle avait du mal à croire qu'il ne s'agissait que d'une vision.

Cela faisait maintenant des heures qu'elle était recroquevillée dans son lit, la main contre sa poitrine, vérifiant sans cesse si elle s'en était vraiment sortie indemne.

Elle pensa à Aimée et à sa méthodologie de travail. Il était facile pour son ancêtre de mener ses petites enquêtes lors de ses transes. La distance physique et mentale que lui procuraient ses visions en tant que témoin devait grandement lui faciliter la tâche. Elena faisait plus que voir la scène, elle la vivait.

Le désespoir vint la border pour le reste de la nuit, l'empêchant de fermer l'œil durant plusieurs heures. Comment allait-elle parvenir à élucider ce mystère? Comment allait-elle pouvoir tolérer une seconde fois une telle douleur?

Vers 4 h, elle réussit enfin à s'endormir. Non pas par tranquillité d'esprit, mais par épuisement. Lorsque son réveille-matin sonna à 5 h 30, Elena le fit taire sans même s'en rendre compte. Pour la première fois, les efforts de Jeffrey ne donnèrent rien non plus. Ce n'est que vers 7 h que Patrick lui téléphona, afin de s'assurer qu'elle se portait bien.

* * *

— Allard.

— David?

— Bonjour, Elena! Je suis vraiment content d'entendre ta voix. Comment vas-tu?

— Quand vas-tu revenir à Montréal?

— Euh… ça va? Tu sembles malade…

— Je ne suis pas malade, mais j'ai besoin de te parler. Tu reviens bientôt?

— Est-ce urgent?

— Oui et non. David, réponds-moi, tu reviens quand?

— Écoute, il y a de gros développements dans l'affaire du « démembreur », c'est le petit nom que je lui ai donné. Tu sais que nous avons toutes les raisons de

croire que les deux meurtres sont liés? Je devrais revenir
samedi soir ou dimanche matin, car toute l'équipe de
l'OPP a convenu de travailler samedi sur le dossier.

— Tu crois que le tueur est encore à Montréal?

— Une chose est certaine, il y était encore au mois
de mai. Il est introuvable pour le moment.

«Rien pour me rassurer», se dit Elena à elle-même.

— Mais tu sais, nous n'avons pas encore de preuve
concluante et absolue… Juste de fichues coïncidences…

— …

— Elena, tu n'as pas l'air d'aller. Je n'aime pas
ça… Où te trouves-tu présentement?

— Dans mon bureau, au transbo.

— Te sens-tu en sécurité? Tu sais, je peux appeler
Brunet pour qu'il te vienne en aide.

— Non… ce n'est pas en rapport avec ça. Je voulais te parler de quelque chose, c'est tout. Je le ferai à ton
retour.

— Je te promets de revenir samedi, d'accord? Peu
importe l'heure, je pars dès que nous avons terminé ici.
J'irai directement chez toi, qu'en dis-tu?

— C'est parfait, David. Tu n'as pas idée comme
j'ai hâte à samedi dans ce cas.

— À demain. J'ai très hâte de te voir, Elena.

Lorsqu'il raccrocha, David était perplexe. La
vigueur de la femme qu'il aimait par-dessus tout était
visiblement amoindrie. Il se demandait bien quel mal
pouvait l'accabler ainsi. Il n'eut pas beaucoup le temps
d'y réfléchir avec tout ce branle-bas de combat qui se
déroulait sous ses yeux dans les bureaux de l'OPP.

Chapitre 8
L'instinct

Vendredi 8 juillet 2011

Encore une fois, David réussit à surprendre son lieutenant. Claude Dallaire ne pouvait espérer mieux d'un sergent-détective. Lorsqu'il reçut l'appel du sergent Allard jeudi au cours de l'avant-midi, il fut convaincu du bien-fondé de son hypothèse qui l'avait conduit jusqu'en Ontario. Il espérait même que tous ses succès ne finiraient pas par lui monter à la tête.

En feuilletant le dossier de la disparition de Christelle Rivard, David avait trouvé, en quelques minutes à peine, un lien probable entre ce meurtre et celui de Lina Warren.

— Je suis bien conscient qu'il ne s'agit pas d'une preuve irréfutable, mais, quant à moi, cet élément sème de lourds doutes sur cet homme.

— En effet, tout semble concorder. Toutefois, gardons la tête froide et ne nous emballons pas trop vite.

— Oui, effectivement.

— Tout de même, Allard, beau boulot. Poursuivez sur cette lancée.

Le lieutenant Dallaire devait admettre que le fait que le conjoint de la victime, un certain Andrew McRay, fût diplômé de l'Université Saint-Francis-Xavier en études celtiques représentait une intéressante coïncidence. Car l'un des rares éléments descriptifs du tueur de Lina Warren portait justement sur sa passion de l'époque celtique. David avait soulevé un autre point intéressant quant au choix du lieu des études. Pourquoi avoir étudié les études celtiques en Nouvelle-Écosse alors qu'il était possible de le faire dans la région de Toronto ?

Et, fait non négligeable, la mystérieuse volatilisation de cet Andrew s'avérait plutôt inquiétante. Son collègue de l'OPP, Allan Scott, n'était pas parvenu à le joindre pour lui annoncer la découverte du corps de Christelle, et ce, malgré ses nombreuses démarches afin de le retrouver.

Depuis la disparition de sa petite amie, le jeune homme semblait carrément introuvable. Même son ancienne belle-mère, qui avait bien évidemment été jointe au sujet de la confirmation de la mort de sa fille, n'en avait jamais plus entendu parler. Malgré son état de choc, elle avoua au policier être bien attristée de ne plus être en contact avec lui, car, selon elle, Andrew représentait l'homme idéal pour sa fille.

— Il était si charmant et tendre avec elle ! C'était un homme présent et cultivé. Ils étaient si beaux ensemble… avoua la mère endeuillée, entre deux sanglots.

Le lieutenant espérait que l'équipe de l'OPP, jumelée à l'expertise et au flair de David, puisse faire avancer rapidement le dossier. Car un vingt et unième meurtre avait été signalé la nuit précédente dans la métropole. Avec un peu plus d'une trentaine d'homicides répertoriés par année, la ville de Montréal faisait plutôt bonne figure comparativement aux autres grandes villes canadiennes. Toutefois, deux meurtres en deux soirs nécessitaient un déploiement d'effectifs du SPVM, et le lieutenant Dallaire avait besoin de toute son équipe sur place. Malgré ses succès, David devait être de retour au plus tard le lundi matin suivant.

* * *

En ce vendredi matin-là, l'équipe de la Police provinciale de l'Ontario travaillait d'arrache-pied afin de localiser Andrew McRay, maintenant principal suspect dans cette affaire. N'arrivant pas à le trouver, malgré plusieurs recherches, et ce, à l'échelle canadienne, l'agent Scott entreprit de rechercher sa famille. Le nom d'Irène McRay fut rapidement répertorié, et elle fut identifiée comme étant la mère du jeune homme. Le sergent-détective ontarien communiqua aussitôt avec elle.

— *So*[8]? demanda David à son collègue.

— *What a mess, that woman! She started to scream as soon as I began to talk about Andrew. Man, those two have a serious relationship problem! Anyway, she doesn't know where he lives and how to join him. All she knows is that she received some money last year from him and that he called her last Sunday. You know what? I think she was drunk*[9]!

---

8. « Alors ? »
9. « Quel gâchis, cette femme ! Elle a commencé à crier dès que j'ai mentionné le nom d'Andrew. Ils ont un sérieux problème relationnel, ces deux-là ! Bref, elle n'a aucune idée d'où il vit et de comment le joindre. Tout ce qu'elle sait, c'est qu'elle a reçu une certaine somme d'argent l'an passé de sa part et qu'il lui a téléphoné dimanche dernier. Et tu sais quoi ? Je crois qu'elle était saoule ! »

— Bordel, il n'est même pas 10 h ! Mais c'est excellent, il faut absolument retracer cet appel fait par Andrew. Va falloir le relevé téléphonique d'Irène McRay, intervint David.

— *Man, she was so mad at him ! She said, about five or six times, that he renounced her. She's sure that he hates her. She just doesn't know why he disappeared from her life*[10], ajouta l'agent de l'OPP.

— Elle fait bien de se poser cette question, car telle que je l'imagine, je crois bien que j'aurais fait la même chose que lui, rigola David.

Un peu plus tard au cours de l'avant-midi, David commença des recherches sur Andrew, afin de le connaître davantage. Il commença par son travail au Musée canadien des civilisations, où le jeune homme avait travaillé pendant presque deux ans. Le sergent-détective fut surpris de constater l'impressionnante quantité d'informations disponibles sur le site Internet de l'établissement. Les thèmes des expositions temporaires ou permanentes des cinq dernières années y étaient encore tous répertoriés. Les archives des différentes nouvelles étaient également disponibles, et ce, depuis janvier 2006. Toutefois, il trouva peu d'informations sur le contenu des expositions temporaires de 2006 ou de leur organisation.

Par la suite, il fit, par simple curiosité, une recherche générale des archives d'actualités sur Google, en mentionnant « Musée canadien des civilisations » pour l'année 2006. Ce qu'il trouva l'étonna et confirma

---

10. « C'est pas croyable, elle était si fâchée contre lui ! Elle a dit, au moins cinq ou six fois, qu'il l'avait abandonnée. Elle est certaine qu'il la déteste. Elle ne comprend tout simplement pas pourquoi il a disparu de sa vie. »

la nécessité de planifier une petite visite improvisée au musée. Après quelques coups de fil, David se leva afin d'informer son nouveau collègue de leurs nouveaux plans pour l'après-midi.

La ville de Gatineau étant voisine de celle d'Ottawa, il ne fallut que quelques minutes aux deux policiers pour s'y rendre. Un homme trapu les accueillit à l'entrée du musée vers 13 h ce vendredi-là. David n'avait pas encore eu la chance de visiter le très populaire musée, et il se promit d'y revenir en d'autres circonstances. À elle seule, l'architecture du bâtiment valait le déplacement. À leur entrée dans le grand hall lumineux, le guide les accompagna dans une salle de conférence, située en retrait, dans la section réservée à l'administration.

— Messieurs, veuillez vous asseoir, madame Bouvier viendra vous rejoindre dans un instant.

— Merci.

Ils s'installèrent confortablement dans deux des fauteuils ceinturant l'immense table en verre. La salle était spacieuse et moderne. Un pichet d'eau ainsi que des verres étaient à leur disposition sur la table.

— Belle salle de conférence! commenta David, au moment même où la porte de la salle s'ouvrit afin de faire place à une femme qui semblait prisonnière de son tailleur gris.

— Bonjour, messieurs. Je suis Ginette Bouvier, directrice des ressources humaines. Comment puis-je vous être utile?

— Bonjour, madame Bouvier, merci de nous recevoir si rapidement. Je suis le sergent-détective Allard, du Service de police de la Ville de Montréal.

— Et moi, le sergent Scott, de la Police provinciale de l'Ontario, précisa Allan, avec le pire accent que David ait entendu.

— Voilà qui est intrigant, Montréal et Ottawa travaillant main dans la main !

— Nous sommes sur une enquête commune, madame.

— Je vois. Alors, que puis-je faire pour vous ?

— Nous *voudrons avouar* des informations sur un *employee* que vous *eu in* 2006, essaya de dire Allan, dans un français cauchemardesque.

— Euh… oui, madame, reprit à la hâte David. Un certain Andrew McRay, qui aurait travaillé pour vous en 2005-2006. Nous voudrions savoir quel type d'employé et de personne il était. Nous cherchons à mieux le connaître, si vous voyez ce que je veux dire, ajouta-t-il.

— Très bien. Vous devrez me donner un peu de temps. Je vais aller chercher ce qu'il y a de disponible dans mes dossiers. Je n'étais pas en poste ici à cette époque, alors cette personne ne me dit absolument rien.

— C'est bien dommage. Peut-être pouvons-nous discuter avec des personnes qui ont directement travaillé avec lui ? demanda le policier montréalais.

— Il doit certainement y en avoir, effectivement. Je vais voir.

— Finalement, ajouta le sergent Allard, conscient de leurs nombreuses demandes imposées sans préavis, nous aimerions obtenir plus de détails sur la dague celtique volée en juin 2006 au cours de l'exposition temporaire dont monsieur McRay avait la charge.

— Un vol ?

— Oui, tenez. Voici un article paru à cet effet. Je l'ai imprimé ce matin à la suite de mes recherches sur Internet.

— Bon, je vais regarder cela. Il faudra me laisser un peu de temps, messieurs. Désirez-vous du café ?

— *No* merci, l'eau, *c'est correcte*, répondit le sergent Scott.

Lorsqu'elle sortit, David fit face à Allan et le regarda d'un air amusé.

— *What ? You wanted some coffee*[11] ? répondit le sergent Scott, devant l'expression faciale saugrenue de son collègue.

— Permets-moi d'être franc avec toi, Allan. Tu dois travailler ton français. C'est une nécessité ! rétorqua le francophone, essayant de se contrôler pour ne pas rire davantage. Mais, bel effort quand même ! ajouta-t-il avec un brin d'ironie.

Après vingt-cinq minutes d'attente, la dame au tailleur gris pénétra dans la salle de conférence accompagnée de deux hommes. Elle tenait dans ses bras un paquet de feuilles, qui semblaient fraîchement sorties du photocopieur.

— Messieurs, voici John Fisher et François DeGrace. Après avoir fait le tour des employés travaillant avec nous depuis 2005, ceux-ci sont parmi les seuls à avoir connu Andrew McRay. Je vous laisse donc les interroger à votre guise. Voici également une copie de notre dossier concernant le vol de la dague en question. Le rapport de la police devrait être plus complet. Sachez

---

11. « Quoi ? Tu voulais du café ? »

que cette dague n'a jamais été retrouvée et qu'aucun coupable n'a été arrêté à cet effet non plus.

— Merci, ce sera utile. Nous nous intéressons également au type de dague volée, précisa David.

— Eh bien, la description y est. Je vous laisse, messieurs. Bonne chance dans vos recherches.

* * *

Vers 15 h, Allan et David sortirent du musée pratiquement au même stade qu'à leur arrivée. L'un des employés du musée, John Fisher, se souvenait vaguement d'Andrew : il le voyait comme un homme grand et poli. Rien de constructif. Étant à l'époque agent de sécurité à l'entrée de l'exposition celtique, monsieur Fisher n'avait guère côtoyé le coordonnateur de l'événement. Quant à François DeGrace, il semblait le connaître sensiblement plus, ayant été animateur et guide durant toute la durée de l'exposition.

— Andy était un gars très organisé et qui connaissait son affaire. Je l'aimais bien en fait, il semblait passionné par ce qu'il faisait. Je me souviens, une fois, il avait amené sa copine. Ouf ! Qu'elle était mignonne, cette petite ! Ils semblaient bien s'aimer tous les deux, avait raconté monsieur DeGrace.

— De quoi vous souvenez-vous par rapport à cette histoire de vol ?

— La dague ? Ah… Un matin, à mon arrivée, j'ai aperçu Andrew qui était déjà sur place. Il était dans tous ses états ! Une dague celtique avait été volée durant la nuit, et il s'en était tout de suite rendu compte. Il connaissait l'exposition par cœur : chaque artefact, chaque arme, chaque bout insignifiant de poterie ou d'acier tordu. Tout avait sa place. La dague qui a été volée n'était même pas la plus belle… Il avait vraiment des yeux de lynx Andy, car il y en avait tant de semblables que, personnellement, je ne me serais jamais rendu compte de sa disparition.

— De semblables ?

— Quasi identiques. Il pouvait y avoir des variations dans le manche, selon l'essence de bois employée ou le type de symboles gravés, ou dans l'état de conservation des lames.

— Il serait donc possible d'en obtenir une afin de l'analyser ? demanda David, espérant pouvoir mettre la main sur une de ces dagues afin que les médecins légistes puissent vérifier s'il pouvait s'agir du type d'arme ayant servi à assassiner Christelle Rivard et Lina Warren.

— C'est dans le domaine du possible, mais faudra aller la chercher en Belgique ! La collection provenait d'un musée là-bas, je crois.

— Je vois…

En montant dans la voiture du sergent Scott, David prit le premier la parole. D'un ton ironique, il résuma la situation :

— Alors, tout le monde s'entend pour dire qu'Andrew McRay est un beau grand garçon agréable, poli et tout à fait dévoué à la cause celtique. Même sa belle-mère l'adorait, c'est tout dire ! Il doit être charmant !

— *A charming boy who hates his mother… and that maybe kills young women. A charming boy who hides a terrible monster*[12].

---

12. « Un garçon charmant qui déteste sa mère… et qui tue peut-être des jeunes femmes. Bref, un garçon charmant qui cache un terrible monstre. »

— Ça, c'est un fait indéniable, *my friend*. Si c'est le meurtrier, il va sans dire.

Les deux policiers laissèrent toute la place à la musique durant le reste du trajet vers Ottawa. David adorait les Blacks Keys et il fut heureux de découvrir le disque compact du groupe traînant dans la voiture de son collègue. C'est en battant du pied et en fredonnant qu'ils arrivèrent à l'édifice Lincoln-Alexander. Tout en se stationnant, le sergent-détective Scott reprit la parole.

— *Even if we don't have the celtic dagger, we should send the description and the picture to the forensic to have their opinion on it*[13].

— Ouais, c'est certain.

* * *

Affalée sur son canapé devant la télévision, Elena changeait les chaînes sans même prendre le temps de vérifier les émissions en cours. Sa conscience lui martelait le crâne, elle lui dictait de fermer le téléviseur et de faire son devoir : trouver l'identité de l'agresseur au couteau et sa victime. Depuis sa discussion avec David, elle craignait le pire avec cette histoire possible de tueur en série. Agir de façon responsable semblait la seule option : elle devait réessayer. Elle se leva et partit dans la cuisine, d'un pas résigné.

Tout en buvant sa tisane, la jeune femme tenta de se calmer. La douleur qu'elle avait ressentie lors de son

---

13. « Même si nous n'avons pas la dague en main, nous devrions transmettre sa description et sa photographie aux médecins légistes pour avoir leur opinion là-dessus. »

précédent essai avait laissé de profondes marques. La personne sûre d'elle-même et déterminée qu'elle était habituellement s'avoua totalement tétanisée par la peur. Mais elle n'avait plus le choix. Demain, David serait chez elle et la pratique du chamanisme, grandement compromise.

Quelques minutes plus tard, elle s'allongea dans son lit, prête à commencer. Toutefois, avant de se concentrer sur la scène au couteau, elle entreprit de dialoguer avec les esprits. Tout en frappant doucement sur son tambour, elle implora ces êtres mystiques de l'épargner : elle ne pouvait concevoir de revivre la douleur provoquée par le poignard la pénétrant à nouveau. Également, elle quémanda plus de temps, car les quelques secondes qu'on lui offrait représentaient un délai beaucoup trop bref pour pouvoir accomplir sa tâche convenablement.

Enfin prête, Elena décida de voiler sa vue lors de cette tentative. Cette procédure lui avait bien servi lors de son précédent essai. Cela lui permettait de prêter attention à d'autres détails plus subtils. Elle prit son courage à deux mains et commença ses exercices de respiration. Elle fit en sorte que le tambourinement sur la peau de bison soit plus régulier et, facilement, l'apprentie chamane entra en transe.

Les esprits furent sensibles à la mission d'Elena, et la transe dura plus de neuf secondes. Le noir absolu qui régnait lui permit d'entendre deux éléments d'une importance capitale. D'abord, dès la première seconde de la transe, elle entendit, prononcé par une voix enragée et masculine, un seul mot, qui allait lui être très utile :

— Salope !

L'agresseur l'avait dit rapidement, d'une voix grave et lourde de colère. Ainsi, la personne agressée par cet homme ne pouvait être qu'une femme.

Par la suite, elle entendit un son en sourdine : il s'agissait d'un homme. Elle connaissait cette voix, mais ne parvint pas à l'identifier dans le court laps de temps dont elle disposait.

Après avoir noté ses observations dans son calepin, elle entreprit immédiatement de reproduire ce nouveau flash de neuf secondes. Peut-être pourrait-elle entrevoir le visage de l'homme au couteau ? En s'étendant de nouveau sur son lit, elle réalisa soudainement que la douleur tant redoutée ne s'était pas manifestée. Après réflexion, Elena se souvint d'avoir senti un pincement à la poitrine lors de l'attaque. Décidément, les esprits avaient exaucé toutes ses requêtes. Confiante, elle prit le bâton de bois et se mit à frapper de façon monotone sur le tambour de son ancêtre.

Sa position n'avait pas changé : elle se sentait ligotée et faisait face à la fenêtre qui montrait toujours une vue aussi imprenable sur cette usine aux cheminées rouges. Son agresseur n'était malheureusement pas dans son champ de vision. Puis, elle entendit soudainement le seul mot qu'elle avait noté. Le coup de couteau vint une seconde plus tard. Les quelques secondes supplémentaires qu'elle avait obtenues se déroulaient donc avant le coup de poignard.

Assise sur le bord de son lit, enveloppée de sa couverture afin de se réchauffer, elle écrivit d'une main encore tremblante la seule nouvelle information qu'elle avait pu recueillir : la voix masculine en sourdine provenait d'une télévision. Grandement épuisée par les deux transes qu'elle venait de vivre successivement, elle décida tout de même de refaire un essai une troisième fois. Elle devait se concentrer sur ce que disait cet homme en retrait. Pour le moment, c'était son seul espoir.

* * *

Lorsqu'elle ouvrit les yeux après sa transe, la chamane avait le sourire aux lèvres et le sentiment du devoir accompli. Rapidement, elle inscrivit dans son petit calepin tout ce dont elle se souvenait. D'une calligraphie rendue boiteuse et saccadée par le tremblement, Elena se concentra sur chaque mot dicté par cet homme qu'elle savait connaître. Le peu de temps dont elle disposait s'avéra finalement amplement suffisant pour compléter une partie de sa petite enquête.

« (…) un déraillement de train à Calcutta, en Inde, a fait au moins quarante-cinq morts et plus d'une centaine de blessés plus tôt aujourd'hui. »

Elena avait reconnu la voix du présentateur-vedette du *Téléjournal* de 18 h à Radio-Canada. Elle en était certaine, car elle écoutait quelquefois cette émission durant la semaine. La nouvelle était de grande envergure et de dernière heure, donc le moment de l'agression devait avoir lieu entre 18 h et 18 h 10, en début d'émission. Bien entendu, aucune date n'avait été déterminée lors de ce dernier essai. Toutefois, Elena savait désormais qu'elle resterait à l'affût de l'actualité pour les semaines à venir.

Elle nota finalement un dernier détail intéressant : le degré d'ensoleillement dans la pièce. De toute évidence, l'agression avait lieu en plein jour, avec un soleil encore omniprésent. Selon elle, le déraillement de train aurait nécessairement lieu au cours de l'été ou, du moins, avant le mois d'octobre, où le coucher du soleil est beaucoup plus hâtif.

Totalement épuisée, Elena jugea sa performance plutôt satisfaisante. Elle sortit la plume de hibou de sous sa bretelle de soutien-gorge et la contempla un moment. Délicatement, elle l'embrassa.

— Merci, Aimée, chuchota-t-elle, reconnaissante de ne pas avoir senti le poignard lui traverser la poitrine une seule fois ce soir-là.

* * *

Samedi 9 juillet 2011

David regardait distraitement par la fenêtre de sa voiture. Moins de dix minutes de voiture le séparaient du quartier général de l'OPP. La nuit avait été longue, et il constata à quel point il avait hâte de revoir Elena. Elle lui manquait terriblement. Malgré l'enquête en cours, il était bien heureux de retourner le soir même à Montréal et de retrouver sa belle.

Durant de longues heures, la nuit précédente, seul dans sa chambre d'hôtel, le policier avait passé en revue tous les scénarios possibles. Il ne parvenait tout simplement pas à deviner ce que voulait lui dire sa bien-aimée.

Lors de leur dernière conversation téléphonique, elle semblait triste et préoccupée. Elle ne voulait pas lui en parler au téléphone et prétextait que c'était important, mais pas si urgent. De quoi pouvait-il bien s'agir ? Voyait-elle déjà quelqu'un d'autre ? Il n'y croyait pas ou, du moins, ne voulait pas y croire. Elena semblait sincère avec lui.

David descendit de son véhicule et se résigna à devoir attendre la fin de la journée avant de comprendre quels tracas accaparaient la femme qu'il aimait.

Arrivé à son bureau de fortune, il relut attentivement la déposition d'Andrew McRay, à la suite de la disparition de sa copine en 2006. Le jeune homme vivait avec elle depuis peu, dans un appartement qu'il louait depuis plus d'un an, avenue Bayswater, dans le secteur d'Hintonburg de la ville d'Ottawa. Le couple demeurait au rez-de-chaussée d'un triplex, et moins de trente minutes de marche le séparaient du lieu de travail d'Andrew.

À l'époque, le voisin de l'appartement du dessus avait affirmé l'avoir entendu durant la nuit du 8 juillet 2006. Selon ses dires, le jeune homme inquiet aurait attendu sa copine toute la soirée, jusqu'à son appel à la police vers 1 h du matin. Quant à l'autre voisine, résidant au sous-sol du triplex, elle était absente durant les événements. La jeune étudiante était effectivement en visite chez ses parents à Sherbrooke ce soir-là.

Ayant de sérieux doutes quant au témoignage du voisin qui lavait de tout soupçon ledit Andrew, David décida de prendre les choses en main. Après avoir complété quelques vérifications de routine, il se leva et alla trouver le sergent-détective Scott.

— Allan, ça te dirait de m'accompagner dans le beau petit quartier d'Hintonburg ?

* * *

Raymond Lalonde vivait seul depuis la mort de sa femme, il y avait de cela dix ans. Le vieux Franco-Ontarien gardait miraculeusement la forme malgré ses quatre-vingt-trois ans. Ayant comme seuls loisirs ses quelques promenades dans le parc et ses matchs de pétanque hebdomadaires avec le club du quartier, le vieil homme résistait fort bien aux caprices de l'âge, malgré tout.

Sa vie le rendait encore heureux, même s'il s'ennuyait toujours ses années passées avec sa femme. Depuis dix ans, il suivait la même routine.

Les lundis étaient réservés au nettoyage de la cage de sa perruche, tandis que tous les mardis, une infirmière venait lui rendre visite et prenait sa pression artérielle. Il aimait bien lui faire du café, afin qu'elle reste plus longtemps. Le mercredi, il se rendait au club de pétanque, où il pouvait jouer jusqu'à ne plus sentir ses jambes. Tous les jeudis, il se faisait livrer son épicerie et ses médicaments de la pharmacie. Les vendredis, sa fille Francine venait l'aider à préparer ses repas de la semaine, tandis que les samedis, il allait au parc, qu'il pleuve ou non. Le dimanche, jour destiné à sa famille, il aimait recevoir ses petits-enfants.

Malgré son âge avancé, le vieil homme possédait une mémoire d'éléphant. La maladie d'Alzheimer pouvait bien aller se rhabiller ; elle n'était guère la bienvenue dans ce petit appartement de l'avenue Bayswater. Ainsi, lorsque deux policiers vinrent sonner à sa porte au petit matin du samedi 9 juillet, Raymond Lalonde n'eut aucun problème à se souvenir de son ancien voisin.

— Oui, je me souviens d'Andy, répondit le vieil homme, dans un français impeccable. Il était si grand, j'avais mal au cou juste à le regarder ! Comme vous, en fait, précisa-t-il en pointant David du doigt. Il était un bon voisin, serviable et tranquille. C'est terrible ce qui leur est arrivé.

— Justement, nous aimerions revenir sur ce point. Lors de votre entretien avec mes collègues de l'OPP, en 2006, vous avez affirmé être certain qu'Andrew se trouvait à son appartement entre 18 h 25, heure de son retour du boulot, et 1 h du matin, heure à laquelle il a téléphoné à la police, rappela David.

— Oui, c'est ça. Je me souviens de l'arrivée des policiers en pleine nuit chez eux. Je me demandais bien ce qui se passait !

— Pourriez-vous nous rappeler pour quelle raison vous étiez si convaincu de sa présence ce soir-là ?

— Eh bien, je me souviens d'avoir fait des mots croisés toute la soirée, et puisque ma table donne sur la fenêtre du salon, j'avais à l'œil tout le va-et-vient à l'extérieur. J'étais certain qu'Andy n'était pas sorti, car sa porte se trouve juste sous ma fenêtre. Je l'aurais vu, c'est certain. De toute façon, il y avait sa télévision qui fonctionnait. Il ne la laissait jamais allumée sans raison.

— Avait-il une voiture ?

— Non, il prenait l'autobus pour aller au boulot ou il marchait. Christelle avait une voiture.

— Oui, elle a d'ailleurs été retrouvée dans le stationnement d'un centre commercial, précisa David.

— *Maybe he got out by the door behind*[14] ?, ajouta l'agent Scott.

---

14. « Peut-être est-il sorti par-derrière ? »

— La porte arrière donne sur une ruelle et ils ne sortaient jamais par là, répondit le vieillard.

— Mais il aurait pu ? questionna de nouveau David.

— Je suppose que oui. Mais le bruit dans son appartement ne faisait aucun doute sur sa présence. La locataire d'en bas était absente, j'entendais donc très bien. Vous savez, c'est une vieille bâtisse. On en entend, des choses !

— Oui, il y a ça, acquiesça David.

Après une hésitation, il poursuivit :

— Monsieur Lalonde, depuis quand portez-vous ces appareils auditifs ?

— Euh… ça doit faire quatre ans. J'ai eu de bonnes oreilles très longtemps !

— Effectivement ! Ma mère a soixante et onze ans et elle en porte déjà ! approuva le sergent-détective. Donc, vous ne les aviez pas en 2006 ?

— Non, c'est ça. Je crois les avoir eus en 2007.

— Quand vous êtes-vous rendu compte que vous aviez des problèmes d'audition, monsieur Lalonde ?

— C'est ma fille Francine qui s'en est rendu compte avant moi. Elle m'a suggéré de faire un examen auditif par la suite.

— Se peut-il, simple supposition, que vous ayez déjà des problèmes d'audition à l'été 2006, mais que vous ne vous en étiez pas encore rendu compte ?

— Euh… je n'en ai aucune idée, vous l'avez, la drôle de question !

Après avoir bu un exécrable café filtre froid, les deux policiers laissèrent le vieil homme à son appartement démodé et poussiéreux.

— Nice men, I wish to be in shape like him at his age[15] *!*

— Épatant, le bonhomme, effectivement. Mais tu sais quoi, Allan ? Selon moi, son témoignage, il est bon pour les poubelles. Je suis convaincu qu'Andrew McRay a trouvé une façon de sortir de son appartement par-derrière.

— Let's go back to the office. We need to find more info on him. Also, let's publish his picture. Maybe someone has seen him somewhere. He cannot disappear like that[16].

— C'est vrai. Arrêtons-nous pour casser la croûte d'abord, je meurs de faim ! Nous irons ensuite parler de tout ça avec le lieutenant Dussereault.

Après discussion avec le lieutenant, exceptionnellement au bureau en ce samedi après-midi, il fut convenu que l'aide du public pourrait effectivement être utile afin de retrouver le suspect numéro un dans cette affaire. Puisque aucune preuve formelle n'incriminait encore Andrew, l'annonce devait être discrète.

— Il faut signaler l'importance de son témoignage dans cette enquête. Toutefois, nous ne pourrons la publier avant d'avoir rencontré sa mère, Irène. D'ailleurs, pourquoi n'est-ce pas encore fait, messieurs ? demanda le lieutenant à Allan et David.

— I have an appointment with her monday morning[17].

---

15. « Un bon monsieur celui-là, j'espère être aussi en forme à son âge ! »
16. « Retournons au bureau. Nous avons besoin de plus d'information à son sujet. Aussi, il faudrait publier sa photo. Peut-être quelqu'un l'a-t-il aperçu quelque part ? Il ne peut pas disparaître comme ça ! »
17. « J'ai un rendez-vous avec elle lundi matin. »

— Et puis, il faudra demander une photographie d'Andrew à sa tendre mère, car nous n'en avons aucune au dossier, précisa David.

— Comment ça, pas de photo ? rétorqua Jean-Philippe Dussereault, étonné de l'apprendre.

— *He wasn't a suspect at that time. It wasn't even a murder case, yet*[18].

— Bon… Autre point, il faut plus de détails sur ses origines. Trouver son acte de naissance, connaître son enfance, son parcours, son historique d'emprunts à la bibliothèque, tout quoi ! Je veux tout savoir sur lui. David, je sais que tu pars bientôt. Sache que nous t'enverrons tout ce que nous trouverons. Si tu as du nouveau de ton côté, je m'attends à ce que tu nous le transmettes également.

— Soyez-en assurés. Et je reviendrai périodiquement pour vous prêter main-forte sur le dossier.

* * *

Lorsque Elena ouvrit la porte vers 21 h 30 ce soir-là, elle resta littéralement bouche bée. Un homme grand, incroyablement charmant, aux tendres yeux bleus se trouvait dans l'embrasure de sa porte, affichant un irrésistible sourire. Une boule de désir l'enflamma aussitôt et, ne pouvant se retenir davantage, elle lui sauta littéralement au cou.

Sans dire un mot, l'homme entra tout en l'embrassant passionnément. Les effluves floraux et légers d'Elena lui avaient tant manqué, tout comme le goût de ses lèvres. Il oublia l'enquête du « démembreur » en cours,

---

18. « Il n'était pas un suspect à l'époque. En fait, ce n'était même pas un cas de meurtre. »

oublia le long trajet qu'il venait de faire et oublia même la discussion que sa douce voulait tant entreprendre avec lui. Ce qui le préoccupait pour le moment, c'était de détacher le plus rapidement possible ce soutien-gorge tenace, qui freinait ses ardeurs.

* * *

Ils ne se souvinrent ni d'avoir fermé la porte derrière eux, ni de la durée de leurs ébats amoureux. Ce qui ne faisait aucun doute, pour le moment, se résumait à l'intensité de leur étreinte et à la chaleur émanant de leurs corps, ce qui contrastait outrageusement avec le carrelage froid du plancher de la cuisine. Elena n'avait pas en mémoire d'avoir vécu un moment aussi passionné, ne serait-ce qu'une seule fois dans sa vie. Elle regarda dans les yeux l'homme nu couché sur elle et se surprit à entendre les mots qui sortaient de sa bouche.

— Je t'aime, David.

Après cet accueil au-delà de ses espérances, le policier ne pouvait être homme plus heureux. Elena lui offrit une tisane, mais il déclina poliment son offre peu alléchante. Il préférait un café noir, privilège qu'il pouvait s'offrir à une heure aussi tardive, son corps étant totalement immunisé contre les effets de la caféine.

Assis face à face dans le canapé moelleux de la jeune femme, ils dégustèrent leurs breuvages chauds tout en se parlant de tout et de rien. La belle brune était étendue de tout son long, ses longues jambes posées sur les cuisses de son amoureux. Avec entrain, David blaguait en racontant quelques anecdotes sur son nouveau collègue anglophone.

— Nous formons une belle équipe, et puis, il est tellement drôle ! Il se prend au sérieux, tout en ayant un petit air innocent…

Mais avant même qu'il ait pu relater les piètres talents d'Allan dans le maniement de la langue de Molière, Elena le coupa net.

— Je voulais te parler de quelque chose d'important.

Aussi efficaces qu'un électrochoc, ces paroles annihilèrent totalement l'enthousiasme de David. Après une petite pause, soutenue par un regard inquiet, il approuva :

— Oui, oui, c'est vrai… Que se passe-t-il, Elena ?

— Notre relation est relativement récente, mais je veux que tu saches que je me suis rapidement attachée à toi. Plus vite que je ne l'aurais cru.

— Tu veux que l'on emménage ensemble ?

— Euh…, bredouilla la jeune femme, surprise par sa question.

Une partie d'elle-même sautillait de joie à la possibilité de vivre avec lui. Mais elle s'efforça de rester concentrée et, ne voulant pas s'écarter du sujet délicat dont elle voulait lui parler, elle ajouta d'une voix tendre :

— On en reparlera, veux-tu ? Pour le moment, j'aimerais que tu m'écoutes, d'accord ?

— Oui, excuse-moi, répondit-il aussitôt.

— Ce que j'ai à te dire n'est pas simple… et je n'étais pas prête, jusqu'à tout récemment, à te faire part de cette partie de moi-même. C'est au sujet de… de mon instinct féminin.

— OK, affirma David, tout en l'encourageant à s'expliquer.

— Lorsque je te dis que mon instinct féminin est plus que valable, cela veut dire que je suis en mesure de connaître certaines choses ou certains événements avant qu'ils ne se produisent. Un peu comme des prémonitions...

— Des prémonitions ???

— Oui, c'est un peu ça... En fait, j'ai des visions prémonitoires qui me permettent de voir l'avenir à court terme. Cela a commencé à l'âge de neuf ans, de façon tout à fait instinctive et spontanée. Maintenant, je peux contrôler mes transes et mes visions. Et je peux le faire en dialoguant avec les esprits. Ce sont eux qui me fournissent les informations nécessaires à ma compréhension des événements à venir. Il semble que ce soit une faculté qui traverse les générations, et la famille Perrot regroupe plusieurs personnes comme moi. La dernière fut Aimée Perrot, la tante de mon grand-père. Tout indique que nos origines iroquoises y soient pour quelque chose. Je ne l'ai appris que tout récemment, et j'ai eu énormément de difficulté à digérer la nouvelle. Maintenant, je suis en apprentissage... Mais j'y crois, totalement.

— Tu me dis quoi, là ? Que tu es une voyante ?

— Non, que je suis une chamane.

— Une quoi ? Une sorte de sorcière ? Tu me niaises ou quoi ? répondit-il, regrettant aussitôt ses paroles. Ça existe vraiment, ça ? ajouta l'homme encore surpris, essayant de paraître plus calme.

— Je... Je comprends ta réaction. Ça a été pareil pour moi ! Et pour répondre à tes questions, non, je ne suis pas une sorcière et, oui, c'est bien réel et encore très présent de nos jours. Tiens, voici le vieux journal de mon ancêtre. Il a fini par me convaincre.

Pendant que David feuilletait le recueil d'Aimée, elle lui raconta les histoires troublantes entourant la mort de son grand-père et de son ami Marco. Elle expliqua également l'histoire du petit Marc-Antoine et de sa mère malade. Le policier écoutait attentivement, sans passer le moindre commentaire. Son regard allait de la stupéfaction au doute, tout en restant sévère.

Lorsqu'elle eut terminé son long récit, Elena se tut et attendit la réaction de son amoureux avec beaucoup d'appréhension. Lorsqu'il ferma le vieux bouquin bruni, il fit une pause et leva enfin la tête dans sa direction.

Devant lui se trouvait la femme qu'il aimait inconditionnellement depuis leur toute première rencontre, le 3 juin dernier. Même si elle avait paru froide et austère ce jour-là, elle se révélait être une personne aimante, passionnée et surprenante. Jamais il n'aurait cru possible un tel discours de sa part. Pour lui, la spiritualité ne ressemblait en rien au profil de sa belle. Et voilà qu'elle venait de lui avouer qu'elle discutait de temps à autre avec des esprits ! Tout en la regardant, il répondit au regard implorant d'Elena.

— Tu sais que tu me serais vraiment utile dans mes enquêtes ?

La jolie brune se mit alors à rire de façon incontrôlée. Sa nervosité s'évapora aussitôt et, ne pouvant s'arrêter, elle faillit tomber à la renverse sur le tapis du salon. Son comportement erratique surprit David, et il ne put s'empêcher d'afficher un sourire à son tour.

Tout en la regardant se tordre de rire, il eut cependant un léger doute quant à son équilibre mental. Son discours et ses explications, bien que surprenants, avaient été fort convaincants. David voulait croire les dires de la femme qu'il aimait plus que tout, qu'elle soit folle ou non.

Rougie par son fou rire, elle s'approcha doucement de son amoureux.

— Alors, tu me crois ?

— Oui… Mais promets-moi de ne plus jamais rire de la sorte. Ça sonnait comme un furet que l'on égorgeait.

— Pardon, je ne m'attendais pas à ce genre de réaction de ta part ! J'ai beaucoup hésité à t'en parler. J'avais si peur que tu partes en courant !

— Oh, mais cette possibilité m'a effleuré l'esprit, ma chère ! lui répond-il, le sourire aux lèvres. Alors, qui d'autre est au courant ?

— Mon amie Charlotte le sait depuis belle lurette, ainsi que Sam, ma grand-tante. C'est tout.

— Et ta famille immédiate ?

— Non, personne, et je veux que ça reste ainsi. Aimée était surnommée la « Folle-à-Perrot ». Je ne veux pas devenir la version moderne de cette infamie.

— Alors… réfléchit David, ta peur face à cette éventuelle agression vient de là, n'est-ce pas ?

— Oui… Mais les choses ont un peu évolué.

— Que veux-tu dire ?

— La victime peut être n'importe qui de sexe féminin vivant au Québec. Il est plus probable que ce soit quelqu'un de mon entourage, mais, dans les faits, cela peut être n'importe qui !

— Une femme qui se fera agresser avec un couteau ?
— Oui.

— Et tu dis ne pas vouloir m'aider dans mes enquêtes ?

— Écoute, je ne sais rien pour le moment. Je dois trouver ma voie. Il est certain que si je découvre l'identité de l'agresseur ou de la victime, tu le sauras immédiatement. Mais, comme Aimée, je dois définir mes limites et, surtout, les respecter. Pour le moment, je suis directrice des opérations au poste de transbordement du Groupe Perrot à temps plein et je fais un peu de chamanisme dans mes temps libres, comme toi tu t'entraînes.

— Peu orthodoxe comme passe-temps…

— Très difficile, en fait. Ça me tue littéralement chaque fois !

— C'est vraiment surréaliste, cette histoire…

— Et puis, David, je te demande pour le moment de ne pas t'attendre à ce que je t'aide dans tes enquêtes. J'ai suffisamment de difficulté à comprendre ce que je vais faire avec cette faculté. La perspective de devenir ton outil de travail risquerait de me faire perdre la raison. Pour de vrai, cette fois-ci !

— On en reparlera… lui répondit un David peu convaincu. Dis-moi, tu m'as vu venir dans ta vie ?

— Euh… non, pas du tout. Je n'étais pas expérimentée à l'époque. C'est vraiment très récent comme phénomène, balbutia Elena, tout en pensant à toutes ses transes avec Jake qu'elle avait savourées durant des semaines.

Vers 23 h, les deux amoureux se retrouvèrent dans le lit trop petit de la jeune femme. David devait littéralement se recroqueviller en permanence afin de protéger du froid ses pieds qui dépassaient du matelas. Mais dormir en cuillère contre Elena représentait pour lui le plus appréciable des compromis.

Pourtant, les bras de Morphée n'avaient toujours pas enlacé les tourtereaux. Le policier avait sommeil, mais son corps refusait de s'assoupir. Il aimait sentir les cheveux de sa nouvelle compagne, au doux parfum d'orchidée et de vanille. Il voulait poursuivre ses caresses sur ce corps parfait, qu'il ne cessait de vouloir apprivoiser. Et puis, toute cette histoire de chamanisme le tenait irrévocablement en éveil. Sa belle était-elle vraiment en danger ? Ou était-ce une autre ? Jusqu'où s'étendaient les pouvoirs d'Elena ? Comment vivre une histoire d'amour avec une personne pouvant tout connaître à l'avance ? Ou si elle découvrait tous ses secrets ? David devint tendu soudainement. Avait-elle tenté une transe sur lui ? Et si elle était au courant pour son passé ? De son expulsion du collège ? L'avait-elle vu pleurer comme un enfant lorsque Karoline l'avait quitté ? Il fixa le mur, les deux yeux grands ouverts, ne croyant guère en ses chances de connaître un sommeil paisible cette nuit-là, et ce, malgré la chaleur irradiant du corps de sa bien-aimée. Il huma à nouveau sa douce chevelure et tenta de désamorcer le début de panique qui le gagnait.

Elena ne dormait toujours pas et devinait David tendu contre elle. Malgré tout, elle se sentait sereine de lui avoir confié son petit secret. Il lui avait fallu beaucoup de courage pour le faire, mais elle était fin prête. Ne pouvant prédire exactement ce que cette décision impliquerait dans son couple, elle avait tout de même décidé de suivre son instinct. Il était temps qu'il le sache, de toute façon.

Sans prévenir, David la serra davantage contre lui et lui embrassa la nuque. Il était incontestablement une source de réconfort mille fois plus efficace que son chat

Jeffrey. Il s'approcha d'elle encore davantage et lui souffla à l'oreille :

— Dis-moi que tout va bien aller.

En guise de réponse, elle se retourna et l'embrassa doucement sur les lèvres, tout en prenant son visage entre ses deux mains soyeuses. Il n'en fallait pas plus pour embraser leurs corps dans un nouvel élan de passion.

* * *

Dimanche 10 juillet 2011

— Alors, qu'en penses-tu ? Tu n'as rien dit tout à l'heure lorsque je t'ai annoncé la bonne nouvelle.

Amélia était assise au côté de Mark qui conduisait la prestigieuse Porsche 911 Carrera Turbo, gracieusement offerte par son riche beau-père pour les vingt-six ans de sa belle. La jeune femme ne pouvait refuser ce type d'attention, sachant bien que sa sœur aînée ne se gênait pas pour retourner systématiquement tous les cadeaux de la sorte que leur père lui faisait de temps à autre. Le jour où elle avait refusé le superbe Range Rover Evoque Prestige que lui offraient ses parents pour son trente et unième anniversaire, Amélia n'avait su contenir sa révolte.

— Elena, tu es folle où quoi ? Il vaut au moins 70 000 dollars, ce bolide !

— Amélia, je préfère ma voiture hybride à ce monstrueux camion tout-terrain. Question de principe, point à la ligne.

Le ton assuré de sa sœur dans son refus avait subjugué la jeune Perrot. Ses convictions idéologiques et

310

environnementales semblaient sincères et sans équivoque. Elle se contentait d'un simple appartement dans un vieux triplex et d'une automobile hybride bon marché. Elle ne portait ni Prada, ni Givenchy, ni Louis Vuitton. Elle travaillait d'arrache-pied et refusait tout simplement la facilité. Sans nécessairement épouser les principes de simplicité volontaire, Elena dénonçait ouvertement la surconsommation et le gaspillage en tous genres.

L'aînée des filles Perrot avait des principes, une volonté de fer et réussissait dans tout ce qu'elle entreprenait.

Quant à Amélia, elle suivait la parade haute couture de sa vie, collectionnait les chaussures, sacs à main, colliers et amis pour s'oublier et espérer ressembler, ne serait-ce qu'un instant, à sa frangine adorée.

Mark freina au feu rouge sur le boulevard Gouin, à quelques rues de la résidence de ses beaux-parents. Il se tourna pour regarder tendrement sa bien-aimée, qui l'implorait du regard.

— Tu sais bien que je suis heureux pour toi, ma belle! C'est une occasion en or.

— Je n'en reviens tout simplement pas de cette chance. Ma sœur doit certainement avoir quelque chose à voir dans tout ça.

— Ah oui? Pourquoi? interrogea le conducteur, en appuyant sur l'accélérateur au feu vert.

— Parce que tout ce qui arrive de bien dans ma vie est de près ou de loin associé à elle! s'exclama la jeune femme, tout en faisant un signe de la main à sa petite nièce qui arrivait également pour le brunch dominical de la famille Perrot.

* * *

En ce beau dimanche sans nuages, Elena fit une entrée remarquée chez ses parents. Habillée d'un chandail voilé bleu nuit et d'une jupe blanche, elle semblait rayonnante et féminine à souhait, ce qui n'était guère dans son habitude. Surtout le dimanche matin. L'homme qui l'accompagnait se montra instantanément à l'aise avec la famille Perrot. Des poignées de main sincères et soutenues s'échangèrent durant les présentations. Lorsque David arriva face à la petite Clara, elle eut du mal à le regarder.

— Comment tu fais pour pas tomber ? lui demanda l'enfant, visiblement impressionnée par sa grande taille.

— Eh bien… regarde mes pieds. Ils sont vraiment très grands, eux aussi, alors ils arrivent à me supporter. Mais tu sais de quoi je m'inquiète le plus ?

— Non…

— De me cogner la tête contre les cadres de porte. Tu vas bien vouloir m'aider, Clara ?

— Oui ! Je vais te le dire chaque fois ! Et Cléo aussi va t'aider ! assura-t-elle, ravie de sa nouvelle responsabilité.

L'aisance avec laquelle David avait établi un lien avec sa nièce surprit Elena. À peine en eut-il terminé avec Clara qu'il était déjà en pleine conversation avec Mark et Bruno, un verre de mimosa à la main.

— Voilà ton verre, ma poule.

— Merci Amélia, répondit-elle à sa sœur.

— Tu le sors d'où, ce géant ?

— Comme si le tien n'était pas grand…

— Mais il y a grand… et grand! précisa la jeune femme. Il a l'air vraiment bien, tu sais. Je suis très heureuse pour toi… On peut même dire que ta vie est parfaite, maintenant!

— L'atteinte de la perfection est un leurre et une utopie, Amélia.

— Oh là! Il est trop tôt pour être philosophe, sœurette. Je n'ai même pas encore pris mon café!

— Et ta vie te plaît aussi?

— Oh oui, surtout depuis que Mark est là. Et puis, il y a du nouveau…

— Ah oui?

Avant même de lui répondre, Amélia s'avançait vers les autres membres de sa famille, réunis au salon, afin de prendre la parole. Lorsqu'elle vit madame Beauchamp venir leur annoncer de s'approcher à table, elle lui fit signe d'attendre quelques instants.

— Maman, papa. J'ai une annonce à faire. Une bonne nouvelle, en fait!

Intriguée, sa famille se tut et prêta attention à la jeune femme de vingt-sept ans.

— J'ai été approchée afin de devenir photographe à la pige pour une grande entreprise de médias. On m'a assuré plusieurs petits contrats prochainement, qui m'amèneront à voyager un peu partout dans la province. Je pars d'ailleurs demain matin pour Québec pour une séance photo. Et je vais être en mesure de terminer mes cours de photographie simultanément avec ce boulot. C'est super, non?

Elena s'exclama en chœur avec tous les Perrot, heureuse que sa sœur ait trouvé enfin un semblant de travail. Charlotte ne lui avait pas mentionné avoir parlé à ses supérieurs. Décidément, elle lui en devait une.

Tout en se dirigeant vers la table, David demanda à sa bien-aimée :

— Tu ne m'as pas dit que ton amie Charlotte travaillait pour cette entreprise ?

— Hum, grogna à voix basse Elena, le foudroyant du regard.

— Ah ! Ha ! Je savais que tu avais quelque chose à voir dans tout ça ! cria Amélia en lui sautant dans les bras.

Lorsque Elena leva les yeux, elle aperçut l'expression attendrie de son frère et de son père. Mais ce fut le regard de sa mère qui la bouleversa. Pour la première fois depuis des années, Béatrice Russo semblait profondément touchée et reconnaissante envers sa fille aînée.

Au cours du repas, les hommes discutèrent vivement des problèmes politiques et sociaux qui accablaient la province de Québec depuis quelques années. Tous les sujets furent abordés avec dynamisme et conviction : l'état du système de santé québécois, la construction du nouvel hôpital, l'entretien des voies publiques dans la grande région métropolitaine, la nécessité d'une commission d'enquête sur la corruption dans le domaine de la construction, etc.

Elena écoutait d'une oreille distraite les hommes de sa vie, amusée par la chimie opérant entre eux. Mark et David semblaient particulièrement bien s'entendre. Elle fut soulagée de constater à quel point elle n'avait d'yeux que pour son policier, son subconscient ayant finalement accepté de mettre un terme à sa relation illusoire avec le conjoint de sa sœur.

Silencieuse depuis un moment, elle scrutait Amélia du regard. Si belle, riche, innocente et naïve. Elle lui posa finalement la question qui lui brûlait les lèvres depuis un moment déjà.

— Amélia, comment se passe ton cours de photographie ?

— Vraiment bien, j'adore ça !

Assise à ses côtés, l'aînée n'avait pas à parler à haute voix pour discuter avec sa sœur. Entre deux bouchées d'omelette aux champignons, elle poursuivit :

— Je me demandais comment étaient les autres étudiants dans ton cours. Si tu en trouvais certains un peu bizarres…

— Ben, peut-être Darren. Pourquoi cette question ?

— Pour savoir si tout va bien de ton côté. Depuis que je suis avec mon policier, je constate à quel point il y a des hommes détraqués dans notre société ! Je cherche à me rassurer, je suppose, avoua-t-elle.

— Faut pas voir la vie comme ça, sœurette, sinon, on resterait cloîtré chez soi de peur d'avoir peur !

— Ouais… Mais, dis-moi, il est comment, ton Darren ?

— Plutôt beau gosse, mais il a trouvé le moyen de tout gâcher avec la quantité impressionnante d'accessoires qu'il porte en permanence sur le visage ! Il est gothique un peu, mais de nature discrète. Il a les cheveux affreusement gras ! Je me tiens vraiment à l'écart de ce type. Il manque d'hygiène, il devrait se laver plus souvent ! conclut la belle photographe, visiblement dégoûtée.

— Moi, je me lave tous les jours, mais Cléo, moins souvent. Maman le met dans la laveuse des fois.

J'aime pas ça, je suis certaine qu'il a peur, ajouta Clara, visiblement intéressée par la conversation de ses tantes.

Amélia poursuivit la discussion avec sa nièce, tout en l'aidant à terminer son assiette. Quant à Elena, elle décida de prêter à nouveau attention à la conversation animée autour de la table. Mais après un certain temps, elle se mit à réfléchir à autre chose.

En buvant à petites gorgées son cappuccino, ses pensées allaient encore vers sa sœur, qui avait tout de la victime idéale. Avec tous ses bijoux, sa fortune évidente et sa tendance à vouloir toujours épater la galerie afin de se rendre plus importante et intéressante qu'elle ne l'était vraiment, la princesse Perrot faisait une cible parfaite. Et si la victime qu'elle cherchait désespérément à identifier se trouvait juste à ses côtés ?

Chapitre 9
L'attaque

Lundi 11 juillet 2011

David Allard se trouvait à son bureau des crimes majeurs en ce lundi matin ensoleillé. La journée s'annonçait superbe : tout le contraire de l'humeur du lieutenant Dallaire. Le service était surchargé, et tous les sergents-détectives de son équipe travaillaient d'arrache-pied.

En sortant du bureau de son supérieur, David avait bien du pain sur la planche. Même si le lieutenant semblait satisfait des développements dans le dossier Rivard-Warren, il ne voulait plus rien entendre à ce sujet aussi longtemps qu'on ne pourrait prouver, hors de tout doute raisonnable, la connexion possible entre les deux meurtres.

— Ce ne sont que des suppositions, Allard, tu le sais très bien. Et même si tu es certain de la culpabilité de cet Andrew McRay, jamais tu ne pourras l'inculper devant la loi avec le matériel que tu as en ta possession. Maintenant, tu as une autre enquête sur les bras, organise bien tes efforts. Tu sauras le faire ?

— Nous sommes en attente des résultats d'autopsie et du laboratoire sur le meurtre de l'homme de Saint-Michel, poursuivit rapidement David, démontrant son sérieux dans la gestion de ses dossiers. Il se prénommerait Joubert Dossous, possédait un lourd casier judiciaire pour divers vols et voies de fait. Il était très connu du milieu des gangs de rue. On verra ce que nous apprendront les rapports d'analyses.

Avant même que le lieutenant Dallaire ne reprît la parole, le sergent Brunet cogna à la porte de son bureau.

— Désolé d'interrompre votre rencontre, lieutenant. Mais je suis en ligne avec le sergent Scott. J'ai pensé que David voudrait prendre l'appel, l'informa Richard.

Le policier Allard fut bien soulagé de quitter le bureau de son patron, pour qui les lundis matin n'étaient guère une réussite. Il attendait l'appel de son collègue ontarien avec impatience et espérait de bonnes nouvelles.

— Alors, Allan, comment se porte Irène McRay?
— *Like shit*[19]...

Lorsque Allan s'était garé devant la maison familiale d'Andrew McRay, il avait observé attentivement la maison devant lui. Le quartier, fort coquet, contrastait outrageusement avec le petit bungalow délabré des McRay. Le sergent avait marché avec difficulté sur le petit trottoir de pierre totalement envahi par les mauvaises herbes. Le gazon avait laissé sa place à une variété surprenante de plantes envahissantes indésirables. Sur la maison, qui avait dû autrefois être jolie et accueillante,

19. « Comme de la merde… »

une gouttière était arrachée et pendait en façade. Les fenêtres étaient si sales que tout mouvement à l'intérieur était difficilement perceptible. Comme il s'y attendait, la sonnette ne fonctionnait plus, et Allan avait dû cogner à maintes reprises avant que quelqu'un lui ouvre la porte.

La femme qui lui avait répondu l'avait surpris tant par sa stature frêle que par son regard vide. Habillée d'un vieux t-shirt noir et d'un jeans trop petit, elle devait certainement avoir oublié le mode d'emploi, pourtant fort simple, d'une brosse à cheveux et d'une brosse à dents. Ses superbes yeux bleus perçants semblaient avoir été greffés à ce visage anéanti par une souffrance évidente.

D'un pas nonchalant, Irène lui avait fait visiter la chambre d'Andrew, qui n'avait guère changé depuis son départ pour l'université. Par contre, la pièce était un fouillis absolu, car elle servait également de débarras depuis quelques années. Le lit était recouvert de vieux vêtements, de boîtes et de sacs de toutes sortes. Allan avait eu l'impression de se retrouver dans l'entrepôt de toutes les ventes de garage du quartier.

— *I kept the furniture for a while but now I know that he won't come back. Never*[20], avait avoué la femme de cinquante-sept ans.

Dans le séjour, des bouteilles d'alcool de toutes sortes traînaient dans tous les coins. Sans gêne, Irène s'était servi un verre de scotch, malgré l'heure matinale. Elle n'avait rien offert à Allan, ce qui n'avait d'ailleurs aucunement incommodé le policier.

---

20. « J'ai conservé ses meubles un moment, mais maintenant, je sais qu'il ne reviendra pas. Jamais. »

Depuis le départ de son fils, Irène McRay vivait à la dérive. Elle l'avait avoué sans détour, consciente de son malheur. Elle travaillait à temps partiel dans un restaurant minable dont elle n'avait pas précisé le nom. Depuis dix ans, elle ne pouvait garder un emploi plus que quelques mois, en raison de ses problèmes d'alcool.

Lorsque Andrew lui avait envoyé cinq cents dollars en argent comptant, il y avait un an de cela, elle avait eu un espoir de le revoir. L'entreprise de messagerie qui avait effectué la livraison avait été payée en espèces, et aucune adresse n'était associée à l'expéditeur. Irène n'avait pu retrouver son fils nulle part. Les quelques appels qu'elle avait reçus de sa part avaient été effectués à partir de cabines téléphoniques.

— *I just don't know where he his. Every time he calls, I have a terrible down. He knows that it demolishes me, so he keeps on calling a few times a year. Just to make it worse. It's like a drug, you feel great at the moment but after, it's a nightmare.*

— *Madam McRay, do you have a picture of your son?*

— *Of course I do, but he's only eighteen years old on this one. That's the last time I saw him*[21]...

Allan Scott avait également voulu en apprendre davantage sur l'histoire familiale des McRay. Il avait

---

21. « Je n'ai aucune idée d'où il se trouve. Chaque fois qu'il appelle, je m'écroule par la suite. Il sait que ça me démolit, c'est pour cela qu'il s'entête à me téléphoner quelques fois par année. Juste pour empirer mon état. C'est comme une drogue, on se sent euphorique sur le coup, mais ensuite, c'est un cauchemar. »
« Madame McRay, possédez-vous une photographie de votre fils ? »
« Bien sûr que oui, mais il n'a que dix-huit ans sur celle-ci... C'est la dernière fois que je l'ai vu... »

appris qu'Irène était rapidement tombée enceinte lors de son union avec son patron de l'époque, un certain Jean-Marc Francis. Celui-ci n'avait pas accepté sa grossesse, d'autant plus qu'il était marié et père de deux jeunes enfants. Elle avait décidé de quitter son emploi afin de garder son fils et de l'élever seule. Par principe, ainsi que par culpabilité, le père d'Andrew lui avait envoyé une certaine somme d'argent mensuellement. Il lui avait demandé à maintes reprises de revenir travailler pour lui, n'ayant jamais compris sa décision précipitée de quitter son emploi.

Après le premier anniversaire de l'enfant, Jean-Marc Francis avait cessé de les soutenir financièrement, ce qui l'avait mise hors d'elle. Peu de temps après, elle avait fait changer le nom de famille de son fils unique pour McRay, désirant à tout prix effacer le souvenir de son ancien amant, qu'elle avait tant aimé. Finalement, elle avait su maintes années plus tard qu'il était mort d'un cancer du poumon.

Andrew n'avait jamais rencontré son père biologique et Irène l'avait élevé seule, tel un trésor à cacher à tout prix. Il était devenu la raison d'être de la mère de vingt-neuf ans qui voulait le garder pour elle seule. Elle avait même hésité à l'envoyer à l'école, ne pouvant tolérer de voir son fils s'éloigner d'elle.

Vers 11 h, l'agent de l'OPP avait enfin pu respirer l'air frais et vivifiant de l'extérieur, heureux de quitter la sombre demeure des McRay. En vérifiant s'il avait reçu des appels sur son cellulaire, il avait constaté qu'un de ses collègues avait laissé un message dans sa boîte vocale. Ce qu'il avait appris l'avait stimulé au plus haut point et il n'avait pu s'empêcher d'appeler son collègue du SPVM pour le lui dire.

— Alors Allan, comment se porte Irène McRay ? demanda David.

— *Like shit...* répondit l'Ontarien, qui reprit aussitôt : *Dave ! Guess what*[22] ?

En poussant plus loin leurs recherches, l'OPP avait découvert que le jeune McRay possédait bien une voiture en 2006. Il avait donc délibérément menti à son entourage en prétendant le contraire. Même les voisins n'avaient jamais vu son auto dans le stationnement de leur immeuble. Selon les bureaux d'immatriculation de l'Ontario, il aurait vendu, le mercredi 26 juillet 2006, une Cavalier 2001 noire en parfait état à un certain Bastien Dion, vivant à Gatineau.

— *We found the actual owner and he still have the car. I sent the technical teem to search it. Maybe we can find old DNA or blood*[23].

— J'espère que vous serez chanceux. Ça fait quand même cinq ans.

— *We never know, it's happened before. Under a carpet or in a hidden crack*[24]...

— Alors, faites des miracles, et j'attends ton appel. Mais entre toi et moi, il faut concentrer les efforts sur les traces de sang. Trouver un cheveu de Christelle Rivard ne voudrait rien dire, elle était sa copine, ne l'oublions pas.

---

22. « Comme de la merde... David, devine quoi ? »
23. « Nous avons retrouvé le nouveau propriétaire et il a encore la voiture en sa possession. J'ai envoyé une équipe technique pour la faire fouiller. Peut-être pourrons-nous trouver des traces d'ADN ou de sang. »
24. « On ne sait jamais, c'est déjà arrivé. Notamment derrière un tapis ou dans une fissure cachée... »

— *Bah, will see*[25] !

— On verra bien, tu as raison. *Good job*[26] !

* * *

Le climat au poste de transbordement était au beau fixe depuis une huitaine de jours. Les employés avaient repris leur routine et la tension des dernières semaines avait disparu. Même José Léon semblait mieux. Elena prit place à son bureau afin de noter la date à son agenda : des périodes tranquilles de la sorte se faisaient plutôt rares ; aussi bien les noter afin de mieux y croire une prochaine fois.

Mais cette tranquillité ne dura qu'un temps. Bruno annonça à sa sœur qu'un chauffeur avait été tué dans un poste de transbordement de la rive nord de Montréal.

— Il est mort sur le coup, écrasé par une pelle mécanique, expliqua-t-il.

— Mais que faisait-il à marcher directement sur le front de déchets ?

— Eh bien, à ce qu'il paraît, il aurait remarqué quelque chose lors du déchargement de son camion. De son miroir, il aurait aperçu un téléviseur ou un autre truc du genre. De ce que je sais, sans avertir personne, il a décidé de descendre de son camion et d'aller le récupérer, avant que la machinerie ne l'endommage davantage. Il ne portait pas de dossard, et l'opérateur de pelle ne l'a jamais vu…

— C'est terrible…

---

25. « Bah, on verra bien ! »
26. « Beau travail ! »

— Tout le monde est en état de choc là-bas. Une mort qui aurait facilement pu être évitée s'il avait respecté nos consignes de sécurité !

— Je vais avertir mes gars de cette triste histoire.

Avant de conclure, la directrice avait pris quelques nouvelles de Pénélope, qui ne semblait guère aller mieux, ainsi que de la petite famille de son grand frère.

Plus tard dans la journée, Charlotte lui téléphona pour discuter un peu, sans but précis. Elena se savait complètement nulle en amitié et remerciait le ciel que son amie ne lui fasse pas la morale quant à son incapacité de lui téléphoner de temps à autre.

Durant leur courte conversation, l'apprentie chamane lui avoua, le plus naturellement du monde, avoir fait une transe sur elle. Totalement hystérique et curieuse de connaître la suite, la principale intéressée l'implora pour qu'elles se voient le soir même.

— Alors à l'Académie, rue Saint-Denis, vers 18 h 30 ?

— Trop bruyant. Que dirais-tu des Infidèles, sur la rue Rachel ?

— C'est aussi bruyant qu'à l'Académie !

— Pas un lundi soir !

— D'accord, d'accord.

— Tu te charges d'apporter le vin ?

— Et toi, de me raconter tous les détails, je veux TOUT savoir sur mon avenir ! conclut Charlotte, remplie d'espoir.

Elena dut terminer un peu plus tard ce jour-là, mais elle arriva tout de même chez elle vers 17 h 45. Cela lui laissait amplement le temps de changer de toilette et de se rendre au restaurant en marchant. La soirée était magnifique et le trajet à pied jusqu'au restaurant, agréable. Situé à moins de dix minutes de chez elle, le sympathique bistro était l'un de ses préférés, offrant une cuisine française raffinée tout en restant simple et abordable.

Elle ne fut pas surprise d'y trouver son amie déjà assise à une table, et ce, malgré ses douze minutes d'avance.

— Ta curiosité frôle l'obsession !

— Viens donc t'asseoir, Elena, je ne tiens plus en place !

Après avoir commandé leur repas et bu quelques gorgées de vin, Charlotte passa en mode attaque.

— Et puis ?

— Tout va bien dans ta vie !

— Quoi ? C'est tout ?

— Tu sembles vraiment éprise de ton Christian-le-comptable.

— Alors, c'est sérieux ?

— En tout cas, c'est actif, ma chère.

— Actif ?

— Très actif ! Plusieurs fois par nuit et dans les toilettes du bureau, dans la voiture du parking, décidément, vous avez de la difficulté à gérer vos pulsions sexuelles !

— Bordel, tu m'as vue baiser avec mon comptable ?

— À maintes reprises.

— Mais c'est de la violation de vie privée, ça !

— Et faire des transes, c'est quoi, tu penses ? Je vois ce que l'on me donne à voir. Tout ce que j'ai exigé, c'est le sujet : toi. Tu voulais que j'en fasse une, et bien voilà, c'est fait !

— Mais tu ne m'apprends rien. Je baise déjà avec lui comme une défoncée !

— Non, je sais quelque chose d'autre.

— Quoi donc ?

— Tu aimes le jus de canneberge ?

— Elena, tu me tues lorsque tu fais ça.

— Il contient des agents naturels antibactériens efficaces et est excellent pour la santé des reins.

— Mais… je n'en ai rien à cirer, de ton foutu jus de canneberge !

— J'en prends régulièrement pour prévenir les infections urinaires…

— Quoi, je vais avoir une infection urinaire ?

— *Yes my friend*. Et une solide, en plus.

— Quoi, tu m'as vu pisser en plus ?

— Non, je t'ai vue pleurer chez le médecin, par contre !

— Misère, c'est si douloureux ?

— Tu n'en as jamais eu ?

— Non. Ça s'attrape comment ?

— Eh bien… ça se développe lorsqu'une bactérie va où elle ne devrait pas aller. Avec la quantité de parties de jambes en l'air que tu te permets par jour, disons que tu joues avec les lois de la moyenne…

— Oh…

— Truc de grand-mère : on fait toujours un tour au *pipi-room* après…

— Tu critiques mon hygiène personnelle ?

— Non, aucunement. C'est une question de malchance, c'est tout. Alors, jus de canneberge et pipi après. D'accord ?

— Tu te moques de moi ? J'ai attendu tout l'après-midi pour ça ?

— Je viens de te prévenir d'une souffrance certaine ! Tu n'es pas reconnaissante ? demanda Elena, se retenant pour ne pas éclater de rire. J'ai tellement ri après cette transe-là, Charlotte ! Au moins, rien de catastrophique à l'horizon pour toi ! Surtout que ton Christian semble bien t'aimer, soit dit en passant.

— C'est vrai… ? répondit son amie tout en buvant une gorgée de vin, espérant camoufler sa gêne.

Plus tard durant le repas, Elena ne manqua pas de remercier son amie pour les démarches entreprises auprès de ses supérieurs concernant le travail à la pige de sa sœur.

— Amélia est si heureuse, tu ne peux pas savoir.

Elle lui avoua également être complètement en amour avec David, ce qui ne manqua pas d'égayer considérablement la conversation. Pour ne pas alourdir l'atmosphère, elle décida de taire certains sujets comme cette agression au couteau et cet éventuel déraillement de train en Inde.

Après un délicieux repas, les deux amies se laissèrent, légères et sereines. Elena marchait en direction de chez elle lorsqu'elle fut interpellée par son amie, qui vint la rejoindre à la course.

— Je voulais te dire merci, Elena.

— Pour ?

— Pour cette histoire de jus de canneberge. C'est moche, mais c'est la vie. J'aime mieux ça qu'un cancer de l'utérus.

— Ou qu'un viol collectif.

— Effectivement ! D'ailleurs, comment ça se passe pour ton employé ?

— Sa fille va bien. Les deux fautifs ont craqué et avoué leurs torts. Ils sont en attente de leur procès à la suite des accusations formelles portées contre eux. Un témoin s'est même manifesté. José Léon va beaucoup mieux.

— J'espère qu'ils payeront cher leur connerie, ces deux-là. Sois prudente en rentrant.

— Ne t'en fais pas, il n'est pas tard et il me reste exactement huit minutes et seize secondes à marcher !

— Bonne nuit, Elena, lui dit Charlotte en lui faisant la bise.

* * *

Mardi 12 juillet 2011

Toujours au rendez-vous, le soleil continuait de resplendir sur Montréal. En sortant de chez elle, fière de ne pas avoir, cette fois, oublié son lunch, Elena fut surprise de voir Marc-Antoine, recroquevillé sur les marches du palier. Sa montre n'affichait pas encore 6 h 5 et pourtant, son petit voisin était bel et bien réveillé, assis là, en pyjama. Avant même de faire un pas de plus, Elena fut frappée de plein fouet par la dure réalité. Elle fit une grimace en se remémorant ce qu'elle avait elle-même prédit : la mère du petit était morte la veille. Le garçon échevelé qui se trouvait à deux pas d'elle ne pouvait qu'être en deuil et totalement anéanti par cette rude fatalité.

— Salut mon grand, lui dit sa voisine, tout en s'asseyant à ses côtés.

— Hum…

Il portait les marques d'une personne qui a pleuré une grande partie de la nuit, que le sommeil n'osait importuner. La jeune femme le prit dans ses bras et ne dit rien. Après un moment, il leva doucement la tête.

— Elle est partie, parvint-il à dire.

— Je sais.

— Mais… elle m'a dit au revoir.

— Tu as passé de beaux moments avec elle, n'est-ce pas ?

En guise de réponse, un gros sanglot emporta le gamin durant quelques minutes. Elena ne put retenir ses larmes. Tout en gardant le jeune orphelin dans ses bras, elle tenta de le consoler du mieux qu'elle le pouvait, sachant bien que rien ne pourrait alléger ses souffrances pour le moment.

— C'est important de pleurer mon grand, tu ne dois pas garder ça en toi.

— Je pleure aussi… parce que je vais… devoir partir.

— Ah oui ? demanda Elena, connaissant parfaitement la suite des événements.

— Je vais aller vivre chez mes grands-parents.

— Tu y seras bien, je te le promets. Et puis tu devrais être heureux de quitter cet endroit. Ton beau-père ne sera plus dans tes pattes !

— Mais tu ne seras plus là… toi.

Elena ne s'attendait aucunement à cette réplique et fut prise de court. Pendant près de deux ans, elle avait maudit ce jeune garnement puis, soudainement, en moins de quelques semaines, leur relation avait pris une toute nouvelle tournure. Jamais elle n'aurait cru s'attacher autant à son jeune voisin.

Elle ne sut quoi répondre et le regarda un moment sans rien dire, avant de le prendre à nouveau dans ses bras.

La directrice arriva un peu plus tard que prévu au transbo et elle craignait que ses yeux soient encore rougis par les larmes. Elle avait laissé Marc-Antoine sur les marches de l'escalier et lui avait fait promettre de demander à ses grands-parents de le laisser venir quelquefois prendre des glaces au bar laitier du coin, en sa compagnie.

* * *

En ce mardi matin, le sergent-détective Allard discutait vivement avec son acolyte, l'agent Brunet. Ils avaient effectué de rapides recherches sur Andrew McRay dans les fichiers du Québec et, tout comme l'OPP, ils n'avaient rien trouvé.

— Il a certainement changé de nom.

— Oui, mais probablement illégalement. Sinon, nous l'aurions déjà retracé à l'État civil, précisa David.

— À moins qu'il ne soit retourné à son nom d'origine ? S'il avait plusieurs noms inscrits sur son acte de naissance, il est possible qu'il ait changé simplement son nom d'usage, proposa Brunet. La loi le permet.

— Selon sa tendre mère, son vrai nom de naissance est Francis. Andrew Francis.

— Essayons ça, l'encouragea Richard.

Très rapidement, ils trouvèrent une dizaine de A. Francis habitant dans la région de Montréal. Brunet s'engagea à les étudier, un à un.

* * *

Vers 14 h, Elena reçut un appel à son bureau. Comme elle était en bas, sur le site, en train de discuter avec Marcel, son adjointe Louise dut l'avertir à la radio. Il était rare que la jeune directrice reçoive des appels au travail. Lorsqu'elle sut qu'Amélia voulait lui parler, elle demanda de faire transférer l'appel sur son cellulaire.

— Eh bien, en voilà une surprise, Amélia! Tu t'intéresses à la nature de mon travail ou à celle des sacs à ordures que j'entasse à la journée longue?

— Ni l'un ni l'autre! Je voulais absolument te parler, je ne te dérange pas, j'espère?

— Ça peut aller, dit-elle tout en faisant signe à Marcel de poursuivre sans elle.

— Elena, je reviens de mon premier *shooting* à Québec.

— Ah oui! Et puis?

— Ça a été incroyable! J'ai tellement appris! Les gens avec qui j'ai travaillé sont de véritables génies. Je n'en reviens pas encore!

— Je suis vraiment très contente pour toi, Amélia.

— Et tu sais quoi? Je crois bien avoir fait bonne figure! J'ai suivi mon instinct, puisqu'ils n'arrêtaient pas de me demander mon avis, je leur ai finalement fait part de mes idées. Imagine-toi donc que je repars déjà demain à Saint-Bruno pour une autre séance! Ils ont communiqué avec moi durant mon trajet de retour tout à l'heure.

— Wow! Je suis si fière de toi! Tu le mérites vraiment, tu as beaucoup de talent!

— Alors je voulais simplement te dire merci, Elena. Encore une fois. Tout va si bien dans ma vie grâce à toi !

Après avoir raccroché, Amélia observa en silence Mark qui s'affairait à préparer du café. Il semblait ailleurs et très concentré sur ce qu'il faisait.

— Mark… laisse tomber le café. Je te préfère, toi, à cette dose de caféine, dit-elle tout en s'approchant de lui d'une démarche langoureuse.

Elle prit ses mains et le tira vers elle. Tout en reculant vers la chambre, elle ne cessait de le fixer dans les yeux, lui disant, dans un langage non verbal que seuls les amants maîtrisent, tout ce qu'elle avait l'intention de lui faire subir dans les instants qui allaient suivre. Une fois dans la chambre, elle le jeta sur le lit et commença à le déshabiller.

Soudainement, il s'assit et prit son visage entre ses grandes mains chaudes. Nez à nez, il pouvait percevoir le fin parfum de sa crème de jour, mélangé aux vapeurs de vanille émanant de ses lèvres.

— Je t'aime près de moi, ma belle. Tu m'as manqué.

— Je ne suis partie qu'une journée, mon amour…

— Elle m'a paru une éternité. Je t'aime tant, Amélia.

— Tu es ma raison de vivre, Mark. Tu as tout changé en moi. Je ne pourrais vivre sans toi, n'en doute jamais.

Il la tira délicatement vers lui. Elle se laissa guider vers son corps bouillant de désir. Ils avaient devant eux deux précieuses heures avant le cours de photographie d'Amélia, et ils comptaient profiter de chaque minute.

* * *

Jeffrey ne cessait de se frotter avec ardeur sur les jambes de sa maîtresse. Cela faisait plus d'une heure qu'elle était rentrée, et elle ne lui avait aucunement porté attention. Il finit par se résoudre à lui mordre la cheville. Pas question d'attendre plus longtemps son repas !

Depuis son retour du travail, Elena ne pensait qu'à une chose : accomplir sa tâche. Elle devait poursuivre ses recherches et tenter de nouveau les transes nécessaires à l'identification de l'agresseur au couteau. Elle faillit renverser sa tisane fumante à la sauge lorsque son chat la mordit.

— Hé ! Jef ! s'exclama la jeune femme, tout en comprenant le comportement impatient de son félin préféré.

Après avoir terminé sa tisane et nourri sa pauvre bête, elle alla s'installer dans sa chambre. Allongée sur sa couette moelleuse imprimée de petites fleurs violettes, Elena essaya de définir un semblant de stratégie. Convaincue de ne pas être en mesure de trouver un quelconque indice supplémentaire dans les maigres neuf secondes dont elle disposait pour la fameuse scène d'agression, elle décida de changer son fusil d'épaule.

Ce soir, elle passerait au peigne fin l'ensemble de ses connaissances féminines. Au menu : Amélia, sa mère, Sam, ses amies d'enfance et d'études, sa belle-sœur Pénélope, ses tantes et cousines, son adjointe Louise, Milène de la guérite, la femme de Philippe, copropriétaire du restaurant Wing Fâ, et plusieurs collègues de travail du Groupe Perrot. Seule Charlotte était exclue de sa liste. Chaque nom était soigneusement noté dans son calepin et chacun d'entre eux représentait un défi de taille pour Elena. Elle en dénombra plus de vingt-cinq. Jamais elle n'aurait la force de les traiter toutes.

Courageusement, elle adopta une attitude déterminée et commença avec la personne qui lui était la plus chère : sa sœur. La victime idéale… et sa plus grande crainte.

Dès les premiers tambourinements, la chamane sut que quelque chose clochait. Elle fut catapultée dans une zone inconnue de son esprit où elle pouvait sentir le froid l'envahir peu à peu. Soudainement, un éclair de lumière l'aveugla et elle put apercevoir sa sœur à l'âge de cinq ans, pleurant sur le gazon mouillé de la maison familiale. Après quelques secondes de cette étrange vision, Elena fut projetée dans une autre époque, changement précédé d'un flash lumineux agressant. Elle se vit assise dans son lit, Amélia calée tout contre elle, lui lisant une histoire à voix haute. Avant même d'être émue du souvenir oublié qui s'offrait à elle, Elena fut projetée quelque part à Montréal, après un nouveau flash, dans un restaurant huppé. Mark y était, toujours souriant et amoureux de sa belle. Encore une fois, il y eut un éclair éblouissant et elle put entrevoir Amélia qui s'activait lors d'une séance photo. Torpillée de la sorte, la jeune femme en avait presque la nausée. Finalement, après quelques minutes, sa transe prit fin.

En sautant de son lit, totalement en sueur, mais grelottant de tous ses membres, l'apprentie sentit la panique la gagner. Mais que diable s'était-il produit ? Même s'il s'agissait d'une transe volontaire, elle n'avait eu aucun contrôle, à aucun moment.

Elle vérifia que sa plume était toujours en place, sous la bretelle de dentelle de son bustier. Le goût de la sauge s'attardait encore sur son palais. Qu'avait-elle omis ? C'est lorsqu'elle se précipita sur le vieux journal d'Aimée qu'elle réalisa l'énorme bêtise qu'elle avait commise. Sans même ouvrir le recueil de son ancêtre, elle s'affaissa sur le plancher de bois de sa chambre, sachant bien que ses ambitieux objectifs ne seraient pas atteints ce soir-là.

Exceptionnellement, Patrick avait fixé rendez-vous à Elena afin de dîner avec elle ce jour-là. Sa conjointe, Chantale, avait rencontré un psychologue et, effectivement, tout semblait correspondre au diagnostic énoncé par sa supérieure. Il voulait en parler davantage avec elle, sa patronne lui ayant toujours prodigué d'excellents conseils par le passé.

Non loin du poste de transbordement se trouvait un petit resto sympa que tous deux avaient adopté au fil des ans. L'endroit était constamment bondé, sa réputation n'étant plus à faire. Comme elle le faisait toujours depuis trois ans, elle avait commandé le classique souvlaki sur pita avec salade grecque. Toujours un excellent choix, quoique cauchemardesque pour les amoureux n'ayant pas de dentifrice sous la main.

Assise par terre, les bras croisés sur ses genoux, Elena n'en revenait tout simplement pas. Son insignifiant, mais pourtant délicieux, dîner bourré d'ail et d'oignon venait d'anéantir tous ses plans. Elle ouvrit finalement le journal qui l'attendait depuis un moment déjà et, avec un ton se situant entre le découragement et l'ironie, elle relut d'une voix nasillarde :

« Je ne mange jamais d'ail ni d'oignon. Si j'en consomme, je ne peux me permettre d'accepter des visites, car je dois prendre le temps de me purifier. Cela peut prendre jusqu'à deux jours. »

— Bordel de merde, pourquoi faut-il qu'elle ait toujours raison ! protesta la jeune femme en poussant le vieux recueil loin d'elle.

* * *

Mercredi 13 juillet 2011

David regardait d'un œil admiratif son collègue Richard. Ce dernier venait de lui apporter un café grand format, tout à fait nécessaire en ce mercredi matin. Sans émettre aucun son, il gesticula un « merci » sincère, tout en poursuivant sa conversation téléphonique.

Après une analyse des photos que lui avait envoyées le policier la semaine précédente ainsi que de la description de la dague volée en 2006 au musée de Gatineau, les spécialistes pouvaient enfin se prononcer. Ayant travaillé conjointement, l'anthropologue judiciaire Mohamed Kamel, du LSJML, ainsi que son collègue ontarien étaient arrivés aux mêmes conclusions.

— Il pourrait effectivement s'agir de ce type d'arme tant pour l'agression de Christelle Rivard que pour celle de Lina Warren. L'ondulation particulière de la lame cadre tout à fait avec le type de marques sur les os des deux victimes et sur les lésions aux tendons de Lina Warren.

— Alors c'est probablement l'arme des crimes ?

— Peut-être. Nous ne pouvons l'affirmer à 100 % puisque nous n'avons pu observer l'arme en temps réel.

— Il sera difficile d'en trouver un exemplaire, ces dagues proviennent de Belgique.

— Peut-être envisager une reproduction ? Plusieurs commerces sont spécialisés dans la reproduction d'armes médiévales.

— C'est plutôt l'époque celtique.

— L'époque celtique fait partie du Moyen Âge, sergent, précisa l'anthropologue judiciaire, quelque peu embarrassé. Les Celtes étaient très présents en Europe ancienne et fonctionnaient sous forme de tribus distinctes. Ils furent dominants durant l'Antiquité, principalement du 1er au 3e siècle avant Jésus-Christ. Le Moyen Âge s'étend de l'Antiquité jusqu'à la Renaissance, vers 1500 ans après Jésus-Christ.

— Êtes-vous également historien, Dr Kamel ?

— Je possède quelques notions de base, j'ai fait mes études en anthropologie et en archéologie...

— Eh bien... Je vous dois une fière chandelle. Je vais donc orienter mes recherches vers une réplique de la dague, c'est tout à fait logique. Merci Dr Kamel, c'est grandement apprécié.

Comment David avait-il pu négliger à ce point ses recherches ? Il ne lui était même pas venu à l'esprit d'étudier les bases de l'époque celtique. L'arrivée d'Elena dans sa vie y était certainement pour beaucoup. Il y avait de cela quelques semaines, le policier passait tous ses temps libres à réfléchir et à travailler sur ses enquêtes, et ce, même sur un exerciseur elliptique ou un vélo stationnaire. Il n'était jamais pris au dépourvu, et ses enquêtes avançaient à un rythme soutenu. Déjà, il avait noté plusieurs failles à l'enquête qu'il avait menée sur le meurtre de Lina Warren et il se maudissait pour ces lacunes impardonnables.

Perdu dans ses pensées, il n'avait toujours pas pris une gorgée de son café quand Richard vint à sa rencontre.

— J'ai terminé de vérifier l'identité des dix « A. Francis » répertoriés dans la région métropolitaine. Quatre sont des filles : Aline, Andrée, Alice et Anaïs. Les six autres sont trop âgés, ou ils ne correspondent pas du tout au profil.

— Par exemple ? questionna d'un air sévère David.

— Antoine Francis, vingt-neuf ans, est né en Gaspésie et vit à Montréal depuis dix ans. Marié et père d'une petite fille... Comme je le disais : ne correspond pas au profil, répéta Richard, quelque peu irrité.

David le vit regagner son bureau et s'en voulut d'avoir manqué de tact avec lui. Il prit finalement une gorgée de son café, encore chaud, avant d'inscrire « réplique d'armes médiévales » dans son moteur de recherche Internet.

* * *

Comme elle en avait pris l'habitude depuis quelques jours, Elena dînait dans son bureau, la porte fermée, à l'écoute des dernières nouvelles secouant la planète. Seul Patrick avait réussi à lui faire modifier ses plans, et elle regrettait amèrement cet écart de conduite. Louise était donc livrée à elle-même, privée de sa comparse avec qui discuter pendant l'heure du dîner.

Ce midi-là, la directrice mangeait un restant de linguine sauce rosée, qu'elle avait achetées surgelées il y avait de cela deux jours. Laissant reposer son repas sorti du four à micro-ondes, elle en profita pour fureter sur Internet afin de se tenir informée de l'actualité. Elle parvint à lire les dernières nouvelles en ligne tout en écoutant en direct le bulletin de nouvelles du midi de Radio-Canada. Certaine de ne rien avoir manqué, elle entama son plat réchauffé.

Plus tard, afin d'accompagner ses sablés au citron, elle décida de se concocter une petite tisane, dont elle ne pouvait se priver bien longtemps. Sur le meuble en bois situé près de l'immense fenêtre de son bureau se trouvait tout son nécessaire personnel afin de préparer son breuvage à la camomille. C'est lorsqu'elle se leva que son cœur cessa de battre.

À la radio qu'elle continuait d'écouter en sourdine, on annonçait qu'un déraillement de train venait d'avoir lieu en Inde.

Aujourd'hui était le jour J.

Totalement prise au dépourvu, Elena se mit à arpenter son bureau dans tous les sens, ne sachant ni quoi faire ni à qui parler. Elle décida de faire ce qu'elle faisait le mieux : elle ferma les yeux, se concentra sur sa respiration et tenta de faire le vide. Elle devait se calmer.

Sa grand-tante Henriette lui avait souvent répété de toujours se fier à son instinct, puisque celui-ci était hors du commun. Les yeux fermés, debout près de la porte de son bureau, la jeune femme se mit à l'écoute de son for intérieur. Son être tout entier lui signalait de protéger Amélia. Cette sœur qu'elle aimait tant, mais qui pouvait paraître la pire des pimbêches aux yeux des autres.

Elle sauta sur le téléphone et composa le numéro de son portable. La messagerie vocale entra en fonction aussitôt. Elle tenta le coup à son condo : aucune réponse, évidemment. Elle décida finalement de joindre sa mère, très proche d'Amélia et connaissant tous ses va-et-vient.

— Je crois qu'elle est au travail, elle avait un *shooting*... mais je ne suis pas certaine. Téléphone à Mark, voici son numéro, lui suggéra Béatrice, préoccupée par le timbre de voix paniqué de sa fille aînée.

Après avoir raccroché, Elena hésita un instant, mais elle se força à faire abstraction de ses réticences et composa le numéro fourni par sa mère. L'appel fut bref tant elle était nerveuse. Elle apprit tout de même qu'Amélia se trouvait effectivement à une séance de photo ayant lieu à Saint-Bruno, comme elle le lui avait annoncé la veille, et qu'elle serait de retour chez elle vers 17 h.

— Mark, je dois absolument lui parler.

— Compte sur moi, Elena, je lui ferai le message. Elle est censée me joindre dès qu'elle termine.

* * *

Assis à son bureau, Richard regarda brièvement son collègue-vedette concentré devant son écran d'ordinateur. Il aimait bien David, mais il aurait aimé pouvoir disposer ne serait-ce que d'une infime parcelle de la gloire qui l'entourait. Il était vrai que le sergent-détective Allard possédait un flair hors du commun et que les risques qu'il prenait s'avéraient toujours payants. Toutefois, se considérant comme son bras droit dans la plupart de ses enquêtes, Richard se permettait d'envier sa réputation.

Il décida de fermer le dossier du récent meurtre de Saint-Michel et, pour une fois, de suivre ses propres intuitions. Une heure plus tard, David se pointa à son bureau.

— Tu as rencontré l'entourage de Dossous ? Je vois dans le dossier les entrevues effectuées avec sa famille… Rien d'autre ? Avait-il un travail ou passait-il son temps à prévoir son prochain cambriolage ? demanda le grand policier, faisant référence au lourd passé judiciaire de la victime.

— Euh, non, pas encore. Je travaille actuellement sur le cas Rivard-Warren.

— Ah oui ? Je croyais que le lieutenant nous avait dit de nous concentrer sur le cas Dossous pour le reste de la journée… Il était furieux. Toute l'équipe est débordée, on doit trouver une façon de répartir nos efforts pour chacune de nos enquêtes !

— Je sais, David. C'est mon initiative, le lieutenant n'est pas au courant, répondit spontanément Richard.

— Arrête tout ça et reprends-le demain, veux-tu ? lança le sergent-détective d'un ton autoritaire dont il n'avait pas l'habitude. Faisons ce que Dallaire nous demande et passons au moins une journée sur cette fichue enquête supplémentaire qu'il nous a assignée. Je ne veux pas avoir le lieutenant sur le dos, tu le connais pourtant !

— Et nous n'en mourrons pas si ça se produit…

Voyant que son collègue l'ignorait délibérément, David s'appuya sur son bureau afin de s'approcher de son visage.

— Nous avons un autre meurtre à résoudre, Brunet. Il faut y consacrer un minimum de temps !

— Dossous avait de mauvaises fréquentations et un dossier criminel à n'en plus finir. Sa mort était presque prévisible. Tandis que dans l'autre cas, on a probablement affaire à un tueur récidiviste qui court toujours, figure-toi ! C'est quoi, ton problème ? Pas la peine d'être tous les deux sur le meurtre de Saint-Michel. Il faut poursuivre sur notre élan dans l'enquête du « démembreur » et trouver ce maudit McRay. Je refuse de croire qu'il ait tout simplement disparu !

— Et tu fais quoi, là ?

— Je regarde tous les « Francis » répertoriés...

— Ben voyons ! s'exclama David. Nous n'avons aucune certitude que le suspect utilise réellement le nom de son père biologique.

En guise de réponse, il reçut un regard sévère et inflexible de son collègue. Il décida donc de retrouver le confort relatif de son bureau et de le laisser perdre son temps.

* * *

Vers 14 h, n'en pouvant plus, Elena décida de rentrer chez elle afin de tenter une dernière fois d'identifier la victime de l'attaque au couteau. Elle s'en voulait de ne pas y avoir consacré tous ses efforts. Elle comprenait maintenant pourquoi Aimée ne pouvait faire autrement que de consacrer sa vie entière au chamanisme. Cette faculté semblait tout simplement incompatible avec un semblant de vie normale.

342

Elle s'était assise pour enlever ses bottes de travail quand sa radio sonna :

— Denis à Elena.

— Oui, j'écoute, répondit-elle d'un ton las, inquiète de ce que son employé avait à lui dire.

— Nous avons un récalcitrant !

— J'arrive…

Elle resta assise quelques secondes devant l'absurdité de la situation. Non, elle ne pourrait quitter tout de suite son travail, ses responsabilités, sa vie. Elle descendit rejoindre Denis afin de régler le cas de ce chauffard.

— Il roulait assez rapidement, au moins à 20 km/h, lui signala Denis.

Elena s'avança vers le chauffeur et prit la parole. Il s'agissait d'un camion n'appartenant pas au Groupe Perrot et elle ne connaissait pas l'homme au volant.

— La limite de vitesse est fixée à 5 km/h dans le transbo, monsieur, vous étiez au courant ?

— Non m'dame.

— C'est pourtant affiché partout ! Votre nom, je vous prie ?

— Vous êtes qui, vous ?

— La directrice de ce poste de transbordement. Votre nom et celui de votre employeur, s'il vous plaît.

— Gaston Berthier, de Collecte Gervais. Je peux y aller, maintenant ?

Après vérifications, Elena dut interdire l'accès au chauffeur puisqu'il avait dépassé la limite des avertissements permis. La règle était pourtant claire : après deux avis, c'est le refus d'entrée. Son employeur était furieux non seulement contre le Groupe Perrot, mais également contre son employé au pied pesant.

Alors qu'elle croyait cette mini-saga maîtrisée, elle reçut l'appel de Milène, la responsable de la guérite, mentionnant que la firme mandatée de faire une étude de caractérisation des déchets attendait à l'entrée du site. Découragée, Elena émit un soupir de désespoir et résista à l'envie de jeter sa chaise par la fenêtre du bureau.

Vers 16 h 30, le téléphone cellulaire d'Elena vibra.

— Amélia! Heureuse que tu aies eu mon message.

— Mark m'a dit que tu voulais me parler.

— Je veux que tu ailles chez papa et maman passer la soirée.

— Quoi? Mais je vais au cinéma...

— N-O-N! Tu dois aller chez papa! Ne me pose pas de questions, s'il te plaît. Fais-le pour moi, Amélia, c'est important et tu dois me faire confiance.

— Mais que se passe-t-il, bon sang?

— Je t'expliquerai plus tard, fais-le, d'ac?

— Alors j'annule le ciné?

— Oui, je t'en prie... supplia une dernière fois Elena.

* * *

Lorsque Elena arriva enfin chez elle, sa montre affichait déjà 17 h. Une heure plus tard devait commencer le *Télé-journal*, au moment fatidique de l'agression. Ne pouvant tenir en place, elle téléphona chez ses parents. Elle constata alors qu'Amélia n'était toujours pas arrivée.

— Tu fais quoi, bordel?

— Je suis en route, Elena ! Je suis complètement paralysée dans un immense bouchon de circulation sur le pont Champlain.

— Papa et maman t'attendent.

— Je n'irai pas. Je n'ai pas le goût de les voir et de leur devoir des explications…

— Alors, viens chez moi !

— C'est déjà mieux… Et puis, commande des sushis au resto du coin, j'irai les chercher en passant, accepta finalement la sœur cadette, tout de même déçue des changements apportés à ses plans de soirée. Et tu me dois des explications ! ajouta-t-elle avant de raccrocher.

Soulagée, Elena s'effondra sur une des chaises en bois de sa salle à manger, satisfaite d'avoir pu modifier le destin de sa petite sœur.

* * *

Andrew ne pouvait que constater cette fâcheuse réalité qui refaisait surface soudainement. Il se sentit défaillir, il savait qu'il allait flancher à nouveau. Cette fille si parfaite se croyait tout permis. La rage qu'il tentait de contrôler depuis plusieurs jours l'envenimait de plus en plus. Il avait même failli s'en prendre à une insignifiante élève qui avait eu la fâcheuse idée de le contrarier pendant son cours.

Malgré toute sa volonté, bien présente lors de ses bons jours, il ne pouvait nier l'éveil du plus sombre de lui-même. Encore une fois, comme le faisait jadis sa mère, une femme venait tout gâcher. Une femme qu'il ne pourrait que détruire, comme les autres. Mais ne voulant pas répéter ses erreurs d'autrefois, il avait décidé de s'en prendre à la source même du problème.

En cette belle fin d'après-midi, Andrew resta debout, dehors, et contempla sa prochaine victime. Elle était jolie, il va sans dire, mais il la méprisait. Andrew s'avoua donc vaincu et laissa toute la place à son démon intérieur, qui prit rapidement le contrôle.

Silencieusement, sans être vu de personne, il entra discrètement par la porte arrière donnant sur la cuisine. Sans perdre de temps, avant même qu'elle ne remarque quoi que ce soit, Andrew l'assomma à l'aide d'une poêle traînant sur le comptoir de céramique.

Après avoir reculé au maximum dans l'entrée la voiture de sa victime, dissimulée par plusieurs arbres et arbustes, il put amener le corps inconscient de la jeune femme sans se faire remarquer.

Lorsqu'elle reprit connaissance, Elena eut du mal à s'adapter à la lumière ambiante. Sa tête la faisait souffrir et elle ne pouvait bouger. La pièce était grise, humide et éclairée par une lumière naturelle aveuglante provenant de la fenêtre rectangulaire située en face d'elle. Ce n'est que lorsqu'elle aperçut la cheminée rouge au travers de celle-ci qu'elle réalisa l'ampleur de la situation. Elle était ligotée, ELLE était la victime.

Furieuse, elle réalisa également que son sac à main devait encore se trouver dans la cuisine de son condo. Le *taser* fourni par David aurait été bien utile. Sachant exactement quelle était la suite des événements, Elena se sentit complètement impuissante. Son cœur battait à tout rompre et la panique l'envahissait peu à peu.

C'est alors qu'elle perçut une présence derrière elle. Elle tenta de se retourner, mais son agresseur n'était pas dans son champ de vision.

Devinant ce qu'elle voulait faire, Andrew se déplaça vers la fenêtre afin de faire face à sa victime.

— Bonjour, Elena.

* * *

À 17 h 25, Richard Brunet se dirigea vers le bureau de David. Il était sur le point de partir, mais il le retint un instant. Ils ne s'étaient pas parlé depuis leur discussion de l'après-midi et la tension semblait être tombée.

— J'ai terminé !

— Quoi donc, Richard ?

— J'ai vérifié les quelque cent quinze personnes portant le nom de Francis dans la région de Montréal.

— Alors, était-ce une perte de temps ?

— En enlevant toutes les femmes, il ne m'en restait que 78.

— Et alors ?

— Ce fut peut-être une perte de temps, admit Richard à son collègue. Mais... j'ai trouvé une drôle de coïncidence, dit-il en lui tendant une feuille de papier contenant plusieurs adresses postales. Une adresse est fichée à Montréal-Nord : 10 740, avenue Salk.

Brusquement, David releva la tête et prit la feuille que lui tendait son collègue. Il connaissait ce secteur. Sentant son rythme cardiaque augmenter à une vitesse vertigineuse, il constata avec intérêt que l'adresse trouvée par Richard se trouvait à deux rues de la maison de

Lina Warren, dans le parc industriel. Se levant d'un bond, il s'écria :

— Bon boulot, Richard !

Laissant son collègue en plan, il partit sur-le-champ, l'adresse en main.

— Attends ! s'écria le sergent-détective Brunet. Tu oublies le plus important !

David se retourna et vit une seconde feuille, tendue par l'homme souriant en face de lui.

— Une télécopie arrivée pour toi, c'est la photo d'Andrew que l'agent Scott t'a transmise. Je crois qu'elle est arrivée depuis lundi, mais Danielle l'a prise par mégarde avec elle lorsqu'elle a reçu un document par télécopieur peu de temps après. Elle ne s'en est rendu compte qu'aujourd'hui.

— Bordel, ils ne connaissent pas les courriels en Ontario ?

Lorsque David prit la feuille, il eut du mal à concevoir que le jeune homme de dix-huit ans souriant sur les clichés photocopiés en noir et blanc allait devenir un tueur en série. Maigre, grand, cheveux clairs : Andrew McRay était plutôt beau gosse. Habillé d'une toge, il semblait fier d'avoir obtenu son diplôme. Malgré tout, le policier fut déçu de la piètre qualité des photographies à leur disposition pour lancer les avis de recherche.

Alors qu'il remettait la télécopie à Richard, pour qu'elle soit soigneusement insérée dans le dossier, il jeta un dernier coup d'œil attentif au blanc-bec souriant sur la photo. Ce qu'il découvrit le sidéra.

— Sacrament ! jura à pleins poumons David en se précipitant à la course vers les escaliers.

Assise inconfortablement sur le plancher froid, Elena ne savait quoi penser. Son beau-frère se promenait sans arrêt et ne cessait de parler. Il semblait en furie. Totalement sous le choc, submergée par d'incessantes larmes, elle avait peine à comprendre ce qu'il lui disait.

Elle ne pouvait concevoir que l'homme qu'elle avait tant désiré voulait à présent lui faire du mal. Ses grands yeux verts étaient globuleux et il semblait déformé par la rage qui le submergeait. À présent, son beau « Jake » n'était rien d'autre qu'un monstre.

— C'est viscéral en toi, de te mêler de la vie des autres, de vouloir tout contrôler ? Nous allions si bien avant que tu viennes tout gâcher avec tes idées de grandeur, de carrière et de projets. Tu prends toute la place, mais tu dois savoir une chose : je prends désormais la place dans le monde d'Amélia, pas toi ! Il n'est pas question que tu contrôles nos existences. La mienne, je la mène comme je l'entends. Les femmes dans ton genre, je les déteste, je les élimine !

Immobilisée au sol, Elena constata à nouveau à quel point cette rage, qui semblait aveugler son assaillant, le rendait méconnaissable. Au plus profond d'elle-même, elle savait que cet homme n'en était pas à sa première agression. Elle sut d'instinct qu'il avait certainement fait d'autres victimes.

Courageusement, elle tenta de parler au fou furieux qui la sermonnait :

— Mark… Mais tu n'avais qu'à me le dire… Je n'ai voulu que bien faire, voyons. Je comprends très bien ce que tu dis, je vais vous laisser tranquilles…

— Non, tu ne comprends pas! Tu as éveillé en moi cette facette irréversible qui me donne la force de régler mes comptes, de passer aux actes. Je ne peux plus reculer, il est trop tard pour toi. Le Mark que tu connais n'est plus, il est autre chose: une entité puissante et incontrôlable. Le mal est fait, tu dois disparaître... comme les autres.

Paniquée, Elena connaissait la suite de cette conversation... Elle savait qu'il allait la poignarder... Malgré la peur qui la paralysait, elle se rappela certains propos de David. Bien qu'il n'ait pu tout lui dévoiler sur le développement de son enquête, le peu qu'elle en savait la terrifiait. Serait-il possible que son ravisseur soit le tueur recherché? Lorsque cette pensée lui traversa l'esprit, elle répliqua:

— Disparaître comme Lina Warren?

— Tu la fermes! s'écria Andrew, surpris par son commentaire.

Par sa réaction, elle sut immédiatement qu'elle avait vu juste, que le «démembreur» dont David lui parlait de temps à autre se tenait devant elle... Les espoirs d'Elena s'amenuisèrent considérablement. Allait-elle terminer ses jours dans un sac à ordures? Triste ironie du sort pour une Perrot... Après quelques secondes, il ajouta d'une voix enragée:

— Salope!

Initialement, le coup de poignard devait se loger dans la poitrine d'Elena, directement au cœur. Mais lorsqu'elle entendit le mot ultime et qu'elle sut que le moment fatidique était imminent, une seule option s'offrit à elle: se protéger.

Armé d'un couteau, Mark l'attaqua soudainement. Elena eut le réflexe de se détourner de la lame qui lui entailla le bras gauche. La douleur était aiguë. Elle ne savait pas quoi faire, sa transe n'avait jamais dépassé cet instant.

Couchée sur le flanc droit, toujours ligotée aux chevilles et aux poignets, elle se mit à crier de toutes ses forces afin d'attirer l'attention de quiconque pouvant entendre son cri d'alarme. En guise de réponse, elle fut poignardée à nouveau à l'abdomen, du côté gauche. La douleur fut fulgurante, elle sentit son sang chaud s'épandre sur elle et sur le sol en béton. Elle lâcha prise et sombra.

* * *

— Elena! Elena! s'écria David en la voyant étendue sur le sol dans une mare de sang.

Il venait d'arriver au 10 740, avenue Salk et tenait en joue l'agresseur avec son arme semi-automatique. En quelques secondes, il comprit la scène qui s'offrait à lui et s'en voulut d'être arrivé une minute trop tard.

— Andrew, lâche ton arme. C'est terminé!

L'homme avait l'air surpris qu'on l'ait appelé par son véritable prénom. David décida de poursuivre sur sa lancée afin de le déstabiliser davantage. Il ne devait pas perdre le contrôle, d'autant plus que la femme qu'il aimait se vidait de son sang à quelques mètres de lui. Tout en s'avançant lentement vers le tueur au couteau, il reprit:

— Andrew McRay, c'est ça? Tu sais que ta mère est alcoolique et au fond du baril? Tu devrais voir l'état dans lequel est ta maison!

— Je hais ma mère…

— C'est pour ça que tu as changé ton nom pour le nom de ton incapable de père ? Croyais-tu vraiment pouvoir disparaître ? Même après avoir tué Lina et Christelle ? Ne me regarde pas comme ça, nous savons tout. Lâche ton arme, salaud, c'est terminé.

David entendit alors des pas derrière lui et comprit que les renforts venaient d'arriver. L'homme sursauta. Profitant de ce moment de distraction, David se précipita sur Andrew afin de l'immobiliser et de le menotter.

— Merci, Richard... souffla rapidement David en voyant son collègue faire irruption sur la scène avec deux patrouilleurs.

— Tu croyais que j'allais te laisser y aller tout seul ? répondit le sergent Brunet, tout en suivant du regard son collègue qui se précipitait sur la jeune femme inerte, étendue au sol.

* * *

Samedi 16 juillet 2011

Elena nageait dans un océan limpide et accueillant. L'eau cristalline était tempérée et grouillait de vie. Fermant les yeux, elle se laissa flotter à la dérive dans cette immensité aux mille vertus thérapeutiques.

Soudainement, elle sentit un objet frôler sa main. Lorsqu'elle ouvrit les yeux, la scène paisible qui lui avait tant fait de bien s'était évaporée. La jeune femme ne voyait que des quantités innombrables de détritus de toutes sortes. En quelques secondes, elle fut envahie par des sacs et des bouteilles de plastique flottant autour d'elle. Elle n'en voyait pas la fin, cette île de déchets voguant sur l'océan s'étendait à des kilomètres à la ronde.

De plus en plus, la mare d'ordures resserrait son emprise sur sa prisonnière. Elle tenta de nager pour se libérer, mais elle fut soudainement tirée vers le bas. Essayant de toutes ses forces de regagner la surface de l'eau, elle se voyait contrainte de poursuivre sa course vers les abîmes. Prise au piège par cette force destructrice qui la tirait vers le gouffre, Elena capitula et ferma les yeux, croyant sa fin arriver.

Lorsqu'elle ouvrit à nouveau les yeux, elle sentit l'air pénétrer dans ses poumons. Une vive lumière l'éblouissait. Elle se demanda un moment si elle avait rêvé ou fait une transe. Elle réalisa ensuite qu'elle était allongée dans un lit, mais ne pouvait dire l'endroit où elle se trouvait. Sa vue était floue et les sons, inégaux.

— Elena…

Elle reconnut la voix et chercha du regard le visage rassurant de David. En le voyant, toute la scène de son agression lui revint en tête. Soulagée de constater qu'elle était toujours en vie, elle tenta de lui sourire.

— Bonjour… Que je suis heureux de te retrouver ! lui confia-t-il, à voix basse.

— Où suis-je ? arriva-t-elle à demander, la gorge sèche.

— Tu es à l'hôpital Santa Cabrini et tout va bien, ne t'inquiète pas, lui répondit Henriette.

Lorsqu'elle aperçut sa grand-tante près de son lit, elle ne put contenir sa joie.

— David a été suffisamment gentil pour venir me chercher à quelques reprises afin que je puisse rester à tes côtés, précisa la vieille dame. Tes parents viennent de partir, ils reviendront bientôt.

— J'étais si inquiet, ma belle, reprit-il tout en lui prenant la main.

— Ne m'appelle pas comme ça, David, s'il te plaît, supplia la jeune femme, d'une voix faible.

— Pourquoi ?

— Mark appelait constamment Amélia comme ça…

— Oh.

— Que s'est-il passé ?

— Je suis arrivé juste à temps pour l'empêcher de te poignarder davantage et, probablement, de te prodiguer le même traitement qu'à ses autres victimes. Mon collègue Brunet a trouvé son adresse… Je lui en serai toujours reconnaissant… Mais je dois t'avouer que cela m'a pris quelques instants pour reconnaître Mark sur la photo que l'on nous avait fournie. Il a un visage de caméléon, cet Andrew…

— Que se passe-t-il avec lui ? se força à lui demander Elena, qui cherchait du regard un verre d'eau.

— Il est sous les verrous en attentant la date de son audience préliminaire, répondit le policier, tout en aidant sa bien-aimée à prendre quelques gorgées d'eau. Il est formellement accusé des meurtres de Christelle Rivard et de Lina Warren ainsi que de tentative de meurtre et d'enlèvement sur ta propre personne. Nous possédons enfin sa dague et toute la preuve repose sur les analyses scientifiques qui en découleront. Je crois bien que ce sera de cette façon que nous pourrons prouver sa culpabilité. À moins qu'il ne plaide coupable… Mais nos témoignages seront également nécessaires, quoi qu'il arrive.

— Et comment va ma sœur? demanda-t-elle, inquiète.

Avant que David ait pu répondre, le médecin responsable de son suivi fit son entrée dans la pièce.

— Eh bien, en voilà une belle surprise! Bienvenue parmi nous, mademoiselle Perrot, s'exclama le Dr Chamberland.

L'homme, dans la cinquantaine, était coiffé d'une tignasse à faire rougir de jalousie tous les chauves du Québec ainsi que d'une barbe dense aussi noire que de l'encre. De très rares cheveux blancs étaient apparents. Elena ne se souvenait aucunement d'avoir rencontré cet homme auparavant. Avec son beau sourire expressif et son regard amical, le Dr Chamberland lui plut immédiatement.

— Vous en avez eu de la chance, ma chère dame. Nous nous sommes drôlement inquiétés à votre sujet! Mais vous êtes forte et vous serez vite sur pied! D'ici quelques jours, vous aurez votre congé, précisa le médecin, tout en auscultant sa patiente.

— Quel jour sommes-nous? demanda Elena, soudainement consciente de son état physique.

— Le samedi 16 juillet, 14 h 28 exactement. Cela faisait près de trois jours que vous étiez dans le coma.

— Tu as subi une opération, ajouta David, devant ses yeux interrogateurs.

— Récapitulons, voulez-vous? proposa le médecin. Vous êtes arrivée ici mercredi en début de soirée avec une lacération profonde au bras gauche, mais rien d'inquiétant à ce niveau. La seconde lésion était située au niveau de l'abdomen. Étant donné votre instabilité

355

hémodynamique, nous avons dû vous opérer d'urgence. La laparotomie nous a permis de déterminer la trajectoire de votre plaie. Malheureusement pour vous, le péritoine a été traversé par la lame. Vous avez subi un grave traumatisme duodénal pancréatique. En gros, une partie de votre intestin grêle et de votre pancréas étaient dans de sales draps. Nous avons rafistolé tout ça et, en principe, vous n'aurez aucune séquelle. Tout fonctionnera comme avant !

— Et je peux sortir dans quelques jours malgré l'opération ?

— Oui, mais vous devrez revenir périodiquement pour un suivi médical très serré. Il faut éviter les complications. Vous savez, le pancréas est sournois, cela peut prendre du temps avant de déceler des complications, d'où la nécessité d'effectuer un suivi préventif. Des questions, mademoiselle Perrot ?

— Euh... je vais digérer la nouvelle et je verrai ensuite... dit-elle d'une voix basse.

— Très bien, je repasse dans trente minutes.

L'homme en sarrau sortit aussi précipitamment qu'il était entré. Après son départ, Elena tendit le bras droit vers sa plaie, afin de constater par elle-même l'étendue des dégâts. Elle portait encore un bandage et ne put sentir sa cicatrice.

— Il ne m'a pas manqué, on dirait...

C'est alors qu'Henriette s'approcha d'elle et lui demanda à brûle-pourpoint, sans aucune gêne devant David :

— C'est incroyable que tu n'aies pas visualisé cette attaque lors de tes transes... Que s'est-il passé ?

— Je l'ai vue, Sam… J'ai tout vu, et si ce n'était de mes visions, je serais morte à l'heure actuelle. Le premier coup était destiné à mon cœur… J'ai pu réagir à temps, car je savais exactement à quel moment il allait m'attaquer.

Prise par l'émotion, Elena se sentit faiblir et ferma les yeux, essayant de camoufler ses larmes. Elle reprit d'une voix effacée :

— Pourquoi Mark voulait-il me tuer ? Suis-je si oppressante dans la vie des gens ?

— D'abord, son vrai nom est Andrew McRay. Il est Franco-Ontarien et sérieusement dérangé mentalement. Il souffre peut-être d'un problème de personnalité et doit avoir des tendances sociopathes, si tu veux mon avis. Mais peu importe quelles étaient ses raisons, elles n'étaient pas bonnes. Tu n'as rien à te reprocher, Elena.

En guise de réponse, elle referma les yeux, essayant d'écarter ses pensées de son esprit. Rapidement, la fatigue la submergea à nouveau.

— Tu sembles fatiguée, Elena… Dors un peu, nous ne serons pas loin, ajouta son amoureux, tout en lui embrassant doucement le front.

Henriette et David quittèrent la chambre 512 et allèrent attendre dans la salle prévue pour les familles, non loin des ascenseurs. Ils s'approchèrent d'une table et la vieille dame sortit deux paquets de cartes de son sac à main.

— Cette fois-ci, Sam, c'est moi qui gagne ! l'avertit David, heureux de pouvoir prendre sa revanche.

* * *

Deux mois plus tard.

Profitant du soleil encore chaud de septembre, David attendait avec impatience Elena. Il appréhendait sa réaction, mais était certain de réussir son coup. Sa démarche n'était pas des plus orthodoxes ni des plus honorables, mais il était certain qu'il s'agissait de la seule façon d'arriver à ses fins.

Assis sur une terrasse animée de la rue Sainte-Catherine, il buvait à petites gorgées une bière importée dont il ne se souvenait déjà plus le nom. Ne voulant pas faire attendre la femme qu'il aimait plus que tout au monde, il avait pris l'habitude de toujours arriver quinze minutes à l'avance à leurs rendez-vous.

Comme toujours, à l'heure exacte prévue, Elena fit surface devant lui, comme par magie. Toujours aussi superbe, elle ne laissait aucun doute sur sa forme resplendissante.

Très heureuse de retrouver David, Elena s'assit dans la chaise Art déco de cuir blanc, après avoir pris le temps de l'embrasser. L'ambiance du bistro était éclectique et à la limite d'être trop bruyante. Elle commanda à son tour une bière blonde et entama la conversation.

— Amélia te salue, mon cher !

— Elle va bien ?

— Pas vraiment, mais elle va mieux. Elle s'en remettra, je l'espère…

— Et toi ?

— Je vais très bien ! Je reviens de l'hosto et mon taux de sucre sanguin est bon. Le Dr Chamberland est plutôt satisfait du travail de mon pancréas. Toujours aucun signe de complications, et je me sens vraiment bien... lui expliqua Elena, visiblement soulagée.

— Mais, tu es en manque... Et ne le nie pas, c'est ton père qui me l'a dit.

— En manque de quoi ? répondit Elena, totalement prise au dépourvu par sa remarque.

— Il m'a informé que cela faisait au moins quatre ans que tu n'avais pas pris de vacances. Et tu sais quoi ?

— Non...

— Moi non plus !

— Alors... l'encouragea Elena, légèrement confuse de la direction vers laquelle il orientait la discussion.

David sortit de sa poche une enveloppe contenant deux billets d'avion électroniques à leurs noms, en direction des îles Maldives.

— Ça te dirait, une petite escapade en amoureux dans un décor paradisiaque ? Et ça comprend également une croisière de plongée sous-marine ! lui dit-il, emballé.

— Mais je ne fais pas de plongée !

— Tu as amplement le temps de faire ta certification avant que nous partions. C'est prévu pour fin décembre. Et la plongée est facile, là-bas. Alors, ça te dit ?

— Mais je viens de me faire opérer, David, ça n'a pas de bon sens !

— J'ai tout vérifié, et étant donné ton bon rétablissement, tu ne devrais pas avoir de contre-indication pour plonger en décembre. Au pire, tu profiteras de la croisière ! Tu vas voir, Elena, tu vas adorer l'expérience ! Nous ne sommes que seize sur le yacht. C'est vraiment quelque chose à vivre à ce qu'il paraît !

— Bon… D'accord, pourquoi pas ? hésita tout de même la jeune femme, encore sous le choc de l'initiative de son amoureux.

— Tu n'avais pas prévu ce voyage avec tes visions, j'espère ?

— Non, aucunement ! Promis !

La voyant finalement sourire, David eut honte d'avoir dû l'entourlouper de la sorte dans ce piège qu'il regrettait déjà, mais il n'avait pas le choix, connaissant les convictions et le caractère bouillant de sa douce.

Elle leva donc son verre, répondant à l'invitation de son tendre colosse, et porta un toast à cette drôle d'idée de finalement prendre des vacances, avec la complicité de son père, elle en était convaincue.

Toutefois, Elena ne se doutait pas qu'elle trinquait également au plus important défi qu'elle allait devoir relever en tant que chamane, mais aussi en tant que femme…

FIN

Remerciements

Je tiens à remercier tous ceux qui ont participé de près ou de loin à ce roman. Et ils sont bien nombreux ! Merci tout d'abord à Michel Daneault, policier à l'identité judiciaire, et à Maxime Paquette, enquêteur à la Régie intermunicipale de Police de Roussillon. Merci de m'avoir ouvert les portes du monde de la criminalistique.

Pour m'avoir fait découvrir les rouages quotidiens d'un poste de transbordement, merci à messieurs Éric Girard et Robert Gadoury, du Groupe EBI. Merci également à Pierre Molina, des Services environnementaux Faucon, pour ses précisions éclairantes.

Je remercie Véronique Souilly pour ses yeux de lynx ainsi que Sylvie-Catherine de Vailly, des Éditions Recto-Verso, grâce à qui l'histoire d'Elena n'a fait que se bonifier.

Évidemment, je ne pourrais passer sous silence le soutien inconditionnel de certaines personnes, qui ont toutes joué, à un moment ou à un autre, un rôle déterminant dans mon cheminement. Je pense à la famille Gerard au grand complet, dont Normand et Martin, ainsi qu'aux Guinois, ma belle-famille qui m'appuie depuis le début. Merci également à tous mes collègues de chez Chamard et Associés que j'apprécie tant et, bien entendu, à mes nombreux amis, mais tout spécialement à Annie, à Christine et à Lucie. À mes parents, Jeannine et Gabriel, à leurs conjoints respectifs et, bien sûr, à ma sœur Valérie : merci pour vos encouragements instantanés ! Je vous aime !

Impossible d'oublier mes deux sources de motivation préférées : Rose et Philippe, mes enfants que j'adore. Et, surtout, celui qui a fait en sorte que je termine enfin ce bouquin, que je prenne mon courage à deux mains pour mettre ma carrière en veilleuse, qui a su m'endurer pendant deux longues années avec mes questionnements interminables et, qui a toujours cru en moi. Merci Jean-Luc, sans qui rien de tout cela n'aurait pu être possible.

ACHEVÉ D'IMPRIMER AU CANADA
PAR MARQUIS IMPRIMEUR
EN OCTOBRE 2013